Mit seiner ›Dame aux Camélias‹ setzte Alexandre Dumas Fils (1824–1895) dem Typ der sündigen, aber edelmütigen Kurtisane ein literarisches Denkmal: Marguerite Gautier, die Heldin des 1848 erschienenen Romans, hat neben Zolas ›Nana‹, Clelands ›Fanny Hill‹ und Prévosts ›Manon Lescaut‹ ihren festen Platz im Kanon der großen Kokotten der Weltliteratur. Der Roman und das gleichnamige Theaterstück machten den jüngeren Dumas über Nacht berühmt, und Verdis Oper ›La Traviata‹ sowie zahlreiche Verfilmungen verhalfen schließlich der ›Kameliendame‹ zu ihrer außerordentlichen Popularität, die bis heute anhält.

Marguerite, vom Luxus verwöhnte Mätresse zahlungskräftiger Herren der Gesellschaft, lernt mit dem jungen, nicht sehr wohlhabenden Armand Duval die echte Liebe kennen, um derentwillen sie ihr unmoralisches Leben aufzugeben bereit ist. Das Eingreifen von Armands Vater, der um die Ehre der Familie und die Zukunft seines Sohnes fürchtet, zerstört den Traum vom einfachen, aber glücklichen Leben auf dem Lande. Die Kameliendame kehrt nach Paris und in ihr altes Leben zurück. Der verzweifelte Geliebte erhält erst nach ihrem baldigen Tod Aufschluß über die wahren Motive ihres Handelns.

Literatur · Philosophie · Wissenschaft

Alexandre Dumas

Die Kameliendame

Aus dem Französischen neu übersetzt
und mit einem Nachwort herausgegeben
von Michaela Meßner

Deutscher Taschenbuch Verlag

Vollständige Ausgabe.
Aus dem Französischen neu übersetzt
und mit Anmerkungen und einem Nachwort versehen
von Michaela Meßner.

Titel der Originalausgabe:
›La Dame aux Camélias‹ (1848)

Neuübersetzung
Mai 1993
2. Auflage Oktober 1995
Deutscher Taschenbuch Verlag GmbH & Co. KG,
München
© 1993 Deutscher Taschenbuch Verlag, München
Umschlagtypographie: Celestino Piatti
Umschlagbild: Gemälde von Alexandre Cabanel,
Die Comtesse de Keller
Gesamtherstellung: C. H. Beck'sche Buchdruckerei,
Nördlingen
Printed in Germany · ISBN 3-423-02315-5

I

Ich bin der Ansicht, daß man Gestalten erst dann zu erschaffen vermag, wenn man die Menschen eingehend erforscht hat, wie man ja auch eine Sprache erst beherrscht, nachdem man sie von Grund auf erlernt hat.

Da ich selbst noch nicht in dem Alter bin, in dem man frei erfinden kann, will ich hier nichts als Tatsachen berichten.

Der Leser darf also getrost der Überzeugung sein, daß diese Geschichte sich tatsächlich zugetragen hat und alle Personen, mit Ausnahme der Heldin, noch am Leben sind.

Zumal es ein leichtes wäre, für die meisten der hier geschilderten Begebenheiten in Paris Zeugen zu finden, sollte man mir nicht genug vertrauen. Durch einen besonderen Umstand wurde ich als einziger in die Lage versetzt, diese Geschichte niederzuschreiben, denn nur ich allein wurde über die letzten Einzelheiten ins Vertrauen gezogen, ohne die sie weder interessant noch vollständig wäre.

Hören Sie nun, auf welche Weise ich von diesen letzten Einzelheiten erfuhr. – Am Zwölften des Monats März 1847 las ich in der Rue Lafitte auf einem großen gelben Anschlag die öffentliche Bekanntmachung der Versteigerung von Möbeln und kostbaren Raritäten. Anlaß war der Todesfall des Besitzers. Der Name der verstorbenen Person wurde auf dem Anschlag nicht genannt, doch sollte der Verkauf in der Rue d'Antin Nr. 9, am Sechzehnten des Monats, von zwölf bis fünf Uhr stattfinden.

Ferner war vermerkt, daß man Wohnung und Einrichtung am Dreizehnten und Vierzehnten besichtigen könne.

Ich bin stets ein Liebhaber von Raritäten gewesen. Ich nahm mir vor, mir diese Gelegenheit nicht entgehen zu lassen, denn würde ich auch nichts erstehen, so wollte ich es mir doch angesehen haben.

Am folgenden Tag begab ich mich in die Rue d'Antin Nr. 9.

Es war noch früh, und dennoch fand ich die Wohnung schon voller Besucher, darunter auch Damen, und obgleich sie in Samt gekleidet und in Kaschmirschals gehüllt waren und vor der Tür ihre eleganten Coupés stehen hatten, betrachteten sie doch mit Erstaunen und sogar Bewunderung den Luxus, der sich dort ihren Blicken darbot.

Gleich darauf verstand ich diese Bewunderung und dieses Erstaunen, denn als ich ebenfalls daranging, die Dinge in Augenschein zu nehmen, konnte ich unschwer erkennen, daß ich mich im Hause einer ausgehaltenen Frau befand. Und wenn es etwas gibt, was Damen von Welt zu sehen begehren – und dies waren Damen von Welt –, so sind das die Wohnungen jener Frauen, deren vorbeifahrende Equipagen täglich die ihren in den Schatten stellen, die wie sie selbst, und noch dazu gleich nebenan, ihre Loge in der Oper und im ›Théâtre des Italiens‹¹ haben und in Paris schamlos und verschwenderisch ihre Schönheit, ihren Schmuck und ihre Skandale vor aller Augen ausbreiten.

Diese hier war tot: Die tugendhaftesten Frauen durften sich also bis in ihr Schlafzimmer vorwagen. Der Tod hatte die Luft dieses prachtvollen Sündenpfuhls gereinigt, und schließlich hatten sie – falls es nötig war – die Entschuldigung, daß sie gar nicht gewußt hatten, zu wem sie gingen. Anschläge hatten sie gelesen, und nun wollten sie sich betrachten, was diese versprachen und im voraus ihre Entscheidung treffen; nichts einfacher als das. Was sie nicht hinderte, inmitten all dieser Herrlichkeiten nach den Spuren des Kurtisanenlebens auszuspähen, über das man ihnen zweifellos die seltsamsten Dinge berichtet hatte.

Aber leider hatte die Göttin ihre Geheimnisse mit ins

Grab genommen, und obgleich die Damen sich die beste Mühe gaben, konnten sie nur noch das aufspüren, was nach dem Tod der Bewohnerin zu veräußern war, und nichts von alledem, was sie zu Lebzeiten anzubieten hatte.

Doch auch sonst gab es übergenug Dinge, die man gern erstanden hätte. Die Einrichtung war stattlich. Rosenholzmöbel aus der Werkstatt des berühmten Boulle[2], Vasen aus Sèvres und China, Meißener Porzellanfigürchen, Satin, Samt und Spitzen – es fehlte an nichts.

Ich schlenderte durch die Wohnung und folgte den vornehmen Damen, die mir in ihrer Neugier zuvorgekommen waren. Sie betraten ein Zimmer, das ganz mit persischem Stoff ausgekleidet war, und ich wollte gerade ebenfalls hineingehen, als sie es auch schon wieder verließen, mit einem Lächeln und Gebaren, als seien sie über diese weitere Kuriosität recht beschämt. Da verlangte mich nur um so lebhafter danach, dieses Zimmer zu betreten. Es war das vollständig erhaltene Ankleidezimmer der Verstorbenen und zeugte bis in die winzigsten Einzelheiten von ihrer unstillbaren Verschwendungssucht.

Auf einem großen Tisch an der Wand, der wohl drei Fuß hoch und sechs Fuß lang war, glänzten all die Schätze von Aucoc und Odiot[3]. Es handelte sich dabei um eine ganz herrliche Sammlung, und nicht einer dieser tausend Toilettengegenstände, deren eine Frau wie diese hier bedurfte, war aus einem anderen Metall als Silber oder Gold. Dennoch durfte diese Sammlung wohl erst nach und nach zusammengetragen worden sein, und es war nicht ein und dieselbe Liebschaft, die sie vervollständigt hatte.

Mich konnte der Anblick des Ankleidezimmers einer Kurtisane nicht schrecken, und so machte ich mir ein Vergnügen daraus, jedes einzelne Ding, was auch immer es sein mochte, in Augenschein zu nehmen, wobei ich bemerkte, daß all diese herrlich ziselierten Utensilien unterschiedliche Initialen und verschiedene Kronen trugen.

Während ich mir so all diese Sachen betrachtete, deren jede mir die Prostitution des armen Mädchens vor Augen führte, mußte ich mir sagen, daß Gott ihr gnädig gewesen war, da er sie vor der üblichen Buße bewahrt und sie hatte sterben lassen, solange sie noch Luxus und Schönheit besaß, noch bevor das Alter nahte, dieser erste Tod, den die Kurtisanen sterben.

Denn gibt es etwa einen traurigeren Anblick als das Alter des Lasters, zumal bei einer Frau? Sie besitzt nicht mehr die geringste Würde, und niemand interessiert sich weiter für sie. Ihre ewige Reue, nicht etwa darüber, dem schlechten Weg gefolgt zu sein, sondern falsch gerechnet und all das Geld vergeudet zu haben, gehört zum Traurigsten, was man vernehmen kann. Ich habe eine dieser Frauen gekannt, der aus ihrer galanten Vergangenheit nichts geblieben war als eine Tochter. Man behauptete damals, sie sei ebenso schön wie einst ihre Mutter. Dieses arme Kind hörte die Worte der Mutter: »Du bist meine Tochter« stets nur als Befehl, sie in ihren alten Tagen auf dieselbe Weise zu ernähren, wie sie ihrerseits das Kind einst ernährt hatte. Dieses arme Geschöpf hieß Louise, und da sie ihrer Mutter aufs Wort gehorchte, gab sie sich ihrem Gewerbe ebenso willenlos, leidenschaftslos und freudlos hin, wie sie jedem anderen Beruf nachgegangen wäre, falls man daran gedacht hätte, ihr einen beizubringen.

Durch den täglichen Anblick der Ausschweifung, der sie sich schon im zartesten Alter hingeben mußte, während sie noch dazu stets kränklich war, wurde in ihr jede Fähigkeit ausgelöscht, das Böse vom Guten zu scheiden, eine Fähigkeit, die Gott ihr vielleicht verliehen hatte, die zu entwickeln jedoch niemand in den Sinn gekommen war.

Ich werde mich immer dieses jungen Mädchens entsinnen, das fast täglich zur gleichen Stunde die Boulevards entlangging. Ihre Mutter wich nicht von ihrer Seite, ebenso wachsam wie eine wahre Mutter ihre Tochter begleitet hätte. Ich war damals noch recht jung und bereit, die leichtfertige Moral meines Jahrhunderts zu meiner eigenen zu machen. Doch ich entsinne mich, daß der Anblick dieser schmählichen Überwachung Verachtung und Abscheu in mir wachrief.

Hinzu kommt, daß selbst das Gesicht einer Jungfrau nicht unschuldiger hätte wirken, keinen vergleichbaren Ausdruck melancholischen Erduldens hätte tragen können.

Sie schien fast die Verkörperung der Schicksalsergebenheit.

Eines Tages hellte sich das Gesicht dieses Mädchens auf. Es schien, daß Gott dieser Sünderin inmitten der Ausschweifung, zu der ihre Mutter sie anhielt, ein Glück gestatten wollte. Und warum auch hätte Gott, da er ihr schon keine Kraft gegeben hatte, sie unter der schmerzlichen Last ihres Lebens auch noch ohne Trost lassen sollen? Eines Tages also bemerkte sie, daß sie schwanger war, und was ihr noch an Unschuld geblieben war, zitterte vor Freude. Die Seele kennt wunderliche Schlupfwinkel. Louise lief rasch zu ihrer Mutter, um ihr diese Neuigkeit zu verkünden, die sie so froh machte. Was ich nun erzählen muß, ist schrecklich – doch ich tue es nicht aus Lust an der Immoralität, ich berichte nur eine wahre Begebenheit, die ich vielleicht lieber verschweigen sollte, würde ich nicht glauben, daß man von Zeit zu Zeit die Qualen dieser Geschöpfe ans Licht bringen muß, die verdammt werden, ohne daß man sie versteht, die verachtet werden, ohne daß man sein Urteil abwägt –; es ist schrecklich, doch die Mutter antwortete ihrer Tochter, sie hätten schon für zwei nicht gerade zuviel und würden für drei nicht genug haben, solche Kinder seien unnütz und eine Schwangerschaft Zeitverschwendung.

Anderentags suchte eine Hebamme, die wir hier einfach als eine Freundin der Mutter bezeichnen wollen, Louise auf, die daraufhin ein paar Tage im Bett blieb und danach nur blasser und schwächer als zuvor erschien.

Drei Monate später erbarmte sich ihrer ein mitleidiger Mann und sorgte für ihre moralische wie körperliche Genesung; doch dieser letzte Schlag hatte sie zu stark mitgenommen, und Louise starb an den Folgen der erlittenen Fehlgeburt.

Die Mutter lebt noch – Gott mag wissen wie.

Diese Geschichte war mir wieder in den Sinn gekommen, als ich die silbernen Toilettenartikel betrachtete, und über meinen Gedanken schien wohl geraume Zeit verstrichen zu sein, denn außer mir befand sich nur noch der Wärter in der Wohnung, der von der Tür aus aufmerksam spähte, daß ich auch ja nichts mitgehen ließ.

Ich ging zu dem guten Mann hin, dem ich so schwerwiegende Befürchtungen einzuflößen schien.

»Monsieur«, sagte ich zu ihm, »können Sie mir sagen, wer hier gewohnt hat?«

»Mademoiselle Marguerite Gautier.«

Diese junge Frau war mir dem Namen nach und vom Sehen bekannt.

»Wie das!« sagte ich dem Wärter, »Marguerite Gautier ist gestorben?«

»Ja, Monsieur.«

»Wann denn?«

»Vor etwa drei Wochen.«

»Und warum läßt man ihre Wohnung besichtigen?«

»Die Gläubiger meinen, daß es der Versteigerung nur nützen kann. So sehen die Leute schon vorher, wie sich die Stoffe und Möbel ausnehmen; verstehen Sie, das reizt zum Kaufen.«

»Sie hatte also Schulden?«

»Oh, Monsieur, reichlich.«

»Aber durch den Verkauf werden sie doch sicher gedeckt?«

»Mehr als das.«

»Und wem wird der Rest zukommen?«

»Ihren Verwandten.«

»Sie hatte also Verwandte?«

»Scheint so.«

»Danke, Monsieur.«

Nachdem der Wärter nun über meine Absichten beruhigt war, grüßte er mich, und ich ging hinaus.

»Die Ärmste!« sagte ich mir auf dem Nachhauseweg, das muß wohl ein recht trauriger Tod gewesen sein, denn in ihrer Welt hat man nur Freunde, wenn man gut bestellt ist. Und ich mußte unwillkürlich Marguerite Gautier für ihr Schicksal bedauern.

Es mag wohl einigen Leuten lächerlich erscheinen, doch ich hege den Kurtisanen gegenüber eine unerschöpfliche Nachsicht und mache mir nicht einmal die Mühe, diese Nachsicht in Frage zu stellen.

Als ich eines Tages auf der Präfektur einen Paß abholen ging, sah ich, wie in einer der angrenzenden Straßen zwei Gendarmen ein Mädchen abführten. Ich weiß nicht, was dieses Mädchen verbrochen hatte, ich kann nur sagen, daß sie bittere Tränen vergoß, während sie ihr wenige Monate altes Kind in den Armen hielt, von dem sie nun durch ihre Festnahme getrennt wurde. Von diesem Tag an vermochte ich nie mehr eine Frau ohne weiteres zu verachten.

II

Die Versteigerung war auf den Sechzehnten anberaumt worden.

Zwischen Besichtigung und Verkauf hatte man einen Tag freigelassen, damit die Tapezierer Zeit genug hatten, die Wandbespannungen, die Vorhänge und so weiter abzunehmen.

Ich war damals gerade von einer Reise zurückgekehrt. Es war nicht sehr verwunderlich, daß man mir bei meiner Rückkehr den Tod Marguerites nicht als eine der großen Neuigkeiten mitteilte, die man in dieser Hauptstadt der Neuheitssüchtigen von seinen Freunden sonst sofort hinterbracht bekommt. Marguerite war zwar bildhübsch gewesen, doch so viel Wesens man auch um das Leben dieser begehrten Frauen macht, so wenig kümmert ihr Tod. Sie sind Sonnen, die ebenso untergehen, wie sie einst aufgegangen sind – glanzlos. Sterben sie jung, so erfahren all ihre Liebhaber gleichzeitig von ihrem Tod, denn in Paris haben die Geliebten eines stadtbekannten Mädchens vertrauten Umgang miteinander. Man tauscht ein paar Erinnerungen an sie aus, und dann geht das Leben der einen wie der anderen weiter wie bisher, ohne daß dieser Zwischenfall ihnen auch nur eine Träne entlockt hätte.

Bei einem fünfundzwanzigjährigen Menschen sind Tränen heutzutage schon etwas zu Seltenes geworden, als daß man sie für die Nächstbeste vergeuden könnte. Selbst Verwandte, die für Tränen mit ihrem Erbe bezahlen, werden höchstens dann noch beweint, wenn sie es sich entsprechend etwas kosten lassen.

War mein Namenszug auch auf keinem der Toilettenartikel Marguerites zu lesen, so ließ doch diese fast instinktive Nachsicht, dieses gerade eingestandene grundsätzliche Mitleid mit diesen Frauen mich länger an Marguerites Tod denken, als sie es vielleicht verdiente.

Ich erinnerte mich, ihr sehr oft auf den Champs-Elysées begegnet zu sein, wo sie regelmäßig jeden Tag in einem kleinen blauen, von zwei prachtvollen Braunen gezogenen Coupé erschien. Auch weiß ich noch, wie sehr mir damals eine bei ihresgleichen ungewöhnliche Vornehmheit aufgefallen war, eine Vornehmheit, die von ihrer wirklich außergewöhnlichen Schönheit noch betont wurde.

Diese unglückseligen Geschöpfe lassen sich bei ihren Ausfahrten stets von irgend jemandem begleiten.

Da kein Mann bereit wäre, das Liebesverlangen, das er in der Nacht für sie hegt, öffentlich auszuposaunen, und da sie selbst die Einsamkeit fürchten, kommen entweder ihre vom Schicksal minder begünstigten Freundinnen mit ihnen, die selbst keinen Wagen besitzen, oder eines dieser aufgetakelten alten Weiber, deren Eleganz durch nichts begründet ist und an die man sich getrost wenden kann, falls man Näheres über ihre Begleiterin in Erfahrung bringen möchte.

Bei Marguerite verhielt es sich anders. Zu den Champs-Elysées fuhr sie stets allein in ihrem Wagen, in dem sie sich so gut es ging verbarg, winters in einen großen Kaschmirschal gehüllt, sommers in überaus schlichten Kleidern; und obwohl ihr auf diesem Spazierweg, der ihr der liebste war, viele Bekannte begegneten, denen sie beiläufig zulächelte, so wurde dieses Lächeln doch nur von jeweils einem allein bemerkt – nur eine Herzogin hätte so lächeln können.

Sie promenierte nicht vom Rond-Point bis zum Triumphbogen die Champs-Elysées auf und ab, wie all ihre Kolleginnen es tun oder taten. Ihre beiden Pferde brachten sie rasch in den Bois. Dort stieg sie aus dem Wagen, ging eine Stunde spazieren, stieg wieder in ihr Coupé und ließ sich von ihrem Pferdegespann in scharfem Trab nach Hause fahren.

All diese Eigenheiten, die ich gelegentlich beobachten konnte, zogen vor meinem inneren Auge vorüber, und ich bedauerte den Tod des Mädchens wie man die völlige Zerstörung eines schönen Kunstwerkes bedauert.

Denn eine bezauberndere Schönheit als Marguerite bekam man in der Tat nur schwerlich zu sehen.

Groß und fast schon übertrieben schlank, war sie in höchstem Grade Meisterin in der Kunst, dieses Versäumnis der Natur einfach durch die Art und Weise auszugleichen, wie sie ihre Kleidung arrangierte. Ihr Kaschmirschal, dessen Zipfel den Boden berührte, ließ an den Seiten die weiten Volants eines Seidenkleides zum Vorschein kommen, und der dicke Muff, in dem sie ihre Hände verbarg und den sie gegen die Brust gedrückt hielt, war von einem so geschickt drapierten Faltenwurf umgeben, daß selbst das wählerischste Auge am Linienschwung nichts zu mäkeln fand.

Den Kopf, der geradezu ein Wunderwerk war, putzte sie ganz besonders sorgfältig heraus. Er war ganz klein, und ihre Mutter schien, wie Musset sagen würde, ihn so gemacht zu haben, weil sie sich ganz besondere Mühe geben wollte.

In einem Oval von unbeschreiblicher Anmut stelle man sich zwei schwarze Augen vor, überwölbt von Brauen, deren geschwungener Bogen so rein ist, daß sie wie gemalt erscheinen; die Augen überschleiere man mit langen Wimpern, die beim Senken den rosigen Teint der Wangen überschatten; die Nase zeichne man fein, gerade, geistreich, mit leicht geöffneten Nasenflügeln, die ein heftiges Verlangen nach dem sinnlichen Leben verraten; dann entwerfe man einen regelmäßigen Mund, dessen anmutige Lippen milchweiße Zähne sehen lassen; die Haut koloriere man nach Art samtschimmernder Pfirsiche, die noch von keiner Hand berührt wurden, und das Ganze ergibt dann diesen berückenden Kopf.

Über der Stirn scheitelten sich ihre künstlich oder natürlich gewellten Locken, schwarzglänzend wie Pech, und verloren sich in zwei breite Bänder geteilt im Nakken, so daß die Ohrläppchen zu sehen waren, an denen zwei Diamanten funkelten, deren jeder seine vier- bis fünftausend Francs wert sein mochte.

Wie sich Marguerite bei ihrem verzehrenden Lebenswandel diesen jungfräulichen, ja kindlichen Ausdruck bewahren konnte, der für sie so bezeichnend war, das können wir nur bezeugen, erklären können wir es nicht.

Sie besaß ein wundervolles Porträt, das Vidal[4] von ihr angefertigt hatte, der einzige, dessen Stift sie darzustellen vermochte. Nach ihrem Tode wurde mir dieses Bildnis einige Tage anvertraut, und es sah ihr so verblüffend ähnlich, daß ich es dazu benutzte, mein Gedächtnis in den Punkten aufzufrischen, für die meine Erinnerung vielleicht nicht hingereicht hätte.

Manche der Einzelheiten, die ich in diesem Kapitel anführe, sind mir erst später zugetragen worden, doch ich erwähne sie gleich jetzt, damit ich nicht später darauf zurückkommen muß, wenn die unerhörte Geschichte dieser Frau beginnt.

Marguerite fehlte bei keiner Premiere und verbrachte ihre Abende im Theater oder auf Bällen. Wurde ein neues Stück gespielt, so konnte man sicher sein, sie unter den Zuschauern zu finden, wobei sie stets drei Dinge bei sich trug, die die Brüstung ihrer Loge einnahmen: ihr Opernglas, eine Tüte mit Süßigkeiten und einen Strauß Kamelien.

An fünfundzwanzig Tagen im Monat waren die Kamelien weiß und an fünf weiteren rot; man hat nie in Erfahrung bringen können, aus welchem Anlaß der Farbwechsel vorgenommen wurde, den ich hier erwähne, ohne ihn erklären zu können,[5] und der den regelmäßigen Besuchern der Theater, in die sie am häufigsten ging, sowie ihren Freunden ebenso aufgefallen war wie mir.

Man hat Marguerite stets nur mit Kamelien gesehen. Auch bei Madame Barjon, der Fleuristin, nannte man sie schließlich die Kameliendame, und dieser Beiname ist ihr geblieben.

Auch war mir wie allen anderen, die in Paris in bestimmten Kreisen verkehren, bekannt, daß Marguerite die Mätresse der elegantesten jungen Leute gewesen ist, daß sie selbst ganz offen darüber sprach und diese wiederum sich damit brüsteten, was nur der Beweis dafür ist, daß Liebhaber und Geliebte miteinander zufrieden waren.

Indes erzählte man sich, daß sie seit etwa drei Jahren, seit ihrer Reise nach Bagnères, nur noch mit einem alten und unglaublich reichen ausländischen Herzog lebte, der sie so gut es eben gehen wollte von ihrem vergangenen

Leben fernzuhalten suchte, was sie anscheinend recht willfährig mit sich geschehen ließ.

Man hatte mir folgendes darüber berichtet:

Im Frühjahr 1842 war Marguerite so geschwächt, so verändert, daß die Ärzte ihr eine Badekur verordneten und sie nach Bagnères[6] fuhr.

Dort befand sich unter den Patienten die Tochter jenes Herzogs, die nicht nur an der gleichen Krankheit litt, sondern noch dazu Marguerite so ähnlich sah, daß man sie für Schwestern hätte halten können. Doch die junge Herzogin befand sich bereits im dritten Stadium der Schwindsucht und verstarb wenige Tage nach Marguerites Ankunft.

Der Herzog, der in Bagnères geblieben war, so wie wir gern auf dem Fleckchen Erde verweilen, das einen Teil unseres Herzens bedeckt, bemerkte Marguerite eines Morgens an der Biegung einer Allee.

Ihm war, als sei der Schatten seines Kindes vorübergegangen; er ging auf sie zu, nahm ihre Hände, umarmte sie schluchzend, und ohne sich zu erkundigen, wer sie sei, bat er um die Erlaubnis, sie wiedersehen und in ihr das lebende Abbild seiner verstorbenen Tochter lieben zu dürfen.

Da Marguerite zusammen mit ihrer Zofe alleine nach Bagnères gekommen war und darüber hinaus nicht befürchten mußte, sich zu kompromittieren, gewährte sie dem Herzog, worum er gebeten hatte.

In Bagnères befanden sich Leute, die sie kannten und die den Herzog in aller Form über die wahre gesellschaftliche Stellung Mademoiselle Gautiers aufklärten.

Das war ein Schlag für den Alten, denn hier hörte die Ähnlichkeit mit seiner Tochter auf, doch es war bereits zu spät. Die junge Frau war seinem Herzen schon unverzichtbar und ihm selbst zur einzigen Ausrede, zur einzigen Entschuldigung dafür geworden, daß er noch am Leben war.

Er machte ihr keinen Vorwurf, dazu hatte er nicht das

Recht, doch er fragte sie, ob sie sich zutraue, ihr Leben zu ändern, und bot ihr als Entschädigung für dieses Opfer alles, was sie sich nur wünschen mochte. Sie willigte ein.

Hier muß angemerkt werden, daß Marguerite, die schon von Natur schwärmerisch veranlagt war, zu dieser Zeit krank war. Die Vergangenheit schien ihr die Hauptschuld an ihrer Krankheit zu tragen, und aus einer gewissen abergläubischen Anwandlung heraus hoffte sie, Gott werde ihr Schönheit und Gesundheit bewahren, falls sie nur Reue und Umkehr schwor.

Und in der Tat, als der Sommer zu Ende ging, hatten die Bäder, die Spaziergänge, die natürliche Ermüdung und der Schlaf ihre Gesundheit soweit wiederhergestellt.

Der Herzog begleitete Marguerite nach Paris, wo er sie weiterhin wie in Bagnères besuchen kam.

Dieser vertraute Umgang miteinander, von dem man weder den wahren Ursprung noch das wahre Motiv kannte, sorgte für großes Aufsehen, denn der Herzog, der schon für seinen großen Reichtum bekannt gewesen war, machte nun auch noch durch seine Freigebigkeit von sich reden.

Man schrieb dieses innige Verhältnis zwischen dem alten Herzog und der jungen Frau libertinären Anwandlungen zu, wie man sie bei reichen Greisen so häufig antrifft. Man mutmaßte alles, nur nicht die Wahrheit.

Dabei waren die Gefühle, die dieser Vater für Marguerite hegte, so unschuldiger Art, daß jede andere Beziehung als eine seelische ihm wie ein Inzest erschienen wäre, und er sagte nie auch nur ein Wort, das nicht auch seine Tochter hätte hören dürfen.

Es liegt uns jedoch fern, aus unserer Heldin etwas anderes machen zu wollen, als sie wirklich war. Wir behaupten also nur, daß es ihr nicht schwerfiel, ihr Versprechen zu halten, solange sie in Bagnères war, und daß es auch gehalten wurde; doch kaum zurück in Paris, erschien dieser jungen Frau, die ein Leben voller Zerstreuungen, Bälle und sogar Orgien gewohnt war, ihre nur noch von den regelmäßigen Besuchen des Herzogs unterbrochene Einsamkeit schon sterbenslangweilig, und die Erinnerung an ihr rauschhaftes Leben erfüllte Leib und Seele schon bald wieder mit heißem Verlangen.

Noch dazu muß man bedenken, daß Marguerite schöner denn je von dieser Reise zurückgekehrt war, daß sie zwanzig Jahre zählte und ihr zwar eingedämmtes, doch keineswegs besiegtes Leiden weiterhin jenes fiebrige Verlangen in ihr wachhielt, das fast immer mit solchen Brustleiden einhergeht.

Und so wurde dem Herzog großer Schmerz bereitet an dem Tag, als seine Freunde – die unermüdlich auf der Lauer lagen, um einen Skandal aufzudecken bei der Frau, mit der er sich, wie sie es nannten, kompromittiere –, ihn aufsuchten und ihm mitteilen und beweisen wollten, daß sie in der Stunde, zu der sie seiner Abwesenheit sicher sein konnte, Besuch empfing, und daß diese Besuche sich oftmals bis zum Morgen ausdehnten.

Zur Rede gestellt, gestand Marguerite dem Herzog alles; sie riet ihm freiheraus, er solle sich nicht mehr um sie sorgen, denn sie fühle sich nicht stark genug, das eingegangene Versprechen zu halten, und wolle nicht mehr die Wohltaten eines Mannes annehmen, den sie betrüge.

Acht Tage lang blieb der Herzog aus, das war alles, was er zu tun vermochte, und am achten Tag erschien er wieder mit der inständigen Bitte an Marguerite, ihn weiterhin zu empfangen, mit dem Versprechen, er wolle sie nehmen, wie sie sei, solange er sie nur sehen dürfe, und dem Schwur, ihr keinen Vorwurf zu machen, selbst wenn es ihn das Leben kosten sollte.

So also standen die Dinge drei Monate nach Marguerites Rückkehr, das heißt im November oder Dezember 1842.

III

Am Sechzehnten, um ein Uhr, begab ich mich in die Rue d'Antin.

Schon im Torbogen hörte man die lauten Rufe der Versteigerer.

Die Wohnung war voll von Schaulustigen.

Alle Berühmtheiten der eleganten Halbwelt hatten sich hier versammelt und wurden verstohlen von einigen Damen der vornehmen Gesellschaft beobachtet, die unter dem Vorwand der Versteigerung nochmals die Gelegenheit ergriffen hatten, diese Frauen, denen sie sonst nie begegnet wären und deren leichte Freuden sie vielleicht insgeheim beneideten, ganz aus der Nähe zu betrachten.

Die Herzogin de F. stand Seite an Seite neben Mademoiselle A., einer der kläglichsten Gestalten unter unseren heutigen Kurtisanen; die Marquise de T. zögerte beim Kauf eines Möbelstückes, auf das Madame D., die wohl eleganteste und bekannteste Ehebrecherin dieser Zeit, hohe Summen bot. Der Herzog de Y., von dem man sich in Madrid erzählte, er ruiniere sich in Paris, und in Paris, er ruiniere sich in Madrid, der aber letzten Endes gar nicht so viel ausgeben konnte, wie er einnahm, plauderte mit Madame M. – einer unserer geistreichsten Unterhalterinnen, die bisweilen ganz gerne niederschreibt, was sie sagt, und sogar ihren eigenen Namen daruntersetzt –, und zugleich tauschte er mit Madame de N. verschwörerische Blicke aus, dieser schönen Spaziergängerin von den Champs-Elysées, die sich fast ausschließlich in Rosa oder Blau kleidete und ihren Wagen von zwei großen Rappen ziehen ließ, die Tony[7] ihr für zehntausend Francs verkauft hatte – und auch bezahlt bekam. Und Mademoiselle R., die mit ihrem Talent doppelt soviel verdiente wie die Damen von Welt durch ihre Mitgift, und das Dreifache von dem, was andere aus ihren Liebschaften ziehen, war trotz der Kälte erschienen, um ein paar Einkäufe zu tätigen, und wurde keineswegs sparsam mit Blicken bedacht.

Wir könnten noch etliche Initialen in diesem Raume versammelter Personen anführen, die selbst recht erstaunt waren, sich hier vereint zu finden, müßten wir nicht fürchten, den Leser zu langweilen.

Halten wir nur soviel fest, daß alle von einer ausgelassenen Fröhlichkeit waren und daß unter all den anwesenden Damen viele die Verstorbene gekannt hatten, sich dessen jedoch nicht zu entsinnen schienen.

Es wurde laut gelacht. Die Auktionatoren schrien aus vollem Halse. Die Händler hatten die Bänke vor den Versteigerungstischen mit Beschlag belegt und versuchten vergebens, für die ungestörte Abwicklung ihrer Geschäfte Ruhe einkehren zu lassen. Eine buntere, lärmendere Versammlung hat man wohl kaum je gesehen.

Unauffällig mischte ich mich unter dieses Getümmel, das mich traurig stimmte, wenn ich daran dachte, daß sich gerade nebenan das Zimmer befand, in dem das arme Geschöpf verstorben war, dessen Einrichtung man hier zur Begleichung der Schulden veräußerte. Da ich selbst mehr zum Zuschauen als zum Kaufen gekommen war, betrachtete ich mir die Gesichter der Lieferanten, die die Versteigerung anberaumt hatten und deren Mienen jedesmal erstrahlten, sobald ein Gegenstand auf einen Preis hochgetrieben wurde, den sie nicht erwartet hatten.

Alles ehrenwerte Leute, die mit der Prostitution dieser Frau spekuliert, hundertprozentigen Gewinn an ihr gemacht, sie in ihren letzten Momenten noch mit Gerichtsbeschlüssen verfolgt hatten und nun nach ihrem Tode gekommen waren, die Früchte ihrer ehrenwerten Berechnungen zusammen mit den Zinsen für ihre schändlichen Kredite einzustreichen.

Wie recht hatten doch unsere Ahnen, die nur einen einzigen Gott kannten für die Händler und die Diebe!

Kleider, Kaschmirschals und Schmuckstücke wurden mit einer unglaublichen Geschwindigkeit veräußert. Nichts von alledem sagte mir zu, und so wartete ich noch ein wenig. Plötzlich hörte ich ausrufen: »Ein Buch, herrlicher Einband, Goldschnitt, betitelt: ›Manon Lescaut‹. *Handschriftliche Eintragung auf der ersten Seite.* Zehn Francs.«

»Zwölf«, vernahm man nach längerer Pause eine Stimme.

»Fünfzehn«, sagte ich.

Warum? Ich wußte es selbst nicht. Zweifellos wegen der *handschriftlichen Eintragung auf der ersten Seite.*

»Fünfzehn«, wiederholte der Versteigerer.

»Dreißig«, ließ sich wieder jener vernehmen, der als erster geboten hatte, und er schien mit seinem Tonfall jedem die Stirn bieten zu wollen, der es wagen würde, noch höher zu gehen.

Nun wuchs es sich zum Kampf aus.

»Fünfunddreißig«, schrie ich im gleichen Ton.

»Vierzig.«

»Fünfzig.«

»Sechzig.«

»Hundert.«

Ich muß sagen, hätte ich es darauf angelegt, Aufsehen zu erregen, so wäre mir das restlos geglückt, denn auf dieses letzte Gebot hin trat völlige Stille ein, und alle starrten sie nach mir, um in Erfahrung zu bringen, wer denn dieser Herr sei, der so überaus entschlossen schien, dieses Buch in seinen Besitz zu bringen.

Der Tonfall, in dem ich dieses letzte Wort gesprochen hatte, schien meinen Gegenspieler überzeugt zu haben: Er zog es vor, den Kampf aufzugeben, der nur dazu geführt hatte, daß ich nun für den Band das Zehnfache seines Wertes zu zahlen hatte, verneigte sich und sagte zu mir sehr höflich, wenn auch ein wenig spät: »Monsieur, ich trete zurück.«

Da niemand mehr bot, wurde mir das Buch zugesprochen.

Weil ich fürchtete, in einen weiteren halsstarrigen Zweikampf verwickelt zu werden, den ich bei meinem Egoismus vielleicht siegreich durchgestanden hätte, der meiner Börse aber nicht gut bekommen wäre, ließ ich meinen Namen eintragen, das Buch zurücklegen und ging. Den Zeugen dieser Szene muß ich wohl einiges zu denken gegeben haben, sicher fragten sie sich jetzt, wieso ich gekommen war, hundert Francs für ein Buch zu zahlen, das doch schon für zehn oder höchstens fünfzehn zu haben war.

Eine Stunde später ließ ich meinen Kauf abholen.

Auf der ersten Seite stand in eleganter Schrift mit Feder die Widmung dessen geschrieben, der das Buch verschenkt hatte. Sie enthielt nur die Worte:

Manon für Marguerite,
in Demut.

Die Unterschrift lautete: *Armand Duval.*

Was sollte dies bedeuten: in Demut?

War dieser Monsieur Armand Duval eher der Ansicht, Marguerite übertreffe Manon an Ausschweifung oder an Großherzigkeit?

Die letzte Deutung war die wahrscheinlichere, denn die erste wäre nur eine unverhüllte Beleidigung gewesen, die Marguerite nie hätte hinnehmen können, wie auch immer sie über sich denken mochte.

Ich mußte noch einmal aus dem Haus und beschäftigte mich erst am Abend vor dem Schlafengehen wieder mit dem Buch.

Gewiß, ›Manon Lescaut‹[8] ist eine bewegende Geschichte; und sie ist mir auch bereits bis in alle Einzelheiten vertraut. Und doch muß ich jedesmal, wenn mir dieses liebenswerte Buch in die Hände fällt, es aufschlagen und zum hundertsten Mal das Schicksal der Heldin des Abbé Prévost durchleiden. Nun ist die Heldin auch so wahr gezeichnet, daß es mir nahezu scheint, ich hätte sie gekannt. Jetzt aber bekam durch den Vergleich zwischen ihr und Marguerite die Lektüre dieses Buches wieder einen ganz unerwarteten Reiz, und meine Nachsicht gegen das Mädchen, dessen Nachlaß ich diesen Band verdanke, schlug in Mitleid, ja fast schon Liebe um. Manon starb in einer Ödnis, das ist wahr, doch in den Armen des Mannes, der sie maßlos geliebt hatte, der ihr nach ihrem Tod ein Grab ausgehoben, es mit seinen Tränen begossen und sein eigenes Herz mit hineingebettet hatte. Marguerite jedoch, eine Sünderin wie Manon und vielleicht ebenso reuig, war inmitten ihres stattlichen Luxus gestorben, wenn ich meinen Augen trauen durfte, in dem Bett, in dem sie gelebt hatte, dafür jedoch in der Ödnis des Herzens, die viel erbärmlicher, größer und weitaus unbarmherziger ist als jene, in der Manon begraben wurde.

Wie ich von Freunden erfuhr, die über ihre letzten Lebenstage unterrichtet waren, soll Marguerite tatsächlich während der letzten zwei Monate ihres langsamen und schmerzhaften Todeskampfes keinen wahren Trost an ihrem Lager empfangen haben.

Von Manon und Marguerite wanderten meine Gedanken schließlich zu jenen Frauen, die ich selbst kannte und die ich Liedchen trällernd einem stets gleich verlaufenden Tod entgegengehen sah.

Arme Geschöpfe! Darf man sie schon nicht lieben, so sollte man sie doch wenigstens bedauern. Ihr bedauert den Blinden, der nie einen Sonnenstrahl gesehen hat, den Tauben, der nie die Wohlklänge der Natur vernommen hat, den Stummen, der seinen Gefühlen nie Worte geben konnte, und falsche Scham heuchelnd findet ihr keine Worte des Mitleids für diese Blindheit des Herzens, diese Taubheit der Seele, diese Stummheit des Gewissens, die diesen Unglücklichen den Verstand rauben und sie gegen ihren Willen daran hindern, das Gute zu sehen, die Worte des Herrn zu hören und die reine Sprache der Liebe und des Glaubens zu sprechen.

Hugo hat ›Marion Delorme‹[9] geschrieben, Musset ›Bernerette‹[10], Alexandre Dumas hat ›Fernande‹[11] geschaffen, die Denker und Dichter aller Zeiten haben der Kurtisane Barmherzigkeit erwiesen, und hin und wieder hat ein Mann der großen Welt sie mit seiner Liebe und selbst seinem Namen wieder zu Ehren gebracht. Ich betone absichtlich diesen Punkt, da unter meinen Lesern vielleicht schon viele kurz davor stehen, das Buch in die Ecke zu werfen, da sie fürchten, darin nichts als eine Verherrlichung des Lasters und der Prostitution zu finden – und die Jugend des Autors kann diese Befürchtung nur nähren. Nun mögen alle, die so dachten, ihren Irrtum einsehen und weiterlesen, falls keine weitere Befürchtung sie davon abhält.

Ich bin ganz einfach von einem bestimmten Grundsatz überzeugt: ist der Frau durch ihre Erziehung nicht das Gute gelehrt worden, so eröffnet Gott ihr fast immer die Wege, die dahin führen; Schmerz und Liebe sind solche Pfade. Sie sind schwer zu begehen. Die es versuchen, zerschinden sich die Füße, zerreißen sich die Hände, doch zugleich befreien die Dornen auf ihrem Weg sie vom Prunk des Lasters, und sie gelangen in einer Nacktheit ans Ende, für die man sich vor dem Herrn nicht zu schämen braucht.

Wer diesen unerschrockenen Pilgerinnen begegnet, sollte sie ermutigen und allen sagen, daß er ihnen begegnet ist, denn mit diesem Bekenntnis weist man den Weg.

Es genügt nicht, beim Eintritt ins Leben zwei Pfähle aufzustellen, deren einer die Inschrift *Weg des Guten* und der andere die Warnung: *Weg des Bösen* trägt, und dann denen, die davorstehen, zu sagen: »Trefft eure Wahl!«; vielmehr muß man wie Christus denen, die sich auf Abwege leiten ließen, die Pfade weisen, die vom zweiten zum ersten hinführen; und vor allem dürfen die ersten

Schritte auf diesen Wegen weder allzu schmerzhaft sein noch allzu ungangbar erscheinen.

Das Christentum will uns mit seinem herrlichen Gleichnis vom verlorenen Sohn zu Nachsicht und Vergebung ermutigen. Jesus war erfüllt von Liebe für die von den menschlichen Leidenschaften verwundeten Seelen, deren Wunden er so gern verband, indem er den heilsamen Balsam aus diesen Wunden selbst schöpfte. Also sprach er zu Magdalena: »Ihre vielen Sünden sind vergeben, denn sie hat viel Liebe gezeigt«, eine erhabene Vergebung, die einen erhabenen Glauben erweckt haben dürfte.

Weshalb sollten wir strenger sein wollen als Christus? Weshalb sollten wir, indem wir uns halsstarrig an die Ansichten einer Welt klammern, die sich hart gibt, damit man sie für stark hält, jene blutenden Seelen zurückstoßen, deren Wunden das Übel ihrer Vergangenheit entströmt wie schlechtes Blut einem Kranken und die doch nur warten, daß eine Freundeshand sie pflege und ihrem Herzen Genesung bringe?

Ich wende mich an meine eigene Generation, an all jene, die zum Glück nicht mehr den Theorien Monsieur de Voltaires anhängen, an all jene, die wie ich begriffen haben, daß die Menschheit seit fünfzehn Jahren einen kühnen Aufschwung nimmt. Die Erkenntnis von Gut und Böse steht für alle Zeiten fest; der Glaube und die Ehrfurcht vor dem Heiligen stellen sich wieder ein, und wird die Welt auch nicht vollkommen gut, so wird sie zumindest besser. Alle klugen Menschen streben das gleiche Ziel an, und ihr starker Wille hat sich dem gleichen Grundsatz verschrieben: Seien wir aufrichtig, jung, wahrhaftig! Das Böse ist nur eine Eitelkeit, wir sollten den Stolz besitzen, gut zu sein und vor allem nicht zu verzweifeln. Wir sollten nicht die Frau verachten, die weder Mutter, noch Tochter, noch Gattin ist. Wir sollten unsere Achtung nicht auf die Familie beschränken und Nachsicht nicht nur uns selbst entgegenbringen. Denn der Himmel ist mehr erfreut über die Reue eines Sünders als über hundert Gerechte, die nie gefallen sind; daher sollten wir versuchen, Gott eine Freude zu sein. Er wird es uns tausendfach vergelten. Geben wir auf unserem Weg denen, die von irdischen Begierden ins Verderben geführt wurden, den Segen unserer Vergebung, vielleicht werden sie durch ihre Hoffnung auf Gott gerettet werden. Und wie die guten alten Weiber sagen, wenn sie in ihren Worten eines ihrer Heilmittel anpreisen: Wenn es nicht hilft, schaden kann es auch nicht.

Gewiß, es muß wohl recht kühn erscheinen, wenn ich aus dem geringfügigen Gegenstand, über den ich spreche, solch große Schlüsse ziehen will; doch ich gehöre zu jenen, die glauben, daß in einem Geringen schon alles enthalten ist. Das Kind ist klein, doch steckt schon der ganze Mensch in ihm; der Schädel ist eng, doch beherbergt er das Denken; das Auge ist nur ein Punkt, und doch kann es riesige Weiten erfassen.

IV

Zwei Tage darauf war die ganze Versteigerung zu Ende. Sie hatte hundertfünfzigtausend Francs eingebracht.

Die Gläubiger hatten zwei Drittel untereinander aufgeteilt, und der Rest fiel der Familie zu, der Schwester Marguerites und einem Großneffen.

Diese Schwester machte große Augen, als der Nachlaßverwalter ihr schriftlich mitteilte, sie habe fünfzigtausend Francs geerbt.

Seit sechs oder sieben Jahren hatte dieses junge Mädchen ihre Schwester nicht mehr gesehen, die eines Tages verschwunden war, ohne daß man danach von ihr selbst oder durch Dritte jemals auch nur das Geringste über ihr Leben erfahren hätte.

Die Schwester reiste nun sofort nach Paris, und alle, die Marguerite gekannt hatten, waren recht erstaunt, als sich herausstellte, daß die Alleinerbin ein kräftiges und hübsches Mädchen vom Lande war, das sein Dorf bislang nie verlassen hatte.

Nun war ihr Glück mit einem Schlag gemacht, ohne daß sie auch nur ahnte, aus welcher Quelle dieser unverhoffte Reichtum rührte.

Sie kehrte, wie man mir später erzählte, sofort in ihr Dorf zurück, in tiefer Trauer über den Tod ihrer Schwester, wenn auch getröstet durch die viereinhalb Prozent Zinsen, die ihr nun aus dem Kapital zuflossen.

Nachdem die ganze Sache in Paris, dieser Brutstätte des Skandals, die Runde gemacht hatte, geriet sie allmählich wieder in Vergessenheit, und mir selbst war schon fast entfallen, inwieweit ich an den Geschehnissen Anteil genommen hatte, als ein weiteres Ereignis eintrat, das mir das ganze Schicksal Marguerites enthüllte und mich mit so erschütternden Einzelheiten vertraut machte, daß mich die Lust ankam, diese Geschichte aufzuschreiben, was ich denn auch tat.

Die durch den Verkauf leergeräumte Wohnung stand seit drei oder vier Tagen zur Vermietung, als es eines Morgens bei mir läutete.

Mein Diener, oder besser gesagt mein Portier, der sich auch als Diener bei mir nützlich machte, ging öffnen und brachte mir eine Karte mit der Nachricht, der Überbringer wünsche mich zu sprechen.

Ich warf einen Blick auf die Karte und fand die beiden Worte: *Armand Duval.*

Ich versuchte mich zu erinnern, wo ich diesen Namen schon einmal gelesen hatte, und entsann mich der Widmung in dem Band ›Manon Lescaut‹.

Was mochte wohl die Person, die Marguerite dieses Buch geschenkt hatte, von mir wollen? Ich gab Befehl, den Wartenden unverzüglich vorzulassen.

Es erschien ein großer junger Mann, blond und blaßgesichtig. Er trug einen Reiseanzug, den er wohl schon seit Tagen nicht mehr abgelegt und bei seiner Ankunft in Paris nicht einmal hatte bürsten lassen, denn er war ganz staubbedeckt.

Monsieur Duval schien sehr aufgewühlt und suchte seine Gefühle auch nicht zu verbergen, denn er sagte mir mit Tränen in den Augen und zitternder Stimme:

»Monsieur, entschuldigen Sie bitte die Störung und meinen Aufzug; doch einmal davon abgesehen, daß sich junge Leute voreinander keinen Zwang anzutun brauchen, hatte ich den so drängenden Wunsch, Sie gleich heute noch zu sehen, daß ich mir nicht einmal die Zeit genommen habe, das Hotel aufzusuchen, in das ich meine Koffer bringen ließ, und sofort zu Ihnen geeilt bin; ich hatte die Befürchtung, Sie trotz der frühen Stunde vielleicht schon nicht mehr anzutreffen.«

Ich bat Monsieur Duval, sich doch an den Kamin zu setzen, was er auch tat, während er ein Taschentuch herauszog und einen Augenblick sein Gesicht darin verbarg.

»Sie werden sich schon fragen, was ein unbekannter Gast von Ihnen wünscht, der zu solcher Stunde und in einem solchen Aufzug hier sitzt und weint wie ich gerade. Ich möchte Sie nur um einen großen Gefallen bitten.«

»Sprechen Sie, Monsieur, ich stehe ganz zu Ihrer Verfügung.«

»Sie waren doch auf der Versteigerung von Marguerite Gautiers Hinterlassenschaft?«

Bei diesen Worten wurde er wieder von der Ergriffenheit, die er einen Augenblick lang bezwungen hatte, überwältigt und mußte erneut sein Gesicht in den Händen verbergen.

»Ich muß Ihnen recht lächerlich erscheinen«, fügte er hinzu, »verzeihen Sie mir auch das und seien Sie versichert, daß ich Ihnen ewig dankbar sein werde für die Geduld, mit der Sie mich anhören.«

»Monsieur«, gab ich zurück, »wenn der Gefallen, den ich Ihnen erweisen kann, Ihren Schmerz ein wenig zu besänftigen vermag, so sagen Sie mir schnell, womit ich Ihnen helfen kann, und ich werde mich glücklich schätzen, mich Ihnen verbindlich zu zeigen.«

Sein Schmerz berührte mich, und ich war ganz unwillkürlich bereit, ihm einen Gefallen zu tun.

Daraufhin sagte er: »Haben Sie bei der Versteigerung etwas erstanden?«

»Ja, Monsieur, ein Buch.«

»*Manon Lescaut*?«

»Ganz recht.«

»Besitzen Sie das Buch noch?«

»Es liegt in meinem Schlafzimmer.«

Armand Duval schien bei dieser Nachricht ein Stein vom Herzen zu fallen, und er bedankte sich bei mir, als hätte ich ihm bereits einen großen Gefallen damit getan, dieses Buch behalten zu haben.

So stand ich auf, um das Buch aus meinem Schlafzimmer zu holen, und überreichte es ihm.

»Das ist es«, sagte er, während sein Blick auf die Widmung auf der ersten Seite fiel und er dann weiterblätterte, »genau das ist es.«

Zwei dicke Tränen fielen auf die Seiten.

»Nun sagen Sie mir bitte«, bat er und schaute mich an, wobei er nicht einmal mehr vor mir zu verbergen versuchte, daß er geweint hatte und kurz davor stand, wieder damit anzufangen, »liegt Ihnen viel daran?«

»Weshalb?«

»Weil ich Sie aufgesucht habe, um Sie zu bitten, es mir zu überlassen.«

»Entschuldigen Sie meine Neugierde«, sagte ich daraufhin, »sollten Sie etwa dieses Buch Marguerite Gautier geschenkt haben?«

»Ja, ich war das.«

»Es gehört Ihnen, Monsieur Duval, nehmen Sie es wieder an sich, ich bin glücklich, es Ihnen zurückgeben zu können.«

»Aber lassen Sie mich doch wenigstens«, sagte Monsieur Duval in einiger Verlegenheit, »Ihnen das Geld zurückerstatten, das Sie dafür gezahlt haben.«

»Gestatten Sie mir, es Ihnen zu schenken. Der Preis für ein einziges Buch ist bei einer solchen Versteigerung etwas so verschwindend Geringes, daß ich mich gar nicht mehr entsinnen kann, wieviel ich dafür bezahlt habe.«

»Hundert Francs haben Sie dafür bezahlt.«

»Das stimmt«, sagte ich nun meinerseits verlegen, »woher wissen Sie das?«

»Das ist sehr einfach. Ich hatte gehofft, rechtzeitig zur Versteigerung zurück in Paris sein zu können, bin jedoch erst heute morgen eingetroffen. Da ich unter allen Umständen irgend etwas, das Marguerite gehört hatte, besitzen wollte, lief ich zum Versteigerungsbeamten und bat ihn um Erlaubnis, die Liste der verkauften Objekte und der Käufernamen einsehen zu dürfen. Ich sah, daß dieses Buch von Ihnen erstanden wurde und entschloß mich, Sie darum zu bitten, es mir zu überlassen, obgleich der Preis, den Sie dafür geboten hatten, mich befürchten ließ, es könne auch Ihnen als Andenken unersetzlich sein.«

Seinen Worten war deutlich die Befürchtung anzumerken, daß ich zu Marguerite in demselben Verhältnis gestanden hatte wie er selbst.

Ich beeilte mich, ihn zu beruhigen.

»Ich habe Mademoiselle Gautier nur vom Sehen gekannt«, sagte ich ihm, »ihr Tod hatte mich erschüttert, so wie der Tod einer hübschen Frau auf einen jungen Mann, der ihr stets gerne begegnet ist, immer erschütternd wirken wird. Ich wollte bei der Versteigerung irgendein Andenken an sie erstehen, und daß ich gerade für diesen Band so hohe Summen bot, geschah wohl nur, weil es mir Spaß machte, diesen Herrn in Rage zu bringen, der so darauf versessen war und es mir auf keinen Fall zu gönnen schien. Ich bitte Sie noch einmal, Monsieur, das Buch gehört Ihnen, nehmen Sie es als Geschenk, damit Sie es nicht so erhalten, wie ich es vom

Versteigerer erhielt, denn es soll der Anfang einer längeren Bekanntschaft und vertrauten Beziehung zwischen uns sein.«

»Gut«, antwortete Armand, indem er mir die Hand hinstreckte und die meine schüttelte, »ich nehme es an und werde Ihnen bis an mein Lebensende dankbar sein.«

Nur allzu gern hätte ich ihn über Marguerite ausgefragt, denn die Widmung, die Reise des jungen Mannes, sein drängender Wunsch, das Buch in seinen Besitz zu bringen, reizten meine Neugierde; doch ich befürchtete, mit derlei Fragen bei meinem Besucher den Eindruck zu erwecken, sein Geld nur in der Absicht zurückgewiesen zu haben, mich in seine Angelegenheiten einmischen zu dürfen.

Als habe er meinen Wunsch erraten, erwiderte er:

»Haben Sie das Buch gelesen?«

»Von Anfang bis Ende.«

»Was dachten Sie sich bei den zwei Zeilen, die ich hineingeschrieben habe?«

»Ich verstand sogleich, daß in Ihren Augen das arme Mädchen, dem Sie den Band geschenkt hatten, nicht zur gewöhnlichen Kategorie zählte, denn ich mochte nicht annehmen, daß Sie ihr damit nur ein billiges Kompliment machen wollten.«

»Wie recht Sie damit hatten, Monsieur. Dieses Mädchen ist ein Engel. Hier, lesen Sie diesen Brief.«

Und er hielt mir einen Brief hin, der wohl schon oft gelesen worden war.

Ich faltete ihn auseinander und las folgendes:

»Mein lieber Armand, ich habe Ihren Brief erhalten, Sie sind noch derselbe gute Mensch, dafür danke ich Gott. Ja, mein Freund, ich bin krank, und diese Krankheit kennt kein Pardon; doch die Anteilnahme, die Sie mir immer noch entgegenbringen, lindert meine Leiden sehr. Ich werde gewiß nicht mehr lange genug leben, um glücklich jene Hand zu drücken, die mir diesen schönen

Brief geschrieben hat, den ich soeben erhalten habe und dessen Worte mich genesen lassen könnten, falls das noch möglich wäre. Ich werde Sie nicht wiedersehen, denn ich bin dem Tode schon recht nah, und Hunderte von Meilen trennen uns voneinander. Armer Freund, Ihre Marguerite von früher hat sich sehr verändert, und es ist vielleicht besser, Sie sehen sie gar nicht mehr, als in ihrem jetzigen Zustand. Sie fragen mich, ob ich Ihnen verziehen hätte. Oh, von ganzem Herzen, mein Freund, denn das Böse, das Sie mir angetan, war nur der Beweis, wie sehr Sie mich liebten. Seit einem Monat bin ich nun ans Bett gefesselt, und mir liegt so viel an Ihrer Achtung, daß ich seit unserer Trennung ein Tagebuch führe und es fortführen werde, bis mich die Kraft zum Schreiben verlassen haben wird.

Wenn Ihre Anteilnahme aufrichtig ist, Armand, so suchen Sie nach Ihrer Rückkehr Julie Duprat auf. Sie wird Ihnen dies Tagebuch aushändigen. Darin finden Sie den Grund und die Entschuldigung für alles, was zwischen uns geschehen ist. Julie ist sehr gut zu mir; wir sprechen oft von Ihnen. Sie war bei mir, als Ihr Brief eintraf, und wir haben gemeinsam darüber Tränen vergossen.

Hätte ich von Ihnen keine Nachricht erhalten, so wäre sie beauftragt gewesen, Ihnen diese Papiere bei Ihrer Ankunft in Frankreich zu übergeben. Danken Sie mir nicht dafür. Es tut mir so unaussprechlich gut, mich täglich der einzigen glücklichen Stunden meines Lebens zu erinnern, und sollten diese Zeilen Ihnen eine Entschuldigung des Vergangenen sein, so sind sie mir eine beständige Erleichterung.

Wie gerne wollte ich Ihnen etwas schenken, das Sie stets an mich erinnern würde, doch man hat mir alles gepfändet, und nichts gehört mir mehr.

Können Sie sich das vorstellen, mein Freund? Ich liege im Sterben, und aus meinem Schlafzimmer höre ich den Wärter im Salon auf und ab gehen, den die Gläubiger dort postiert haben, damit auch ja nichts verschwindet und mir nichts mehr bleibt, falls ich doch nicht sterben sollte. Ich hoffe doch sehr, daß sie mein Ende abwarten, bevor sie mit der Versteigerung beginnen.

Oh, wie sind die Menschen doch erbarmungslos, oder vielleicht täusche ich mich auch, und es bedeutet nur, daß Gott unbeugsam und gerecht ist.

Nun, Liebster, Sie werden doch zur Versteigerung meiner Habe kommen und etwas erstehen? Denn legte ich auch nur das Geringste für Sie beiseite, und man erführe davon, so könnten Sie wegen Hinterziehung von Pfandgut belangt werden.

Wie traurig ist doch dieses Leben, aus dem ich scheide!

Welch eine Gnade, dürfte ich Sie noch einmal sehen, bevor ich sterbe! Doch wahrscheinlicher heißt es: Adieu, mein Freund; verzeihen Sie, wenn ich Ihnen nicht ausführlicher schreibe, aber jene, die mich zu heilen behaupten, erschöpfen mich mit Aderlässen, und meine Hand weigert sich, die Feder noch länger zu halten.

Marguerite Gautier. «

In der Tat waren die letzten Worte kaum noch zu entziffern.

Zweifellos hatte Armand, während ich las, ihre Zeilen in Gedanken mitverfolgt, denn als ich ihm den Brief zurückgab, sagte er zu mir: »Wer käme je auf den Gedanken, daß das eine Frau geschrieben hat, die sich aushalten ließ!« Und von seinen Erinnerungen ganz aufgewühlt, betrachtete er eine Weile die Schriftzüge und führte schließlich den Brief an seine Lippen.

»Und wenn ich daran denke«, fuhr er fort, »daß sie gestorben ist, bevor ich sie wiedersehen konnte, und daß ich sie niemals wiedersehen werde; wenn ich daran denke, daß sie mehr für mich getan hat, als selbst eine Schwester je tun würde, dann kann ich es mir nicht verzeihen, daß ich sie so habe sterben lassen. Tot ist sie nun, tot, und als sie starb, dachte sie an mich, schrieb meinen Namen, rief nach mir, arme Marguerite!«

Und während er seinen Gedanken und Tränen freien Lauf ließ, drückte er meine Hand und fuhr fort:

»Für recht kindisch würde man mich halten, wenn man mich hier den Tod einer solchen Frau beklagen sähe; denn es wüßte doch keiner, wie sehr diese Frau durch mich leiden mußte, wie grausam ich gewesen bin, und wie gut und duldsam sie dagegen. Ich befand mich in dem Wahn, sie habe mich um Verzeihung zu bitten, und nun fühle ich mich ihres Verzeihens unwürdig. Oh, zehn Jahre meines Lebens würde ich geben, könnte ich auch nur eine Stunde zu ihren Füßen weinen.«

Worte des Trostes zu finden für einen Schmerz, den man selbst noch nicht erfahren hat, ist immer schwierig, und doch empfand ich sogleich für diesen jungen Mann ein lebhaftes Mitgefühl. Er machte mich mit solch einer Offenherzigkeit zum Vertrauten seines Kummers, daß ich dachte, meine Worte dürften ihm nicht gleichgültig sein, und zu ihm sagte: »Haben Sie denn keine Verwandten, keine Freunde? Lassen Sie ein wenig Zeit verstreichen, fahren Sie zu ihnen, sie werden Sie trösten können, während ich selbst Ihnen nur mein Bedauern aussprechen kann.«

»Sie haben recht«, sagte er, indem er sich erhob und mit großen Schritten im Zimmer auf und ab zu gehen begann, »ich falle Ihnen nur lästig. Verzeihen Sie mir, ich habe nicht bedacht, daß mein Schmerz Sie nur wenig berühren dürfte und daß ich Sie hier mit einer Angelegenheit belästige, die Sie weder etwas angehen kann noch soll.«

»Da haben Sie meine Worte falsch verstanden, ich stehe ganz zu Ihren Diensten; ich bedaure nur, daß ich Ihren Schmerz nicht zu lindern vermag. Falls meine Gesellschaft oder die meiner Freunde Ihnen Zerstreuung bieten oder ich Ihnen sonst in irgendeiner Weise behilflich sein kann, so seien Sie versichert, daß es mir eine Freude wäre, Ihnen helfen zu können.«

»Verzeihen Sie, bitte verzeihen Sie, mein Schmerz läßt

mich alles übertreiben, lassen Sie mich noch ein Weilchen hier sitzen, bis ich meine Tränen getrocknet habe, damit die Gaffer auf der Straße nicht diesem großen weinenden Jungen nachstieren. Sie haben mich gerade sehr glücklich gemacht, als Sie mir das Buch schenkten, ich weiß gar nicht, wie ich Ihnen das je vergelten kann.«

»Indem Sie mir ein wenig Ihre Freundschaft schenken«, sagte ich, »und mir die Ursache Ihres Kummers verraten. Es erleichtert, über sein Leid zu sprechen.«

»Sie haben recht; doch heute muß ich noch zu sehr weinen und würde doch nur wirres Zeug reden. Eines Tages werde ich Ihnen die Geschichte erzählen, und dann werden Sie sehen, wie sehr ich Grund hatte, das arme Mädchen zu beklagen. Und nun«, fügte er hinzu, indem er sich ein letztes Mal die Augen rieb und sich im Spiegel betrachtete, »sagen Sie mir, daß ich Ihnen nicht gar zu töricht erscheine und daß ich Sie wieder aufsuchen darf.«

Der Blick dieses jungen Mannes war gut und sanft; fast hätte ich ihn umarmt.

Ihm selbst verschleierten wieder Tränen die Augen; er sah, daß ich es bemerkt hatte, und wandte das Gesicht ab.

»Na, na«, sagte ich, »seien Sie tapfer.«

»Adieu«, war die Antwort.

Es kostete ihn eine ungeheure Mühe, das Weinen zu unterdrücken, und man kann sagen, er lief eher davon, als daß er ging.

Ich zog den Vorhang am Fenster beiseite und sah ihn in ein Kabriolett steigen, das vor der Tür auf ihn gewartet hatte; doch kaum saß er darinnen, brach er auch schon in Tränen aus und verbarg das Gesicht in seinem Taschentuch.

V

Es verging einige Zeit, ohne daß ich wieder etwas von Armand gehört hätte, dafür war um so öfter von Marguerite die Rede. Ich weiß nicht, ob Sie das kennen; oftmals genügt es, daß der Name einer Person, die Ihnen eigentlich unbekannt oder zumindest gleichgültig sein sollte, Ihnen zu Ohren kommt, und schon knüpfen sich nach und nach so mancherlei Details an diesen Namen, und all Ihre Freunde scheinen nur noch über ein und dieselbe Angelegenheit zu reden, über die sie früher nie mit Ihnen sprachen. Auf einmal stellen Sie fest, daß diese Person ums Haar mit Ihnen in Berührung gekommen wäre und Ihr Leben oftmals gekreuzt hat, ohne daß Sie es wahrgenommen hätten. In den Geschehnissen, die man Ihnen schildert, finden Sie so manche Übereinstimmung und direkte Beziehung zu einzelnen Begebenheiten Ihres eigenen Lebens. Mit Marguerite erging es mir nicht ganz so, denn ich hatte sie ja schon gesehen, war ihr schon begegnet, wußte, wie sie aussah und welche Gewohnheiten sie hatte; indes ist mir seit der Versteigerung ihr Name immer häufiger untergekommen, und aufgrund der Umstände, von denen ich Ihnen im letzten Kapitel berichtet habe, hat sich mir dieser Name mit einem so tiefen Leid verknüpft, daß meine Verwunderung nur um so größer und meine Neugierde um so stärker wurde.

Es kam schließlich so weit, daß ich selbst eine Unterhaltung mit Freunden, denen ich nie von Marguerite gesprochen hatte, nur noch mit der Frage anfing:

»Haben Sie eine Frau namens Marguerite Gautier gekannt?«

»Die Kameliendame?«

»Genau.«

»Und ob!«

Und dieses ›Und ob‹ war oft von einem Lachen begleitet, dessen Bedeutung nicht zu verkennen war.

»Na, und was war sie denn für ein Mädchen?« fragte ich weiter.

»Ein gutes Mädchen!«

»Ist das alles?«

»Mein Gott, ja doch! Ein bißchen mehr Köpfchen und vielleicht ein bißchen mehr Herz als die anderen.«

»Und sonst wissen Sie nichts Genaueres?«

»Sie hat den Baron de G. ruiniert.«

»Nur ihn?«

»Und sie war die Mätresse des Herzogs de . . .«

»War sie wirklich seine Mätresse?«

»So sagt man. Jedenfalls hat er ihr viel Geld gegeben.«

Immer die gleichen nichtssagenden Dinge.

Und ich hätte doch so gerne etwas über die Beziehung zwischen Marguerite und Armand erfahren.

Eines Tages traf ich einen jener Männer, die ständig über die Geheimnisse der leichten Mädchen unterrichtet sind, und fragte ihn: »Haben Sie Marguerite Gautier gekannt?« Als Antwort erhielt ich das bekannte *und ob*.

»Was war sie denn für ein Mädchen?«

»Ein schönes, liebes Mädchen. Ihr Tod ist mir sehr nahegegangen.«

»Hatte sie nicht einen Geliebten namens Armand Duval?«

»So ein großer Blonder?«

»Ja, genau.«

»Das ist richtig.«

»Und was war dieser Armand für ein Mensch?«

»Ich glaube. der Junge teilte mit ihr noch das wenige, was er hatte, und dann war er gezwungen, sie zu verlassen. Man sagt, er habe darüber den Verstand verloren.«

»Und sie?«

»Es heißt immer, sie habe ihn auch sehr geliebt, na ja, wie diese Mädchen eben zu lieben verstehen. Man sollte von ihnen nun mal nicht mehr verlangen, als sie geben können.«

»Und was ist aus Armand geworden?«

»Keine Ahnung. Wir haben ihn kaum gekannt. Er lebte fünf oder sechs Monate lang mit Marguerite zusammen, doch auf dem Land. Als sie zurückkehrte, ist er verreist.«

»Und Sie haben ihn seither nicht wiedergesehen?«

»Nicht ein einziges Mal.«

Auch ich hatte Armand nicht wiedergesehen. Ich begann mich schon zu fragen, ob er nicht damals, als er mich aufsuchte, durch die so plötzliche Nachricht vom Tode Marguerites seine einstige Liebe und auch seinen Schmerz etwas übersteigert dargestellt hatte, und ich sagte mir nun, er habe die Verstorbene vielleicht schon vergessen und damit auch sein Versprechen, mich wieder zu besuchen.

Auf jeden anderen Menschen als Armand hätte diese Annahme wahrscheinlich zugetroffen, doch seine Verzweiflung hatte so echt geklungen – und so fiel ich von einem Extrem ins andere und malte mir wiederum aus, sein Kummer habe ihn krank gemacht und das Ausbleiben von Nachricht könne nur bedeuten, daß er ans Bett gefesselt und vielleicht schon gestorben sei.

Ich interessierte mich für diesen jungen Mann, ob ich nun wollte oder nicht. Vielleicht lag in diesem Interesse auch ein wenig Eigennutz; vielleicht ahnte ich hinter diesem Schmerz eine herzzerreißende Liebesgeschichte, und vielleicht war am Ende mein Wunsch, sie in Erfahrung zu bringen, ein wesentlicher Grund für die Sorge, die ich mir darum machte, daß Armand nichts von sich hören ließ.

Da Monsieur Duval nicht zu mir kam, beschloß ich, ihn in seinem Hause aufzusuchen. Einen Vorwand zu finden, war nicht schwer; doch leider kannte ich seine Adresse nicht, und wen ich auch fragte, niemand konnte sie mir geben.

Ich begab mich in die Rue d'Antin. Vielleicht wußte Marguerites Portier, wo Armand wohnte. Doch es war ein neuer Portier eingestellt worden. Er wußte es sowenig wie ich. Also erkundigte ich mich nach dem Friedhof, auf dem Mademoiselle Gautier begraben lag. Es war auf dem Montmartre.[12]

Es war wieder April geworden, das Wetter war herrlich, und so konnten die Gräber nicht mehr denselben schmerzlichen und verlassenen Eindruck erwecken wie noch im Winter; es war schließlich bereits warm genug, daß die Lebenden sich ihrer Toten entsannen und ihnen einen Besuch abstatteten. Ich begab mich zum Friedhof und sagte mir: Ich werde mir Marguerites Grab nur genau anzusehen brauchen, um zu wissen, ob Armands Schmerz noch lebendig ist, und werde so vielleicht in Erfahrung bringen, was aus ihm geworden ist.

Ich betrat die Loge des Friedhofswächters und fragte ihn, ob nicht am 22. des Monats Februar eine Frau namens Marguerite Gautier beerdigt worden sei.

Daraufhin blätterte dieser in einem großen Buch, in dem all jene eingetragen und mit Nummern versehen sind, die in diese letzte Wohnstätte eingehen, und er antwortete mir, daß tatsächlich am 22. Februar um zwölf Uhr mittags eine Frau dieses Namens bestattet worden sei.

Ich bat ihn, mich zu dem Grab zu führen, denn es war unmöglich, sich ohne Führer in dieser Totenstadt zurechtzufinden, die wie die Stadt der Lebendigen mit Straßen versehen war.

Der Wächter rief nach einem Gärtner, dem er die nötigen Angaben machte und der ihn mit den Worten unterbrach: »Ich weiß schon, ich weiß«, und dann fuhr er fort, indem er sich nach mir umwandte: »Oh, das Grab erkennt man leicht.«

»Weshalb?« fragte ich.

»Weil ganz andere Blumen drauf sind als auf den anderen.«

»Pflegen Sie das Grab?«

»Ja, Monsieur, und ich wünschte sehr, daß alle Angehörigen sich um ihre Toten so kümmern würden wie der junge Mann, der mich damit beauftragt hat.«

Nachdem wir einige Wege abgelaufen waren, blieb er stehen und sagte zu mir:

»Da sind wir schon.«

In der Tat, vor meinen Blicken zeigte sich mir ein Blumengeviert, das ich nie und nimmer für ein Grab gehalten hätte, wenn nicht ein weißer Marmorstein, auf dem ein Name geschrieben stand, dies bezeugt hätte. Der Marmor stand hochkant, ein Gitterwerk aus Gußeisen begrenzte das erworbene Stückchen Erde, das über und über mit weißen Kamelien bedeckt war.

»Was sagen Sie nun?« fragte mich der Gärtner.

»Wunderschön ist das.«

»Und ich bin beauftragt, sie sofort auszuwechseln, falls eine von ihnen zu welken beginnt.«

»Und wer hat Ihnen diesen Auftrag erteilt?«

»Ein junger Mann, der sehr geweint hat, als er das erste Mal hierherkam. Zweifellos ein Verflossener der Verstorbenen, denn sie schien wohl ein leichtes Mädchen gewesen zu sein. Man sagt, sie sei sehr hübsch gewesen. Haben Monsieur sie etwa gekannt?«

»Ja.«

»So wie der andere, was?« sagte daraufhin der Gärtner mit einem verschlagenen Lächeln.

»Nein, ich habe nie ein Wort mit ihr gesprochen.«

»Und doch kommen Sie sie hier besuchen; das ist sehr fein von Ihnen, denn der Friedhof ist nicht gerade überlaufen von Leuten, die dieses Grab besuchen kommen.«

»Ja kommt denn gar keiner?«

»Niemand außer dem jungen Herrn, der nur einmal hier war.«

»Nur ein einziges Mal?«

»Ja, Monsieur.«

»Und seither ist er nicht mehr hier gewesen?«

»Nein, aber nach seiner Rückkehr wird er wiederkommen.«

»Er ist also verreist?«

»Ja.«

»Und wissen Sie auch, wohin?«

»Er ist, soviel ich weiß, zur Schwester von Mademoiselle Gautier gefahren.«

»Und was will er dort?«

»Er möchte sie um die Vollmacht bitten, die Tote exhumieren zu lassen, um sie in ein anderes Grab umzubetten.«

»Und weshalb läßt er sie nicht einfach dort, wo sie ist?«

»Wissen Sie, Monsieur, mit den Toten ist das so eine ganz eigene Sache. Wir kleinen Leute können das alle Tage erfahren. Dieses Stück Erde ist nur für fünf Jahre gekauft, und der junge Mann möchte eine Genehmigung für ein Dauergrab auf einem größeren Fleckchen erhalten; im neuen Viertel wird das einfacher sein.«

»Was meinen Sie mit dem neuen Viertel?«

»Die neuen Grundstücke, die man jetzt auf der linken Seite kaufen kann. Wenn der Friedhof immer so in Schuß gehalten worden wäre wie zur Zeit, dann gäbe es auf der Welt nicht seinesgleichen; aber es muß noch viel getan werden, bis er einmal ganz so aussieht, wie er sollte. Und dann gibt es schon auch seltsame Leute.«

»Was wollen Sie damit sagen?«

»Ich will damit sagen, die Leute sind eingebildet bis dorthinaus. Diese Mademoiselle Gautier zum Beispiel, die hat, wie es scheint, ein ganz lustiges Leben gehabt, falls ich das einmal so ausdrücken darf. Na, und jetzt ist sie tot, das arme Mädchen. Und es bleibt auch nicht mehr von ihr übrig als von all den anderen, denen man nichts nachsagen konnte und deren Gräber wir täglich gießen. Na, und als dann die Angehörigen von denen, die neben ihr begraben liegen, davon erfuhren, wer sie gewesen ist, da haben die doch die Stirn gehabt zu sagen, man dürfe sie auf keinen Fall hier beerdigen, und es müsse doch gesonderte Gräber für diese Art von Frauen geben, so wie für die Armen. Hat man sowas schon gehört? Die bin ich ganz schön hart angegangen, diese dicken Rentner, die bloß viermal im Jahr ihre Verstorbenen besuchen kommen und dann ihre Blumen noch selber mitbringen, und was für Blumen, das sollten Sie mal sehen! Sie tun so, als beweinten sie ihre Toten, scheuen aber die Kosten fürs Grab, lassen auf die Grabsteine etwas von Tränen schreiben, die sie nie vergossen haben, und machen uns Ärger wegen der Nachbarschaft. Sie können mir ruhig glauben, ich habe dieses Fräulein zwar nicht gekannt und weiß auch nicht, was sie getan hat, aber ich hab sie halt lieb, das arme Mädchen, und kümmere mich um ihr Grab und bringe ihr die Kamelien zum billigsten Preis. Sie ist nämlich meine Lieblingstote. Wissen Sie, Monsieur, wir hier haben allen Grund, die Toten zu lieben, denn wir müssen so viel arbeiten, daß uns kaum Zeit für andere Neigungen bleibt.«

Ich betrachtete diesen Mann, und manche meiner Leser werden auch ohne lange Erklärungen verstehen, was ich bei seinen Worten empfand. Sicher entging ihm das nicht, denn er fuhr fort: »Man sagt, für dieses Mädchen da hätte sich so mancher ruiniert, und ihre Liebhaber hätten sie angebetet. Und wenn ich dann daran denke, daß nicht auch nur einer ihr eine Blume bringt, dann ist das schon recht sonderbar und betrüblich. Und doch kann sie sich nicht beklagen, denn sie hat ja ihr Grab, und ist es auch nur einer, der sich an sie erinnert, so wiegt er doch alle anderen auf. Aber hier gibt es auch noch andere arme Mädchen, vom gleichen Schlag und so alt wie sie, die wirft man ins Armengrab, und mir zerreißt es immer schier das Herz, wenn ich ihre armen Leiber in der Grube aufschlagen höre. Aber was soll ich tun? Ich kann nicht dagegen an. Ich habe eine schöne große Tochter von zwanzig Jahren, und wenn man hier eine beerdigt, die genauso alt ist, dann muß ich immer an sie denken, und gleich, ob das nun eine Dame von Welt oder eine Herumtreiberin ist, so rührt mich das doch unweigerlich. Aber ich falle Ihnen sicherlich lästig mit meinen Geschichten, und Sie sind ja auch nicht zum Zuhören hierher gekommen. Ich sollte Sie zu dem Grab von Mademoiselle Gautier führen, nun, hier ist es. Kann ich sonst noch irgend etwas für Sie tun?«

»Kennen Sie die Adresse von Monsieur Armand Duval?« fragte ich ihn.

»Ja, er wohnt in der Rue . . ., zumindest bekomme ich dort das Geld für all die Blumen, die Sie hier sehen.«

»Danke, lieber Freund.«

Ich warf einen letzten Blick auf dieses Blumengrab, dessen Tiefen es mich unwillkürlich auszuloten drängte, um zu sehen, was die Erde wohl mit dem schönen Geschöpf, das man ihr dort vorgeworfen hatte, angestellt haben mochte, und ging ganz betrübt meiner Wege.

»Möchten Sie Monsieur Duval besuchen gehen?« fing der Gärtner wieder an, der neben mir herlief.

»Ja.«

»Denn ich bin mir sicher, daß er noch nicht zurück ist, sonst hätte ich ihn hier gewiß schon gesehen.«

»Sie sind also der Überzeugung, daß er Marguerite noch nicht vergessen hat?«

»Davon bin ich nicht nur überzeugt, ich würde sogar darauf wetten, daß die geplante Umbettung nur auf dem Wunsch beruht, sie wiederzusehen.«

»Wie das?«

»Das erste, was er zu mir sagte, als er auf den Friedhof kam, war: ›Wie kann ich sie nur wiedersehen?‹ Das konnte nur durch einen Grabwechsel geschehen, und so habe ich ihn über alle dazu nötigen Formalitäten aufgeklärt, denn Sie müssen wissen, um die Verstorbenen von einem Grab in ein anderes umbetten zu lassen, muß man sie erst identifizieren, und nur die Angehörigen können die Genehmigung für eine solche Maßnahme erteilen. Auch ein Polizeikommissar muß übrigens dabeisein.

Um diese Genehmigung zu erhalten, ist Monsieur zur Schwester von Mademoiselle Gautier gefahren und wird uns ganz sicher als erstes einen Besuch abstatten.«

Wir waren beim Friedhofstor angelangt, ich bedankte mich noch einmal bei dem Gärtner, gab ihm ein paar Münzen und begab mich anschließend zu der Adresse, die er mir angegeben hatte.

Armand war noch nicht zurückgekehrt. Ich hinterließ ein paar Zeilen, in denen ich ihn bat, mich gleich nach seiner Ankunft aufzusuchen oder mir eine Nachricht zukommen zu lassen, wo ich ihn finden könne.

Am Morgen des folgenden Tages erhielt ich einen Brief von Duval, in dem er mir seine Rückkehr mitteilte und mich bat, zu ihm zu kommen, und er fügte hinzu, er sei so erschöpft, daß es ihm nicht möglich sei, außer Haus zu gehen.

VI

Als ich kam, lag Armand zu Bett.

Bei meinem Anblick reichte er mir seine heiße Hand.

»Sie haben ja Fieber«, sagte ich zu ihm.

»Das ist weiter nichts, ich bin von der hastigen Reise erschöpft, das ist alles.«

»Sie kommen von Marguerites Schwester?«

»Ja, wer hat Ihnen das gesagt?«

»Ich weiß es eben ... Und haben Sie erreicht, was Sie wollten?«

»Ja doch, nur, wer hat Sie denn über die Reise unterrichtet und den Zweck, den ich damit verband?«

»Der Friedhofsgärtner.«

»Haben Sie das Grab gesehen?«

Ich wagte kaum zu antworten, denn der Tonfall, in dem er diese Frage stellte, war mir Beweis genug, daß er noch immer in dem Schmerz gefangen war, dessen Zeuge ich gewesen war, und daß diese Gefühle ihn stets überwältigen würden, wann immer seine Gedanken oder die Worte eines anderen ihn auf diese traurige Angelegenheit bringen würden.

So antwortete ich nur mit einem Kopfnicken.

»Hat er es denn auch gut gepflegt?« fuhr Armand fort.

Dem Kranken liefen zwei dicke Tränen über die Wangen, und er drehte den Kopf beiseite, um sie vor mir zu verbergen. Ich tat, als habe ich sie nicht bemerkt und versuchte, das Gespräch auf etwas anderes zu lenken.

»Jetzt waren Sie drei Wochen verreist«, sagte ich.

Armand fuhr sich mit der Hand über die Augen und antwortete nur: »Genau drei Wochen.«

»Da haben Sie ein lange Reise gemacht.«

»Oh, ich war nicht die ganze Zeit unterwegs, ich bin zwei Wochen krank gewesen, sonst wäre ich schon längst wieder zurück; doch kaum bin ich dort angekommen, bekam ich auch schon Fieber und war gezwungen, das Bett zu hüten.«

»Und Sie sind zurückgefahren, noch bevor Sie sich ganz erholt hatten.«

»Wenn ich auch nur eine Woche länger in der Gegend hätte bleiben müssen, so wäre ich gestorben.«

»Doch jetzt, da Sie zurück sind, müssen Sie sich schonen; Ihre Freunde werden Sie besuchen kommen. Und ich als allererster, falls Sie es gestatten.«

»In zwei Stunden werde ich aufstehen.«

»Wie unvorsichtig!«

»Es muß sein.«

»Was haben Sie denn so Dringendes zu erledigen?«

»Ich muß den Polizeikommissar sprechen.«

»Warum beauftragen Sie denn nicht jemand mit dieser Angelegenheit? Das wird Sie nur noch mehr schwächen.«

»Es ist das einzige, was mich noch gesund machen

könnte. Ich muß sie sehen. Seit ich weiß, daß sie tot ist, und vor allem seit ich ihr Grab gesehen habe, finde ich keinen Schlaf mehr. Ich kann mir einfach nicht vorstellen, daß diese Frau, die so jung und so schön war, als ich wegfuhr, nun tot sein soll. Davon muß ich mich mit eigenen Augen überzeugen. Ich muß sehen, was Gott aus diesem Wesen gemacht hat, das ich so sehr liebte, vielleicht wird mir dann der Ekel vor diesem Anblick die Verzweiflung über die Erinnerung nehmen; Sie werden mich begleiten, nicht wahr? . . . falls Ihnen das nicht allzu unangenehm sein sollte.«

»Was hat Ihnen die Schwester gesagt?«

»Nichts. Sie schien sehr erstaunt darüber, daß ein Fremder Marguerite ein Grab kaufen will, und hat ohne weiteres die Vollmacht unterzeichnet, um die ich sie bat.«

»Hören Sie auf mich und warten Sie mit der Umbettung, bis Sie wieder ganz hergestellt sind.«

»Oh, seien Sie ohne Sorge, ich werde stark sein. Außerdem müßte ich verrückt werden, wenn ich nicht so schnell wie möglich diesen Entschluß ausführen würde, der mir zur Linderung meines Schmerzes so unverzichtbar geworden ist. Ich schwöre Ihnen, ich werde erst wieder Ruhe finden, wenn ich Marguerite gesehen habe. Vielleicht ist es die Fieberhitze, die mich verzehrt, ein Hirngespinst meiner schlaflosen Nächte, eine Folge meines Fieberwahns; und sollte ich, nachdem ich es gesehen habe, zum Trappisten werden wie dieser Monsieur Rancé, so muß ich sie doch wiedersehen.«

»Das verstehe ich«, sagte ich zu Armand, »und ich stehe ganz zu Ihrer Verfügung; haben Sie Julie Duprat aufgesucht?«

»Ja. Oh, ich bin gleich am Tag meiner Rückkehr zu ihr gegangen.«

»Und hat sie Ihnen die Papiere ausgehändigt, die Marguerite Ihnen hinterlassen hat?«

»Hier sind sie.«

Armand zog eine Papierrolle unter seinem Kopfkissen hervor und legte sie sogleich dorthin zurück.

»Ich kenne den Inhalt schon auswendig«, sagte er zu mir. »Seit drei Wochen lese ich sie täglich etwa zehnmal. Sie sollen sie auch lesen, doch später, wenn ich wieder etwas ruhiger bin und Ihnen alles erklären kann, was dieses Bekenntnis an Güte und Liebe erkennen läßt. Doch vorher muß ich Sie noch um einen Gefallen bitten.«

»Welchen denn?«

»Haben Sie Ihren Wagen unten stehen?«

»Ja.«

»Nun, würden Sie wohl die Güte haben, mit meinem Paß auf der Post die Briefe abzuholen, die dort postlagernd hinterlegt sind? Mein Vater und meine Schwester haben mir sicherlich nach Paris geschrieben, aber ich bin so überstürzt abgereist, daß ich nicht die Zeit fand, noch nachzusehen. Wenn Sie dann zurück sind, wollen wir gemeinsam zum Polizeikommissariat gehen und alle Formalitäten für morgen regeln.«

Armand gab mir seinen Paß, und ich fuhr in die Rue Jean-Jacques-Rousseau.

Dort waren zwei Briefe auf den Namen Duval hinterlegt; ich nahm sie in Empfang und kehrte zurück.

Bei meiner Ankunft war Armand schon vollständig angekleidet und zum Ausgehen bereit.

»Danke«, sagte er, als er die Briefe entgegennahm. »Ja«, fügte er hinzu, nachdem er einen Blick auf die Absender geworfen hatte, »die sind von meinem Vater und meiner Schwester. Mein Schweigen dürfte ihnen völlig unbegreiflich gewesen sein.«

Er öffnete die Briefe und überflog sie eher, als daß er sie las, denn jeder war vier Seiten lang, und kurz darauf hatte er sie auch schon wieder zusammengefaltet.

»Gehen wir«, sagte er, »ich werde sie morgen beantworten.«

Wir suchten den Polizeikommissar auf, dem Armand

die von Marguerites Schwester unterzeichnete Bevoll-
mächtigung vorlegte. Daraufhin übergab der Kommissar Armand ein Mitteilungsschreiben an den Friedhofs-
wärter; man kam überein, daß die Umbettung am folgenden Tag um zehn Uhr morgens stattfinden sollte,
daß ich Armand eine Stunde vorher abholen und wir
dann gemeinsam auf den Friedhof gehen würden.

Auch ich war nun begierig, diesem Schauspiel beizu-
wohnen, und gestehe, daß ich in dieser Nacht kein Auge zutat.

Aus den Gedanken zu schließen, die mir selbst durch
den Kopf schossen, dürfte auch Armand eine durch-
wachte Nacht verbracht haben.

Als ich am nächsten Tag um neun Uhr bei ihm eintrat, war er erschreckend bleich, doch er schien ganz
gefaßt.

Mit einem Lächeln reichte er mir die Hand.

Die Kerzen waren vollständig niedergebrannt, und
bevor wir gingen, nahm Armand einen ziemlich dicken
Brief an sich, der an seinen Vater adressiert war und in
dem er ihm zweifellos seine nächtlichen Gedanken anvertraut hatte.

Eine halbe Stunde später kamen wir auf dem Montmartre an.

Der Kommissar erwartete uns bereits.

Wir setzten uns langsam nach dem Grab Marguerites
in Bewegung. Der Kommissar ging voran, Armand
und ich folgten ein paar Schritt weit hinter ihm.

Von Zeit zu Zeit fühlte ich den Arm meines Beglei-
ters krampfhaft zittern, als überliefen ihn ganz plötzlich
heftige Schauder. Da sah ich ihn an; er verstand meinen
Blick und lächelte mir zu, doch seit wir aus dem Haus
gegangen waren, hatten wir kein Wort mehr miteinander gewechselt.

Kurz vor dem Grab blieb Armand stehen, um sich
den Schweiß abzuwischen, der ihm in dicken Tropfen
über das Gesicht rann.

Ich selbst nutzte diese Pause, um tief durchzuatmen, denn ich hatte ein Gefühl, als sei mein Herz in einen Schraubstock gepreßt.

Woher rührt wohl dieser seltsam lustvolle Schmerz, den wir bei derartigen Schauspielen empfinden? Als wir ans Grab kamen, sahen wir, daß der Gärtner die Blumentöpfe bereits entfernt und das Eisengitter ausgegraben hatte und daß zwei Männer mit Spaten die Grube aushoben.

Armand lehnte an einem Baum und sah zu.

Einzig seine Augen schienen noch von Leben erfüllt.

Plötzlich gab es einen knirschenden Laut, als einer der Spaten auf einen Stein stieß.

Bei diesem Geräusch fuhr Armand zusammen, als habe ihn ein elektrischer Schlag getroffen, und preßte meine Hand mit solcher Kraft, daß er mir wehtat.

Der eine Totengräber ergriff eine große Schaufel und räumte nach und nach die Grube leer; als schließlich nur noch die Steine übrigblieben, mit denen man den Sarg bedeckt, warf er sie einen nach dem anderen heraus.

Ich ließ Armand nicht aus den Augen, denn ich befürchtete, die Erregung, die sich sichtlich in ihm angestaut hatte, könnte ihn umwerfen; doch er schaute weiter zu; die Augen blickten starr und waren weit geöffnet wie bei einem Wahnsinnigen, und nur ein leichtes Zittern von Wangen und Lippen war der Beweis, daß er von einer starken Nervenkrise gepackt wurde.

Was mich betrifft, so kann ich nur sagen, daß ich es bereute, mitgekommen zu sein.

Als der Sarg ganz freigelegt war, befahl der Kommissar den Totengräbern: »Öffnen.«

Die Männer gehorchten, als wäre das die einfachste Sache von der Welt.

Der Sarg war aus Eichenholz, und sie begannen den Sargdeckel loszuschrauben. Durch die Feuchtigkeit der Erde waren die Nägel verrostet, weswegen der Sarg nur unter einiger Mühe geöffnet werden konnte. Trotz der wohlriechenden Pflanzen, mit denen man die Tote bedeckt hatte, stieg ein widerlicher Gestank davon auf.

»O mein Gott, mein Gott!« murmelte Armand und wurde noch bleicher.

Selbst die Totengräber wichen zurück.

Ein großes weißes Leintuch bedeckte die Leiche, deren Umrisse sich deutlich abzeichneten. Dieses Leichentuch war an einem Ende schon ganz zerfressen und ließ einen Fuß der Toten sehen.

Mir wurde fast übel, und selbst jetzt, da ich diese Zeilen schreibe, steht mir diese Szene noch immer mit einer eindringlichen Deutlichkeit vor Augen.

»Beeilen wir uns«, sagte der Kommissar.

Daraufhin streckte einer der beiden Männer seine Hand aus und begann, das Leichentuch aufzubinden, und indem er es an einem Zipfel griff, legte er in einer jähen Bewegung Marguerites Gesicht frei.

Es war ein entsetzlicher Anblick, und es ist entsetzlich, ihn zu schildern. Anstelle der Augen gab es nur noch zwei Löcher, ihre Lippen waren gänzlich verschwunden, und die weißen Zähne waren zusammengebissen. Die langen schwarzen Haare klebten welk an den Schläfen und verschleierten ein wenig die grünen Höhlungen der Wangen, und dennoch erkannte ich in diesem Gesicht das weiße, rosige und fröhliche Angesicht wieder, das ich so oft gesehen hatte.

Armand, der den Blick nicht von diesem Gesicht wenden konnte, hatte sein Taschentuch zum Mund geführt und biß darauf herum.

Mir selbst schien es, als werde mein Schädel von Eisenringen zusammengepreßt, ein Schleier überzog meinen Blick, in meinen Ohren begann es zu sausen, und ich konnte gerade noch schnell genug ein Fläschchen mit Riechsalz öffnen, das ich zufällig mitgenommen hatte, und heftig daran riechen.

Mitten in diesem Schwindelanfall hörte ich den Kommissar an Monsieur Duval die Frage richten:

»Erkennen Sie sie wieder?«

»Ja«, antwortete der junge Mann dumpf.

»Dann zumachen und wegtragen«, befahl der Kommissar.

Die Totengräber warfen der Toten wieder das Leichentuch übers Gesicht, schlossen den Sarg, hoben ihn jeder an einem Ende auf und steuerten damit den Platz an, der ihnen angewiesen worden war.

Armand rührte sich nicht. Sein Blick war auf die leere Grube geheftet; er war so bleich wie der Leichnam, den wir gerade gesehen hatten ... er schien zu Stein erstarrt.

Ich wußte, was geschehen würde, wenn der Schmerz nach diesem Schauspiel nachlassen und ihn nicht weiter stützen würde.

Ich trat auf den Kommissar zu: »Ist die Anwesenheit von Monsieur«, dabei deutete ich auf Armand, »weiterhin erforderlich?«

»Nein«, sagte er zu mir, »ich möchte Ihnen raten, ihn fortzubringen, er scheint sich gar nicht wohl zu befinden.«

»Kommen Sie«, sagte ich darauf zu Armand und faßte ihn beim Arm.

»Wie?« rief er aus und warf mir einen Blick zu, als erkenne er mich nicht.

»Es ist vorbei«, fügte ich hinzu, »Sie müssen nun gehen, mein Freund, Sie sind ganz bleich, Sie frieren, Sie werden sich noch den Tod holen bei all diesen Aufregungen.«

»Sie haben recht, gehen wir«, antwortete er mechanisch, ohne auch nur einen Schritt zu tun.

Da faßte ich ihn beim Arm und zog ihn fort.

Er ließ sich führen wie ein Kind und murmelte nur von Zeit zu Zeit: »Haben Sie die Augen gesehen?«

Und er drehte sich um, als habe ihn diese Vision wieder in Bann geschlagen.

Indes wurde sein Gang immer stockender; er schien nur noch ruckweise voranzukommen; seine Zähne schlugen klappernd aufeinander, seine Hände waren eiskalt, ein heftiges Beben durchfuhr seinen ganzen Körper.

Ich redete ihm zu, doch er antwortete nicht.

Sich führen zu lassen war alles, wozu er noch imstande war.

An der Pforte nahmen wir uns einen Wagen. Es war höchste Zeit.

Kaum daß er Platz genommen hatte, wurde er vom Schüttelfrost noch stärker gepackt und hatte eine regelrechte Nervenkrise, aber aus Furcht, mich zu erschrekken, drückte er meine Hand und murmelte:

»Es ist weiter nichts, es ist nichts, könnte ich doch nur weinen.«

Und ich hörte, wie seine Brust sich verkrampfte, seine Augen wurden ganz rot, doch die Tränen wollten nicht fließen.

Ich ließ ihn an meinem Fläschchen riechen, das mir so gut geholfen hatte, und als wir bei seinem Hause ankamen, war nur noch das Zittern zu spüren.

Mit Hilfe des Bediensteten brachte ich ihn ins Bett, ließ im Schlafzimmer ein großes Feuer machen und lief zu einem Arzt, dem ich das Vorgefallene berichtete.

Er kam herbei.

Armand war ganz puterrot, er phantasierte und stammelte wirre Worte, aus denen nur Marguerites Name deutlich herauszuhören war.

»Und?« fragte ich den Arzt, nachdem er den Kranken untersucht hatte.

»Nun, es ist nur eine Gehirnentzündung, nicht mehr und nicht weniger. Da können wir von Glück reden, denn ich glaube, Gott verzeih mir, er wäre sonst verrückt geworden. Gott sei Dank wird das körperliche Leiden das seelische aufzehren, und in einem Monat wird er wohl vom einen wie vom anderen geheilt sein.«

VII

Armand wurde von einer dieser Krankheiten befallen, die immerhin den Vorteil haben, daß sie entweder sehr schnell zum Tode führen oder aber rasch überwunden sind.

Zwei Wochen nach den soeben geschilderten Ereignissen war Armand schon auf dem besten Wege der Genesung. Wir hatten eine enge Freundschaft geschlossen. Solange er mit der Krankheit gerungen hatte, war ich kaum von seiner Seite gewichen.

Der Frühling hatte sich mit der verschwenderischen Fülle seiner Blumen und seiner Blätter, seiner Vögel und Lieder eingestellt, und das Fenster meines Freundes öffnete sich auf einen bezaubernden Garten, dessen heilbringende Düfte zu ihm aufstiegen.

Der Arzt hatte ihm aufzustehen erlaubt, und so saßen wir oft von zwölf Uhr mittags bis zwei, wenn die Sonne am wärmsten schien, plaudernd zusammen am offenen Fenster.

Ich hütete mich wohl, ihm von Marguerite zu sprechen, da ich stets befürchten mußte, die Erwähnung ihres Namens könnte die traurigen Erinnerungen, die hinter Armands äußerlicher Gefaßtheit schlummerten, wieder wecken; doch es schien ihm ganz im Gegenteil eine große Freude zu sein, von ihr zu sprechen, und zwar nicht mehr wie früher mit Tränen in den Augen, sondern mit einem sanften Lächeln, das mich über seine Gemütsverfassung allmählich beruhigte.

Ich erkannte, daß seit seinem letzten Besuch auf dem Friedhof, seit dem Schauspiel, das diese heftige Nervenkrise erst richtig hatte ausbrechen lassen, das Maß an seelischem Schmerz durch die Krankheit vollgemacht worden war und der Tod Marguerites ihm nur noch als etwas erschien, das der Vergangenheit angehörte. Aus der Gewißheit ihres Todes, von dem er sich selbst überzeugt hatte, war eine Art Trost entsprungen, und um das düstere Bild zu verscheuchen, das sich ihm oftmals aufdrängte, gab er sich ganz der Erinnerung an die glücklichen Tage mit Marguerite hin und schien keine andere als diese gelten lassen zu wollen.

Der Körper war vom Kampf gegen das Fieber zu erschöpft, um dem Geist eine heftige Gemütsbewegung zu gestatten, und die allgemeine Frühlingsstimmung, die überall in der Luft lag, lenkte Armands Gedanken unwillkürlich auf heitere Bilder.

Er hatte sich stets hartnäckig geweigert, seine Familie von der Gefahr, in der er schwebte, zu unterrichten, und als er schon wieder genesen war, wußte sein Vater immer noch nichts von seiner Krankheit.

Eines Abends waren wir länger als gewöhnlich am Fenster sitzen geblieben; das Wetter war herrlich, und die Sonne versank in einer tiefblau und golden funkelnden Dämmerung. Obwohl wir uns in Paris befanden, schienen wir in all dem Grün rings um uns her fast von der Welt getrennt, und nur dann und wann störte das Rollen eines Wagens unser Zwiegespräch.

»Etwa zur gleichen Jahreszeit und an einem Abend wie diesem hier habe ich Marguerite kennengelernt«, sagte Armand, der ganz seinen eigenen Gedanken hingegeben war und mir gar nicht zuhörte.

Ich antwortete nichts. Also wandte er sich nach mir um und sagte: »Einmal muß ich Ihnen doch diese Geschichte erzählen; Sie werden ein Buch daraus machen, das man Ihnen zwar nicht glauben wird, das zu schreiben aber vielleicht nicht uninteressant wäre.«

»Später werden Sie mir davon erzählen, mein Freund«, sagte ich zu ihm, »noch sind Sie nicht ganz genesen.«

»Der Abend ist lau, ich habe meine Hühnerbrust gegessen«, sagte er lächelnd; »Fieber habe ich keines, und zu tun haben wir auch nichts, so will ich Ihnen nun alles erzählen.«

»Wenn Sie absolut darauf bestehen – ich höre.«

»Es ist eine recht einfache Geschichte«, fuhr er daraufhin fort, »und ich will sie Ihnen der Reihe nach erzählen, genauso, wie sie sich zugetragen hat. Sollten Sie später etwas daraus machen wollen, so steht es Ihnen frei, sie zu erzählen, wie es Ihnen gefällt.«

Dann berichtete er mir folgendes, und ich habe kaum ein Wort an dieser ergreifenden Schilderung verändert:

Es begann also, fing Armand an und ließ den Kopf auf die Sessellehne fallen, an einem Abend wie diesem! Ich hatte den Tag mit einem meiner Freunde, Gaston R., auf dem Lande verbracht. Abends waren wir nach Paris zurückgekehrt, und da wir nichts anzufangen wußten, begaben wir uns ins ›Théâtre des Variétés‹.

In der Pause gingen wir hinaus und sahen auf dem Gang eine hochgewachsene Frau vorbeigehen, der mein Freund einen Gruß zuwarf.

»Wen grüßen Sie denn da?« fragte ich ihn.

»Marguerite Gautier«, gab er zur Antwort.

»Sie scheint sich recht verändert zu haben, ich habe sie gar nicht wiedererkannt«, sagte ich bewegt – was Sie jetzt ja verstehen können.

»Sie ist krank gewesen; das arme Ding wird es nicht mehr lange machen.«

Dieser Worte entsinne ich mich, als sei es gestern gewesen.

Sie müssen nämlich wissen, mein Freund, daß der Anblick dieser jungen Frau schon seit zwei Jahren, wann immer ich ihr begegnete, eine seltsame Beklemmung bei mir hinterließ.

Ohne zu wissen, wie mir geschah, wurde ich ganz bleich, und mein Herz begann wie wild zu schlagen. Einer meiner Freunde beschäftigt sich mit den okkulten Wissenschaften und würde das, was ich empfand, als verwandtes Fluidum bezeichnen; ich für mein Teil glaube ganz einfach, daß ich dazu bestimmt war, mich in Marguerite zu verlieben, und daß ich dies vorausahnte.

Die Wirkung, die sie auf mich hatte, war mir so deutlich anzumerken, daß es meinen Freunden schon aufgefallen war und sie sich köstlich darüber amüsierten, als sie merkten, woher sie rührte.

Das erste Mal hatte ich sie auf der ›Place de la Bourse‹ gesehen, vor dem Geschäft von Susse.[13] Dort hielt eine Kalesche mit geöffnetem Verdeck, und heraus stieg eine Frau, die ganz in Weiß gekleidet war. Bei ihrem Eintritt in den Laden wurde sie mit einem Raunen der Bewunderung begrüßt. Ich selbst stand von dem Augenblick an, da sie hineinging, bis zu dem, da sie wieder herauskam, wie angenagelt an meinem Platz. Durchs Schaufenster beobachtete ich, wie sie in dem Geschäft ihre Wahl traf. Ich hätte hineingehen können, aber ich wagte es nicht. Ich wußte nicht, wer diese Frau war, und befürchtete, wenn ich ihr in das Geschäft folgte, so könnte sie den Grund erahnen und sich beleidigt fühlen.

Sie war sehr elegant gekleidet; sie trug ein ringsum mit Volants besetztes Musselinkleid, einen an den Rändern mit Goldfäden und Seidenblumen bestickten indischen Schal, einen italienischen Strohhut und als einzigen Schmuck ein Armband, eine dieser breiten Goldketten, wie sie damals gerade in Mode kamen.

Sie bestieg wieder ihre Kalesche und fuhr davon.

Ein Ladenjunge blieb auf der Türschwelle stehen und verfolgte mit den Augen den Wagen dieser eleganten Käuferin. Ich trat auf ihn zu und bat ihn, mir den Namen dieser Frau zu verraten.

»Das ist Mademoiselle Marguerite Gautier«, antwortete er.

Ihn um die Adresse zu fragen, wagte ich nicht und ging davon.

Die Erinnerung an diese Vision, denn um eine solche handelte es sich, ging mir nicht aus dem Kopf, im Gegensatz zu so vielen anderen, die ich früher hatte, und überall hielt ich nach dieser in Weiß gekleideten königlichen Schönheit Ausschau.

Einige Tage darauf wurde in der ›Opéra Comique‹ eine große Vorstellung gegeben. Ich ging hin. Die erste Person, die ich in einer der Proszeniumslogen im ersten Rang bemerkte, war Marguerite Gautier.

Der junge Mann, der mich begleitete, erkannte sie ebenfalls, denn er machte mich auf sie aufmerksam und sagte: »Sehen Sie doch nur, was für ein schönes Kind.«

In diesem Augenblick richtete Marguerite ihr Opernglas in unsere Richtung, erkannte meinen Freund, lächelte ihm zu und machte ihm ein Zeichen, zu ihr in die Loge zu kommen.

»Ich werde ihr guten Abend sagen«, sagte er zu mir, »ich bin gleich zurück.«

Da entfuhr es mir: »Sie Glücklicher!«

»Glücklich, weshalb?«

»Zu dieser Frau zu gehen.«

»Sind Sie etwa in sie verliebt?«

»Nein«, sagte ich, während ich rot anlief, denn ich wußte wirklich nicht, was ich darauf erwidern sollte, »doch kennenlernen würde ich sie schon gern.«

»Dann kommen Sie mit, ich werde Sie vorstellen.«

»Fragen Sie sie erst um Erlaubnis.«

»Ach, zum Teufel, mit der braucht man sich nicht zu genieren, so kommen Sie schon.«

Was er da sagte, gab mir einen Stich. Ich fürchtete mich innerlich davor, die Gewißheit zu erlangen, daß Marguerite der Gefühle, die ich für sie hegte, nicht würdig war.

Alphonse Karr[14] berichtet in seinem Buch ›Am Rauchen‹ von einem Mann, der eines Abends einer eleganten Dame nachgeht, in die er sich auf den ersten Blick verliebt hat, so schön ist sie. Er fühlt, daß er bereit wäre, alles zu tun, um dieser Frau die Hand küssen zu dürfen; seinen Mut und seinen ganzen Eroberungswillen würde er aufbieten. Kaum daß er es wagt, ihre Wade zu betrachten, die sie kokett entblößt, um nicht den Saum ihres Kleides durch eine Berührung mit dem Erdboden zu beschmutzen. Während er so darüber nachsinnt, was er alles tun würde, um diese Frau zu besitzen, bleibt sie an einer Straßenecke stehen und fragt ihn, ob er mit ihr nach oben kommen wolle.

Er wendet sich ab, überquert die Straße und geht ganz betrübt nach Hause.

An diese kleine Studie erinnerte ich mich, und da ich doch so gern für diese Frau leiden wollte, fürchtete ich, sie werde mir nur zu schnell ihre Einwilligung geben und mir allzu rasch eine Liebe schenken, die ich mir gerne mit sehnsuchtsvoller Erwartung und großen Opfern erkämpfen wollte. So sind wir Männer nun einmal. Und es ist doch ein Glück, daß die Phantasie die Sinne mit etwas Poesie umgibt und daß die fleischlichen Begierden den Träumereien der Seele dieses Zugeständnis machen.

Denn hätte man zu mir gesagt: »Heute noch wirst du diese Frau besitzen, und morgen wirst du schon tot sein«, so wäre ich bereit gewesen. Hätte man aber gesagt: »Geben Sie zehn Louis, und Sie werden ihr Liebhaber sein«, so hätte ich es abgeschlagen und geweint wie ein Kind, das beim Erwachen sein in der Nacht geschautes Traumschloß entschwinden sieht.

Und doch wollte ich sie kennenlernen; dies war ein Weg, und sogar der einzige, um herauszufinden, was ich von ihr zu halten hatte.

Also sagte ich meinem Freund, mir sei sehr daran gelegen, daß er sie erst um Erlaubnis bitte, und strich durch die Gänge, wobei ich mir vorstellte, daß ich sie gleich sehen würde und doch gar nicht wußte, wie ich mich unter ihrem Blick verhalten sollte.

Ich versuchte mir schon im voraus die Worte zurechtzulegen, die ich ihr sagen wollte.

Was für eine herrliche Kinderei die Liebe doch ist!

Kurz darauf kam mein Freund zurück.

»Sie erwartet uns«, sagte er mir.

»Ist sie allein?« fragte ich.

»Es ist noch eine andere bei ihr.«

»Keine Herren?«

»Nein.«

»Gehen wir.«

Mein Freund ging auf den Theaterausgang zu.

»Aber doch nicht da lang«, sagte ich zu ihm.

»Wir gehen schnell noch ein paar Süßigkeiten kaufen. Sie hat mich darum gebeten.«

Wir betraten eine Konfiserie in der Opernpassage.

Ich hätte den ganzen Laden aufkaufen mögen und schaute schon, was man alles in die Tüte packen könnte, als mein Freund sagte: »Ein Pfund glasierte Trauben.«

»Woher wollen Sie denn wissen, ob sie das mag?«

»Sie ißt doch nie andere Süßigkeiten, das ist bekannt.

Ach!« fuhr er fort, als wir den Laden verlassen hatten, »wissen Sie denn eigentlich, was für einer Frau ich Sie da vorstellen werde? Glauben Sie bloß nicht, das sei eine Herzogin, sie ist bloß eine Kurtisane, und zwar eine der begehrtesten, mein Lieber; tun Sie sich also keinen Zwang an und sagen Sie geradeheraus, was Ihnen durch den Kopf geht.«

»Gut, gut«, stammelte ich, und während ich ihm nachging, dachte ich bei mir, daß ich von meiner Leidenschaft wohl schon bald geheilt sein werde.

Als ich die Loge betrat, lachte Marguerite aus vollem Halse.

Ich hätte mir gewünscht, sie möge traurig sein.

Mein Freund stellte mich ihr vor. Marguerite deutete ein Kopfnicken an und sagte: »Und meine Süßigkeiten?«

»Hier sind sie.«

Sie nahm sie entgegen und schaute mich dabei an. Ich senkte den Kopf, und die Röte schoß mir ins Gesicht.

Sie neigte sich zu ihrer Nachbarin, flüsterte ihr leise ein paar Worte ins Ohr, und dann brachen beide in schallendes Gelächter aus.

Ganz offensichtlich war ich der Anlaß ihrer Heiterkeit, das machte mich nur noch befangener. Zu dieser Zeit hatte ich gerade ein kleines, äußerst sanftes und sentimentales Bürgermädchen zur Geliebten, dessen Gefühlsduselei und melancholische Briefe mich zum Lachen brachten. Jetzt verstand ich durch die mir angetane Qual, was sie wohl hatte leiden müssen, und in diesen fünf Minuten empfand ich für sie eine Liebe, wie ich sie noch nie einer Frau entgegengebracht hatte.

Marguerite aß ihre Trauben, ohne mich weiter zu beachten.

Mein Freund wollte mich in dieser lächerlichen Rolle nicht im Stich lassen.

»Marguerite«, sagte er, »Sie dürfen sich nicht wundern, daß Monsieur Duval so gar nichts sagt, Sie verwirren ihn dermaßen, daß er keine Worte findet.«

»Ich glaube viel eher, daß Monsieur Sie hierher begleitet hat, weil es Ihnen lästig war, alleine zu kommen.«

»Wenn das wahr wäre«, sagte ich nun meinerseits, »so hätte ich Ernest wohl nicht um die Erlaubnis fragen lassen, daß er mich vorstellen dürfe.«

»Das war vielleicht nur ein Trick, den fatalen Augenblick hinauszuzögern.«

Wenn man nur ein klein wenig unter Frauen ihres Schlages verkehrt, so weiß man, welche Freude es ihnen ist, im falschen Moment Scherze zu machen und Menschen, denen sie zum ersten Mal begegnen, ein wenig zu hänseln.

Sicherlich ist es eine Rache für die Demütigungen, die sie so oft von ihren täglichen Begleitern zu erdulden haben.

Um ihnen entgegentreten zu können, muß man daher ein wenig geübt sein im Umgang mit ihrer Welt, eine Übung, die ich nicht besaß; dann bekam auch ihr Spott durch das Bild, das ich mir von ihr gemacht hatte, eine ganz übertriebene Bedeutung. Nichts, was diese Frau sagte oder tat, war mir gleichgültig. Und so erhob ich mich und sagte zu ihr mit einer Empörung in der Stimme, die ich nicht ganz zu verbergen vermochte: »Wenn Sie so von mir denken, Madame, bleibt mir nur noch übrig, Sie für meine Zudringlichkeit um Verzeihung zu bitten und mich mit der Versicherung von Ihnen zu verabschieden, daß sich der Vorfall nicht wiederholen wird.«

Darauf verbeugte ich mich und ging hinaus.

Kaum daß ich die Türe geschlossen hatte, hörte ich, wie sie ein drittes Mal in Lachen ausbrachen. Es wäre mir jetzt sehr recht gewesen, wenn mich jemand angerempelt hätte.

Ich kehrte in meine Loge zurück.

Das dreimalige Klopfen zum Beginn der Vorstellung ertönte, und Ernest kehrte zurück.

»Wie Sie sich aufführen«, sagte er, als er sich setzte, »man hat Sie für verrückt gehalten.«

»Was hat Marguerite gesagt, nachdem ich gegangen war?«

»Sie hat gelacht und mir versichert, ein so komischer Mensch wie Sie sei ihr noch nicht vorgekommen. Aber Sie müssen sich nicht geschlagen geben; vor allen Dingen dürfen Sie solche Frauen nicht ernst nehmen. Sie verstehen nichts von Feinheit und Höflichkeit; sie sind wie Hunde, denen man Parfüm auftut, sie finden, daß es schlecht riecht, und wälzen sich im Straßendreck.«

»Ach, was geht mich das auch an«, sagte ich und versuchte, ganz unbekümmert zu klingen, »ich werde diese Frau niemals wiedersehen, und wenn sie mir auch gefallen hat, bevor ich sie kennengelernt habe, so hat sich das doch sehr geändert.«

»Unsinn! Ich bin sicher, eines Tages sehe ich Sie hinten in ihrer Loge sitzen, und dann wird man mir erzählen, daß Sie sich ihretwegen in den Ruin treiben. Im übrigen haben Sie ganz recht, sie ist schlecht erzogen, aber als Mätresse macht sie sich ganz hübsch.«

Glücklicherweise wurde jetzt der Vorhang hochgezogen, und mein Freund verstummte. Welches Stück an diesem Abend gegeben wurde, wäre mir unmöglich zu sagen. Ich kann mich nur noch entsinnen, daß ich von Zeit zu Zeit den Blick zu ihrer Loge erhob, aus der ich mich so brüsk entfernt hatte, und daß die Besucher dort alle Augenblicke wechselten.

Und doch war ich weit davon entfernt, nicht mehr an Marguerite zu denken. Aber ein neues Gefühl nahm von mir Besitz. Mir schien, ihre Beleidigung und mein lächerliches Betragen müßten aus der Welt geschafft werden; ich sagte mir, sollte es mich auch all meinen Besitz kosten, diese Frau werde ich haben und mit gutem Recht den Platz einnehmen, den ich so schnell aufgegeben hatte.

Marguerite und ihre Freundin verließen die Loge, noch bevor die Vorstellung zu Ende war.

Ich erhob mich unwillkürlich von meinem Platz.

»Sie gehen?« fragte Ernest.

»Ja.«

»Weshalb?«

Da bemerkte er, daß die Loge leer war.

»Na, gehen Sie schon«, sagte er, »und viel Glück, oder besser gesagt, mehr Glück.«

Ich ging zum Ausgang. Von der Treppe kam mir das Rauschen von Kleidern und Stimmengewirr entgegen. Ich trat beiseite und ließ, ohne gesehen zu werden, die beiden Frauen und ihre jungen Begleiter an mir vorüber.

In der Vorhalle trat ein kleiner Diener auf sie zu.

»Sag dem Kutscher, er soll vor dem Café Anglais[15] auf uns warten, wir werden zu Fuß dorthin gehen.«

Einige Minuten später, als ich den Boulevard entlangstrich, sah ich durch das Fenster eines der großen Caféhausräume Marguerite an den Balkon gelehnt stehen und ihren Kamelienstrauß zerpflücken.

Einer der beiden Männer hatte sich über ihre Schulter gebeugt und sprach ganz leise auf sie ein. Ich ging zur Maison d'Or[16], nahm in einem der Salons im ersten

Stock Platz und ließ das besagte Fenster nicht aus den Augen.

Um ein Uhr morgens stieg Marguerite mit ihren Freunden in den Wagen.

Ich nahm mir ein Kabriolett und folgte ihr.

Der Wagen hielt vor der Rue d'Antin Nr. 9.

Marguerite stieg aus und ging alleine ins Haus.

Sicherlich war das ein Zufall, doch dieser Zufall machte mich recht glücklich.

Ab diesem Tag begegnete ich Marguerite noch des öfteren im Theater oder auf den Champs-Elysées. Bei ihr war stets die gleiche Fröhlichkeit zu bemerken, bei mir stets die gleiche Spannung.

Und schließlich vergingen zwei Wochen, während derer ich sie nirgends zu Gesicht bekam. Als ich einmal mit Gaston zusammen war, fragte ich ihn nach Neuigkeiten.

»Das arme Mädchen ist ziemlich krank«, gab er mir zur Antwort.

»Was hat sie denn?«

»Sie ist schwindsüchtig, und da sie ein Leben führt, das nicht gerade zu ihrer Heilung beiträgt, hütet sie nun das Bett und wird wohl sterben müssen.«

Man reagiert wunderlich in Herzensdingen; fast freute ich mich über diese Krankheit.

Täglich begab ich mich zum Haus der Kranken, um mich nach ihrem Befinden zu erkundigen, ließ mich jedoch nicht eintragen und hinterließ auch keine Karte. So erfuhr ich von ihrer Besserung und ihrer Abreise nach Bagnères.

Dann floß die Zeit dahin, und verlor ich auch nicht die Erinnerung an sie, so schien doch der Eindruck, den sie auf mich gemacht hatte, allmählich zu verblassen. Ich machte Reisen; Liebschaften, das tägliche Allerlei und neue Beschäftigungen nahmen meine Gedanken ganz gefangen, und wenn ich an jenes erste Abenteuer dachte, wollte ich darin schon nichts weiter mehr als eine dieser Leidenschaften sehen, wie man sie in sehr jungen Jahren hat und über die man kurze Zeit später lacht.

Außerdem war es keine so erstaunliche Leistung, diese Erinnerung zu bekämpfen, da ich Marguerite nach ihrer Abreise aus den Augen verloren hatte, und ich sie, wie ich Ihnen schon gesagt hatte, gar nicht wiedererkannte, als sie im Gang der ›Variétés‹ an mir vorbeiging.

Zwar ging sie verschleiert, doch zwei Jahre zuvor hätte sie noch so sehr verschleiert sein können, ich hätte sie nicht zu sehen brauchen, um sie sofort zu erkennen – erraten hätte ich sie.

Und doch begann mein Herz schneller zu schlagen, als ich erfuhr, daß sie es war; und die zwei Jahre, die ich sie nicht gesehen hatte, sowie die Folgen, die diese Trennung offenbar nach sich gezogen hatte, zerstoben zu nichts, sobald mich auch nur ihr Kleid streifte.

VIII

Und obwohl ich auch begriff – fuhr Armand nach einer Pause fort –, wie verliebt ich noch in sie war, so fühlte ich mich doch stärker als damals, und mein Wunsch, wieder mit Marguerite zusammenzutreffen, wurde auch von dem Willen bestimmt, ihr zu zeigen, daß ich ihr jetzt überlegen sei.

Welch seltsame Wege das Herz doch geht und welch sonderbare Ausflüchte es erfindet, um an sein ersehntes Ziel zu gelangen!

In den Gängen konnte ich mich nun auch nicht länger aufhalten, und so kehrte ich um und nahm meinen Platz im Parkett wieder ein, wobei ich einen raschen Blick in den Saal warf, um in Erfahrung zu bringen, in welcher Loge sie sich befand.

Sie saß in einer Proszeniumsloge im ersten Rang, und zwar allein. Wie ich schon sagte, war sie sehr verändert; um ihren Mund spielte nicht mehr jenes gleichgültige Lächeln von einst. Sie hatte gelitten und litt noch immer.

Obwohl es bereits April war, trug sie noch Winterkleidung und war ganz in Samt gehüllt.

Ich sah so unentwegt zu ihr hin, daß ich ihren Blick auf mich zog.

Sie musterte mich eine Weile, griff zu ihrem Opernglas, um mich besser sehen zu können, und schien mich wohl erkannt zu haben, ohne jedoch mit Sicherheit sagen zu können, wer ich sei, denn als sie ihr Opernglas wieder sinken ließ, irrte jenes charmante Lächeln über ihre Lippen, mit denen nur Frauen zu grüßen verstehen, als Antwort auf den Gruß, den sie von mir zu erwarten schien. Ich tat jedoch nichts dergleichen, um ihr gegenüber einen Vorteil zu erringen und den Anschein zu erwecken, ich habe sie vergessen, während sie sich sehr wohl an mich erinnerte.

Sie glaubte sich geirrt zu haben und wandte den Kopf.

Der Vorhang ging hoch.

Ich hatte Marguerite schon oft im Theater gesehen und dabei die Beobachtung gemacht, daß sie dem Spiel auf der Bühne niemals auch nur die geringste Aufmerksamkeit schenkte.

Auch mich interessierte das Stück herzlich wenig, und ich hatte nur Blicke für sie, wobei ich mir gleichwohl alle Mühe gab, es sie nicht merken zu lassen.

So beobachtete ich, daß sie mit jemand aus der Loge gegenüber Blicke tauschte, sah zu dieser Loge hin und erkannte darin eine Frau, mit der ich recht gut bekannt war.

Früher gehörte sie zu den Kokotten, dann hatte sie versucht, ihr Glück beim Theater zu machen, was ihr nicht gelang; schließlich hatte sie sich auf den Handel verlegt und im Vertrauen auf ihre Beziehungen zu den eleganten Damen von Paris ein Modegeschäft eröffnet.

Dies schien mir eine gute Möglichkeit, mit Marguerite zusammenzutreffen, und als sie einen Augenblick zu mir herübersah, nutzte ich die Gelegenheit, ihr mit dem Blick und einer Geste guten Abend zu wünschen.

Wie ich vermutet hatte, forderte sie mich auf, in ihre Loge zu kommen.

Prudence Duvernoy[17], wie die Modistin so treffend hieß, war eine dieser beleibten Frauen von vierzig, aus denen man auch ohne sonderliches diplomatisches Geschick alles herausbekommen konnte, was man zu wissen wünschte, vor allem, wenn es sich um etwas so Einfaches handelte wie in diesem Fall.

Als sie gerade wieder zu Marguerite hinsah, nutzte ich die Gelegenheit, sie zu fragen: »Nach wem schauen Sie denn da?«

»Nach Marguerite Gautier.«

»Sie sind mit ihr bekannt?«

»Ja, ich bin ihre Modistin, und zudem wohne ich gleich nebenan.«

»Dann wohnen Sie also in der Rue d'Antin?«

»Nr. 7. Das Fenster ihres Ankleidezimmers liegt meinem gerade gegenüber.«

»Man sagt, sie sei ein ganz reizendes Mädchen.«

»Sie kennen sich nicht?«

»Nein, aber ich würde sie gerne kennenlernen.«

»Soll ich sie zu uns in die Loge bitten?«

»Es wäre mir lieber, Sie stellten mich ihr vor.«

»Bei ihr zu Hause?«

»Ja.«

»Das ist schon schwieriger.«

»Weshalb?«

»Weil sie von einem alten und sehr eifersüchtigen Herzog protegiert wird.«

»*Protegiert*, das ist charmant gesagt.«

»Ja, protegiert«, wiederholte Prudence, »der arme Alte, das wäre für ihn recht beschämend, wenn er den Liebhaber spielen müßte.«

Sodann erzählte mir Prudence, wie Marguerite in Bagnères die Bekanntschaft des Herzogs gemacht hatte.

»Ist sie darum alleine hier?« fragte ich weiter.

»Genau darum.«

»Aber wer wird sie denn nach Hause begleiten?«

»Er.«

»Er wird sie also abholen kommen?«

»Ja, schon bald.«

»Und Sie, wer bringt Sie denn nach Hause?«

»Niemand.«

»Ich stehe Ihnen zur Verfügung.«

»Aber sind Sie denn nicht mit einem Freund hergekommen?«

»Dann stehen wir Ihnen beide zur Verfügung.«

»Wer ist denn Ihr Freund?«

»Ein ganz reizender und sehr geistreicher Junge, der entzückt sein wird, Ihre Bekanntschaft zu machen.«

»Na dann, einverstanden, brechen wir alle vier zusammen nach diesem Stück auf, denn das letzte habe ich schon gesehen.«

»Gern, ich will meinem Freund Bescheid sagen.«

»Ja, gehen Sie.«

»Ach«, rief Prudence aus, als ich schon in der Türe stand, »schauen Sie, jetzt kommt der Herzog in die Loge von Marguerite.«

Ich sah hinüber.

In der Tat nahm gerade ein Herr von etwa siebzig Jahren hinter ihr Platz und reichte ihr eine Tüte mit Süßigkeiten, in die sie sofort mit einem Lächeln hineingriff; dann beugte sie sich über die Balustrade und machte Prudence ein Zeichen, das in etwa zum Ausdruck bringen sollte: »Möchten Sie?«

»Nein«, gab Prudence zu verstehen.

Da nahm Marguerite die Tüte, wandte sich um und begann mit dem Herzog zu plaudern.

Das scheint ganz kindisch von mir, Ihnen all diese Einzelheiten zu berichten, aber alles, was mit diesem Mädchen in Zusammenhang stand, ist mir so lebhaft im Gedächtnis geblieben, daß ich es Ihnen unbedingt erzählen muß.

Ich ging zu Gaston hinunter, um ihn davon in Kenntnis zu setzen, was ich gerade für uns verabredet hatte.

Er war einverstanden.

Wir verließen unsere Plätze und begaben uns in Madame Duvernoys Loge.

Kaum hatten wir die Tür vom Parkett geöffnet, als wir auch schon zur Seite treten mußten, um Marguerite und den Herzog vorbeizulassen, die sich zum Ausgang begaben.

Zehn Jahre meines Lebens hätte ich gern dafür gegeben, jetzt mit dem alten Herrn tauschen zu können.

Auf dem Boulevard angekommen, ließ er sie in einem offenen Mehrsitzer Platz nehmen, den er selbst lenkte; die zwei prächtigen Pferde trabten an, und sie entschwanden rasch.

Wir gingen in Prudences Loge. Als das Stück zu Ende war, ließen wir uns von einem einfachen Fiaker in die Rue d'Antin Nr. 7 bringen. Vor der Haustür angekommen, machte uns Prudence den Vorschlag, noch mit hinaufzukommen, damit sie uns ihre Geschäftsräume zeigen könne, auf die sie sehr stolz zu sein schien. Sie können sich denken, wie bereitwillig ich darauf einging.

Mir schien, daß ich Marguerite Stück für Stück näherkam. Schon bald hatte ich das Gespräch wieder auf sie gebracht.

»Ist der alte Herzog jetzt bei Ihrer Nachbarin?« fragte ich Prudence.

»Aber nicht doch. Sie wird wohl alleine sein.«

»Wird sie sich da nicht ganz schrecklich langweilen?« fragte Gaston.

»Wir verbringen fast all unsere Abende gemeinsam. Und falls einmal nicht, so ruft sie nach mir, sobald ich nach Hause komme. Nie geht sie vor zwei Uhr morgens zu Bett. Vorher findet sie keinen Schlaf.«

»Weshalb denn?«

»Weil sie es auf der Brust hat und fast immer ein wenig fiebrig ist.«

»Hat sie denn keine Liebhaber?« fragte ich.

»Wenn ich sie am Abend verlasse, ist nie jemand bei ihr. Aber ich könnte nicht beschwören, daß niemand sie besuchen kommt, nachdem ich einmal gegangen bin; häufig begegne ich bei ihr einem gewissen Herzog de N., der glaubt, die Dinge vorantreiben zu können, wenn er sie erst nachts um elf Uhr besuchen kommt und ihr immer Schmuck schicken läßt, soviel ihr Herz begehrt, aber sie kann ihn nicht riechen. Da macht sie einen großen Fehler. Denn das ist ein schwerreicher Junge. Ich kann ihr noch so sehr sagen: Mein liebes Kind, das ist genau der Mann, den Sie brauchen, sie aber, die doch sonst so gern auf mich hört, dreht mir dann den Rücken zu und sagt mir, er sei ihr einfach zu dämlich. Daß er dämlich ist, der Meinung bin ich auch, aber das wäre doch eine gute Partie für sie, wo der alte Herzog doch jeden Tag sterben kann. Diese alten Knaben sind arge Egoisten; seine Verwandten machen ihm beständig einen Vorwurf daraus, daß er Marguerite so sehr ins Herz geschlossen hat: das sind schon zwei gute Gründe, ihr nichts zu hinterlassen. Ich halte ihr immer Predigten, auf die sie mir bloß antwortet, wenn der Herzog einmal gestorben sei, dann könne sie ja immer noch den Grafen nehmen. Das ist nicht immer spaßig«, fuhr Prudence fort, »so ein Leben, wie sie es jetzt führt. Ich sage Ihnen, mir würde das gar nicht gefallen, ich hätte mir den Alten schon längst vom Halse geschafft. So ein fader Kerl. Seine Tochter nennt er sie, kümmert sich um sie, als wäre sie ein Kind, und folgt ihr wie ein Schatten. Ich bin überzeugt, daß derzeit wieder einer seiner Diener auf der Straße herumlungert, um zu beobachten, wer aus dem Haus kommt, und vor allem, wer hineingeht.«

»Ach, die arme Marguerite«, rief Gaston, indem er sich ans Klavier setzte und einen Walzer zu spielen begann, »das wußte ich ja gar nicht. Wenn es mir auch schon seit einiger Zeit so vorkommt, als sei sie nicht mehr so recht fröhlich.«

»Psst!« machte Prudence und spitzte die Ohren.

Gaston hielt im Spiel inne.

»Ich glaube, sie ruft mich.«

Wir lauschten.

Und tatsächlich hörte man eine Stimme den Namen Prudence rufen.

»Also, meine Herren, jetzt muß ich Sie bitten zu gehen«, sagte Madame Duvernoy.

»Nicht doch! Sollte das etwa Ihre Vorstellung von Gastfreundschaft sein?« sagte Gaston lachend, »wir werden gehen, wann es uns beliebt.«

»Warum sollen wir denn überhaupt gehen?«

»Weil ich jetzt zu Marguerite hinüber will.«

»Wir werden hier warten.«

»Das geht nicht.«

»Na, dann werden wir Sie eben begleiten.«

»Das geht noch viel weniger.«

»Aber ich kenne doch Marguerite«, sagte Gaston, »ich werde ihr doch wohl einen Besuch abstatten dürfen.«

»Aber Armand kennt sie nicht.«

»Den werde ich ihr vorstellen.«

»Ganz ausgeschlossen.«

Wieder hörten wir Marguerite, die immer noch nach Prudence rief.

Diese lief in ihr Ankleidezimmer. Gaston und ich folgten ihr nach. Sie öffnete das Fenster.

Wir verbargen uns so, daß man uns von draußen nicht sehen konnte.

»Jetzt rufe ich Sie schon zehn Minuten«, rief ihr Marguerite vom Fenster aus in einem fast schon herrischen Tonfall zu.

»Was wollen Sie denn?«

»Sie müssen sofort herüberkommen.«

»Weshalb denn?«

»Weil der Graf de N. noch immer hier ist und ich bald sterbe vor Langeweile.«

»Ich kann jetzt nicht.«

»Was sollte Sie denn hindern?«

»Ich habe gerade Besuch von zwei jungen Herrn, die nicht gehen wollen.«

»Dann sagen Sie ihnen eben, daß sie gehen müssen.«

»Das habe ich ihnen bereits gesagt.«

»Na, dann lassen Sie sie, wo sie sind; wenn die sehen, daß Sie gegangen sind, dann werden sie schon von selbst aufbrechen.«

»Nachdem sie mir alles auf den Kopf gestellt haben!«

»Aber was wollen sie denn?«

»Sie möchten Sie sehen.«

»Wie heißen denn die beiden?«

»Den einen kennen Sie, Monsieur Gaston R.«

»Ah, ja, den kenne ich; und der andere?«

»Monsieur Armand Duval. Kennen Sie ihn?«

»Nein, aber bringen Sie sie nur gleich mit herüber, alles ist mir lieber als der Graf. Ich warte auf Sie, kommen Sie schnell.«

Marguerite schloß das Fenster wieder. Prudence ebenfalls.

Marguerite hatte sich zwar einen Augenblick an mein Gesicht erinnert, nicht jedoch an meinen Namen. Ich wäre ihr lieber in unliebsamer Erinnerung geblieben, als so völlig in Vergessenheit zu geraten.

»Wußte ich es doch«, sagte Gaston, »daß sie entzückt sein wird, uns zu sehen.«

»Entzückt ist vielleicht nicht das rechte Wort«, gab Prudence zur Antwort, während sie ihren Schal umlegte und sich den Hut aufsetzte, »sie empfängt Sie nur, damit der Graf verschwindet. Versuchen Sie, angenehmer zu sein als er, denn so wie ich Marguerite kenne, wird sie es mir sonst übelnehmen.«

Wir folgten Prudence die Treppe hinunter.

Ich zitterte; mir schien, dieser Besuch werde einen großen Einfluß auf mein Leben haben.

Ich war noch aufgewühlter als an jenem Abend, an dem ich ihr in der ›Opéra Comique‹ in ihrer Loge vorgestellt wurde.

Als wir vor ihrer Wohnung standen, die Sie ja bereits kennen, schlug mein Herz so stark, daß ich kaum mehr einen Gedanken fassen konnte.

Klavierakkorde drangen zu uns herüber.

Prudence läutete.

Das Klavierspiel hörte auf.

Eine Frau, die mehr einer Gesellschafterin als einem Dienstmädchen glich, kam uns öffnen.

Wir gingen in den Salon und von dort ins Boudoir, das schon damals so aussah, wie Sie es später gesehen haben.

Ein junger Mann stand an den Kamin gelehnt.

Marguerite saß am Klavier, ließ die Finger über die Tasten gleiten und spielte verschiedene Stücke an, die sie nie beendete.

Diese Szene ließ unwillkürlich an Langeweile denken, die daraus resultierte, daß der Mann über seine Nichtigkeit beschämt und die Frau über den Besuch dieser freudlosen Erscheinung verstimmt war.

Als sie die Stimme von Prudence vernahm, stand Marguerite auf und trat, während sie Madame Duvernoy einen dankbaren Blick zuwarf, auf uns zu und sagte: »Treten Sie doch näher, Messieurs, und seien Sie willkommen.«

IX

»Guten Abend, mein lieber Gaston«, sagte Marguerite zu meinem Freund, »wie es mich freut, Sie zu sehen. Warum sind Sie denn in den ›Variétés‹ nicht in meine Loge gekommen?«

»Ich fürchtete, indiskret zu sein.«

»Freunde«, und Marguerite betonte dieses Wort, als wolle sie allen Anwesenden verständlich machen, daß Gaston, trotz der vertraulichen Begrüßung, nichts als ein Freund und auch niemals etwas anderes gewesen sei, »Freunde sind niemals indiskret.«

»Dann gestatten Sie, daß ich Ihnen Monsieur Armand Duval vorstelle!«

»Ich hatte Prudence schon darum gebeten.«

»Madame«, sagte ich und verbeugte mich – es gelang mir sogar, einigermaßen verständliche Laute von mir zu geben –, »ich hatte übrigens bereits die Ehre, Ihnen vorgestellt zu werden.«

Mit einem ganz reizenden Augenaufschlag schien Marguerite in ihrem Gedächtnis zu kramen, doch sie konnte sich keineswegs mehr entsinnen, zumindest schien es so.

»Madame«, fuhr ich also fort, »ich bin Ihnen sehr verbunden, daß Sie diese erste Begegnung vergessen haben, denn ich habe mich dabei sehr lächerlich betragen und muß Ihnen als ein rechter Langweiler erschienen sein. Das war vor zwei Jahren in der Opéra Comique; ich war dort mit Ernest de . . .«

»Ach, jetzt entsinne ich mich«, antwortete Marguerite mit einem Lächeln, »nicht Sie waren lächerlich, ich selbst war ein rechter Quälgeist, das bin ich auch heute noch, wenn auch nicht mehr ganz so schlimm. Nicht wahr, Sie haben mir verziehen, Monsieur?«

Sie streckte mir ihre Hand hin, die ich ergriff und küßte.

»Es ist schon so«, fuhr sie fort, »Sie müssen wissen, ich habe die schlechte Angewohnheit, Leute, denen ich zum erstenmal begegne, in Verlegenheit zu bringen. Das ist sehr dumm von mir. Mein Arzt sagt, das liege daran, daß ich so nervös und meist unpäßlich bin: Glauben Sie ihm nur.«

»Aber Sie scheinen ganz wohlauf zu sein.«

»Oh, ich bin sehr krank gewesen.«

»Ich weiß.«

»Wer hat Ihnen das gesagt?«

»Alle Welt weiß davon. Ich bin oft vorbeigekommen, um mich nach Ihrem Befinden zu erkundigen, und war recht froh, als ich von Ihrer Besserung erfuhr.«

»Man hat mir nie Ihre Karte überbracht.«

»Ich habe auch nie eine abgegeben.«

»Sollten dann etwa Sie der junge Mann sein, der sich während meiner Krankheit jeden Tag nach mir erkundigen kam und nie seinen Namen nennen wollte?«

»Ja, das bin ich.«

»Dann sind Sie mehr als gnädig, ein großherziger Mensch sind Sie. *Sie*, Herr Graf, hätten das nicht getan«, sagte sie, nachdem sie mir einen dieser kurzen Blicke zugeworfen hatte, mit denen die Frauen ihr Urteil über einen Mann auszudrücken wissen.

»Ich kenne Sie ja erst seit zwei Monaten«, gab der Graf zurück.

»Und Monsieur kennt mich erst seit fünf Minuten; Sie können aber auch nichts als albernes Geschwätz von sich geben.«

Frauen sind unerbittlich, wenn sie jemanden nicht leiden mögen.

Der Graf errötete und biß sich auf die Lippen. Er tat mir leid, denn er schien ebenso verliebt wie ich, und die schonungslose Ehrlichkeit Marguerites mußte ihn recht bitter treffen, vor allem in Gegenwart zweier Fremder.

»Sie musizierten gerade, als wir eintraten«, sagte ich daraufhin, um das Gespräch auf ein anderes Thema zu lenken, »könnten Sie mir nicht den Gefallen tun, mich als einen alten Bekannten anzusehen und weiterzuspielen?«

»Oh!« rief sie aus, indem sie sich auf das Sofa fallen ließ und uns ein Zeichen gab, neben ihr Platz zu nehmen, »Gaston weiß sehr gut, welche Art von Musik ich mache. Für mich und den Grafen mag es ja noch angehen, aber Sie würde ich doch nur sehr ungern einer solchen Qual aussetzen wollen.«

»Dieses Vorrecht räumen Sie also mir ein?« gab Monsieur de N. zurück und bemühte sich um ein möglichst feinsinniges und ironisches Lächeln.

»Sie machen mir zu Unrecht einen Vorwurf daraus, es ist schließlich das einzige.«

Darauf konnte der arme Graf nun wirklich nichts mehr erwidern. Er warf der jungen Frau einen wahrhaft flehenden Blick zu.

»Sagen Sie, Prudence«, fuhr sie fort, »haben Sie getan, worum ich Sie gebeten hatte?«

»Ja.«

»Das ist fein, erzählen Sie mir später davon. Wir haben noch etwas miteinander zu besprechen, vorher lasse ich Sie nicht gehen.«

»Wir wollen nicht stören«, sagte ich daraufhin, »und jetzt, da wir oder vielmehr da ich Ihnen ein zweites Mal vorgestellt worden bin, um das erste Mal vergessen zu machen, wollen Gaston und ich uns zurückziehen.«

»Aber auf gar keinen Fall; das war doch nicht auf Sie gemünzt; im Gegenteil, es wäre mir lieb, wenn Sie noch bleiben würden.«

Der Graf zog eine sehr elegante Taschenuhr hervor und schaute nach der Zeit.

»Jetzt muß ich aber in den Club gehen«, sagte er.

Marguerite antwortete nichts darauf.

Der Graf verließ seinen Platz am Kamin und ging auf Marguerite zu: »Adieu, Madame.«

Marguerite erhob sich.

»Adieu, mein lieber Graf. Sie wollen uns schon verlassen?«

»Ja, ich fürchte, ich falle Ihnen lästig.«

»Nicht mehr als sonst auch. Wann sieht man Sie wieder?«

»Wann immer Sie gestatten.«

»Dann, Adieu!«

Grausam war das, das müssen Sie zugeben. Der Graf war zum Glück sehr gut erzogen und hatte einen vorbildlichen Charakter. Er küßte nur die Hand, die Marguerite ihm recht gönnerhaft entgegenstreckte, und ging, nachdem er sich vor uns verbeugt hatte.

In der Tür wandte er sich noch einmal nach Prudence um.

Diese zuckte die Achseln mit einer Miene, die bedeuten sollte: »Was wollen Sie, ich habe getan, was ich konnte.«

»Nanine!« rief Marguerite, »leuchten Sie dem Grafen.«

Wir hörten, wie die Tür geöffnet wurde und ins Schloß fiel.

»Endlich!« rief Marguerite aus, als sie wieder zurückkam, »jetzt ist er fort! Dieser Kerl geht mir ganz fürchterlich auf die Nerven.«

»Mein liebes Kind«, sagte Prudence, »Sie sind wirklich gemein zu ihm, wo er sich doch Ihnen gegenüber so gut und zuvorkommend verhält. Sehen Sie doch nur die Uhr da auf dem Kaminsims, die er Ihnen geschenkt hat, sie hat ihn mindestens tausend Ecus gekostet, davon bin ich überzeugt.«

Und Madame Duvernoy, die an den Kaminsims herangetreten war, spielte mit dem Schmuckstück und warf begehrliche Blicke darauf.

»Meine Liebe«, sagte Marguerite, indem sie sich ans Klavier setzte, »wenn ich das, was er mir schenkt, abwägen würde gegen das, was ich mir von ihm anhören muß, dann sind seine Besuche meines Erachtens noch immer viel zu billig bezahlt.«

»Der arme Junge ist eben in Sie verliebt.«

»Wenn ich all meine Verehrer anhören wollte, käme ich nicht einmal mehr dazu, ein Häppchen zu essen.«

Sie ließ die Finger über die Tasten gleiten, dann wandte sie sich zu uns um und fragte: »Kann ich Ihnen etwas anbieten? Ich selbst würde ganz gern ein wenig Punsch trinken.«

»Und ich hätte Lust auf ein bißchen Huhn«, sagte Prudence. »Wie wär's, wollen wir nicht zusammen zu Abend essen?«

»Ja, das ist eine gute Idee, gehen wir essen«, sagte Gaston.

»Nicht doch, wir lassen hier auftragen.«

Sie zog die Glocke. Nanine erschien.

»Laß um Essen schicken.«

»Was soll ich bestellen?«

»Was du nur willst, aber schnell, schnell.«

Nanine ging hinaus.

»Was für eine gute Idee«, sagte Marguerite und hüpfte dabei wie ein Kind, »wir werden zusammen speisen. Wie langweilig dieser Dummkopf von einem Grafen doch ist!«

Je länger ich diese Frau ansah, desto mehr wurde ich von ihr bezaubert. Sie war einfach wunderschön. Daß sie so mager war, machte sie nur um so reizvoller. Ich war völlig in ihren Anblick versunken. Nur schwer könnte ich erklären, was in mir vorging. Ich war voll Nachsicht für ihre Lebensweise, voll Bewunderung für ihre Schönheit. Dieser Beweis von Uneigennützigkeit, den sie durch die Zurückweisung eines jungen, eleganten und reichen Mannes gab, der sofort bereit gewesen wäre, sich für sie in den Ruin zu stürzen, entschuldigte in meinen Augen all ihre früheren Fehltritte.

Diese Frau besaß noch so etwas wie Arglosigkeit. Man merkte ihr an, daß das Laster bei ihr noch etwas ganz Jungfräuliches war. Ihr entschiedener Gang jedoch, ihre biegsame Taille, ihre rosigen, geöffneten Nasenflügel, ihre leicht blauumschatteten, großen Augen verrieten eine jener feurigen Naturen, die einen wollüstigen Duft um sich verbreiten, gleich jenen orientalischen Flacons, denen selbst festverschlossen noch der Duft ihrer köstlichen Essenzen entströmt.

War es nun ihr kindliches Naturell oder eine Folge ihrer Krankheit, von Zeit zu Zeit leuchtete in ihren Augen eine Begierde auf, deren völliges Entflammen einem Mann, den sie geliebt hätte, das Paradies auf Erden verheißen mußte. Doch wenn es auch Männer zuhauf gab, die Marguerite geliebt hatten, so hatte sie selbst noch nicht einen geliebt.

Kurzum, man konnte in diesem Mädchen noch die Jungfrau erkennen, die ein Nichts zur Kurtisane gemacht hatte, und die Kurtisane, die ein Nichts wieder zur Jungfrau werden ließe. Marguerite besaß noch Stolz und Unabhängigkeit: Und diese beiden Gefühle, wenn man sie einmal verletzt, vermögen dasselbe wie die Schamhaftigkeit. Ich sagte kein Wort, meine Seele schien mir ganz in mein Herz, und mein Herz ganz in meine Augen übergegangen zu sein.

»So waren Sie es also«, fing sie plötzlich wieder an, »der sich damals, als ich krank war, immer nach meinem Befinden erkundigt hat?«

»Ja.«

»Wissen Sie denn auch, wie schön das von Ihnen war! Wie kann ich Ihnen nur danken?«

»Indem Sie mir gestatten, Sie von Zeit zu Zeit zu besuchen.«

»Sooft Sie nur wollen, zwischen fünf und sechs Uhr abends und zwischen elf und Mitternacht. Sagen Sie, Gaston, würden Sie mir die *Aufforderung zum Tanz*[18] vorspielen?«

»Weshalb?«

»Zum einen, um mir eine Freude zu machen, und dann, weil ich damit alleine nicht zu Rande komme.«

»Was fällt Ihnen denn so schwer daran?«

»Der dritte Teil, die Stelle mit den vielen Kreuzen.«

Gaston stand auf, setzte sich ans Klavier und begann diese wundervolle Melodie von Weber zu spielen, deren Noten schon aufgeschlagen auf dem Ständer lagen.

Marguerite stützte sich mit einer Hand auf das Klavier, sah in die Noten und sang jede einzelne leise mit, und als Gaston zu der besagten Stelle kam, klang ihre Stimme ungehaltener, und ihre Finger verfolgten die Melodie auf dem Deckel des Instrumentes.

»Re, mi, re, do, re, fa, mi, re, das bekomme ich einfach nicht hin. Fangen Sie noch einmal von vorne an.«

Gaston fing wieder an, worauf ihn Marguerite mit den Worten unterbrach: »Jetzt lassen Sie es mich einmal versuchen.«

Sie nahm seinen Platz ein, und sobald sie an die heikle Stelle kam, wollten ihr die Finger nicht gehorchen.

»Das gibt es doch nicht«, sagte sie im Tonfall eines Kindes, »diese Stelle will mir einfach nicht gelingen. Sie werden es kaum glauben, aber manchmal sitze ich bis zwei Uhr morgens darüber! Und wenn ich nur daran denke, daß dieser Dummkopf von einem Grafen sie auch ohne Noten ganz wundervoll spielt, dann macht mich das ganz wütend, ja ich glaube fast, ich nehme ihm das übel.«

Und wieder fing sie an, doch stets mit dem gleichen Erfolg.

»Zum Teufel mit diesem Weber, der Musik und den Klavieren«, rief sie aus und schleuderte das Notenheft in die andere Ecke des Zimmers, »ist das denn zu fassen, nicht einmal acht Kreuze nacheinander bringe ich heraus.«

Sie verschränkte die Arme, schaute uns an und stampfte mit dem Fuß auf den Boden. Dann stieg ihr das Blut in die Wangen, und ein leichter Husten öffnete ihr die Lippen.

»Na, na«, sagte Prudence, die ihren Hut abgenommen hatte und sich vor dem Spiegel die Haare glattstrich, »Sie werden sich wieder in Zorn reden und Ihrer Gesundheit schaden. Wir wollen zu Abend essen, das ist besser, ich sterbe schon vor Hunger.«

Marguerite zog wieder die Glocke, dann setzte sie sich ans Klavier und begann mit halblauter Stimme ein freimütiges Liedchen zu singen, bei dessen Begleitung sie sich nicht verhaspelte.

Gaston kannte das Lied, und so sangen sie eine Art Duett.

»Aber Marguerite, singen Sie doch nicht solche Zoten«, sagte ich zu ihr in bittendem, vertraulichem Ton.

»Oh! Wie sittsam Sie sind!« antwortete sie lächelnd und reichte mir die Hand.

»Ich sage das nicht um meinetwillen, nur um Ihretwillen.«

Marguerite machte eine Geste, die besagen sollte: Oh! Sittsamkeit ist für mich schon lange kein Thema mehr.

In diesem Moment erschien Nanine.

»Ist das Essen fertig?« fragte Marguerite.

»Ja, Madame, sofort.«

»Übrigens«, sagte Prudence zu mir, »Sie haben sich die Wohnung ja noch gar nicht angesehen. Kommen Sie, ich zeige sie Ihnen.«

Wie Sie ja selbst wissen, war der Salon ein Prachtstück. Marguerite begleitete uns ein paar Schritte, dann rief sie Gaston zu sich und ging mit ihm ins Eßzimmer, um nachzusehen, ob das Essen angerichtet war.

»Sieh da«, rief Prudence ganz laut mit einem Blick auf ein Regal, von dem sie ein Meißener Porzellanfigürchen herunternahm, »dieses Männchen habe ich bei Ihnen ja noch nie gesehen!«

»Welches denn?«

»Den kleinen Hirten mit dem Vogelkäfig in der Hand.«

»Sie können ihn haben, wenn er Ihnen gefällt.«

»Ach, den möchte ich Ihnen aber nicht wegnehmen.«

»Ich wollte ihn schon meiner Putzfrau geben, ich finde ihn gräßlich; aber wenn er Ihnen gefällt, dann können Sie ihn haben.«

Prudence sah nur das Geschenk, nicht jedoch, auf welche Weise es ihr gemacht wurde. Sie legte ihr Männchen beiseite und führte mich in das Ankleidezimmer, wo sie mir zwei zusammengehörende Miniaturbilder zeigte mit den Worten: »Schauen Sie nur, das ist der Graf de G.[19]. Er ist sehr verliebt in Marguerite gewesen, und er ist es auch, der ihr den Weg in die Gesellschaft geöffnet hat. Kennen Sie ihn?«

»Nein. Und dieser hier?« fragte ich und deutete auf eine andere Miniatur.

»Das ist der kleine Herzog de L., er war gezwungen zu gehen.«

»Warum?«

»Weil er fast völlig ruiniert war. Was hat der Marguerite geliebt!«

»Und sie hat ihn sicherlich auch sehr geliebt?«

»Sie ist so ein seltsames Mädchen, man weiß nie, woran man mit ihr ist. Am Abend des Tages, an dem er abgereist ist, ist sie wie gewöhnlich ins Theater gegangen, und dennoch hatte sie bei seiner Abreise sehr geweint.«

In diesem Augenblick erschien Nanine und meldete uns, daß das Essen aufgetischt sei.

Als wir das Eßzimmer betraten, stand Marguerite an die Wand gelehnt, und Gaston, der sie bei den Händen hielt, sprach leise auf sie ein.

»Sie sind verrückt«, sagte Marguerite zu ihm, »Sie wissen recht gut, daß ich nichts von Ihnen wissen will. Bei einer Frau wie mir wartet man nicht zwei Jahre, bis man sich um ihre Gunst bewirbt. Wir geben uns sofort hin oder gar nicht. Und jetzt, zu Tisch, meine Herren!«

Sie entwand sich den Händen Gastons und ließ ihn zu ihrer rechten und mich zu ihrer linken Seite Platz nehmen, dann sagte sie zu Nanine: »Ehe du dich setzt, gib in der Küche Bescheid, nicht zu öffnen, wenn geläutet wird.«

Es war schon ein Uhr morgens, als dieser Befehl erteilt wurde.

Bei diesem Essen wurde viel gelacht, gegessen und getrunken. Schon in kurzer Zeit hatte die allgemeine Heiterkeit die äußerste Grenze des Schicklichen erreicht und von Zeit zu Zeit fielen Worte, die gewisse Kreise witzig finden und den, der sie in den Mund nimmt, immer beschmutzen; sie wurden von Nanine, Prudence und Marguerite mit schallendem Gelächter begrüßt. Gaston amüsierte sich sichtlich, der Junge war sehr feinsinnig, doch sein Geschmack war durch frühere Gewohnheiten ein wenig verdorben. Zu Beginn wollte ich mich schon betäuben, meine Gefühle und Gedanken ein wenig abstumpfen, die mir beim Anblick des Schauspiels kamen, das mir hier geboten wurde; ich hatte in die allgemeine Heiterkeit einstimmen wollen, die wie ein weiterer Gang zu unserer Mahlzeit zu gehören schien. Doch nach einer Weile saß ich inmitten dieses lärmenden Trubels ganz für mich, mein Glas blieb voll, und ich wurde fast traurig dabei, mitansehen zu müssen, wie dieses schöne Geschöpf von zwanzig Jahren zechte und redete wie ein Fuhrmann und um so lauter lachte, je anstößiger die Reden wurden.

Und dennoch hielt ich diese Ausgelassenheit, diese Art zu reden und zu trinken, die bei den übrigen Gästen die Folge der Ausschweifung, der Gewohnheit oder der Protzerei zu sein schien, bei Marguerite für ein Bedürfnis nach Vergessen, für ein Fieber, eine Überreizung der Nerven. Bei jedem Glas Champagner, das sie trank, überzog eine fiebrige Röte ihre Wangen, und der Husten, der zu Beginn der Mahlzeit ganz leicht gewesen war, wurde immer stärker, so daß sie ihren Kopf bei jedem Hustenanfall auf die Stuhllehne zurücklegte und die Hände auf die Brust preßte.

Es tat mir in der Seele weh, wenn ich bedachte, welche Qualen dieser zerbrechliche Körper durch die tägliche Ausschweifung zu erleiden hatte.

Schließlich trat ein, was ich längst vorausgesehen und befürchtet hatte. Gegen Ende der Mahlzeit wurde Marguerite von einem Hustenanfall geschüttelt, der heftiger war als alle vorherigen. Mir schien, das Innere ihrer Brust müsse zerreißen. Das arme Mädchen wurde ganz purpurrot, sie schloß vor Schmerz die Augen und drückte die Serviette auf den Mund; ein Blutstropfen erschien darauf. Da stand sie auf und eilte in ihr Ankleidezimmer.

»Was hat denn Marguerite bloß?« fragte Gaston.

»Zuviel gelacht hat sie, und jetzt spuckt sie Blut«, erwiderte Prudence. »Ach, das ist nichts weiter, das hat sie alle Tage. Sie wird schon wiederkommen. Bleiben Sie nur sitzen, sie ist jetzt lieber allein.«

Doch ich konnte nicht mehr an mich halten, und zum größten Erstaunen von Prudence und Nanine, die mich zurückriefen, eilte ich Marguerite nach.

X

Das Zimmer, in das Marguerite sich geflüchtet hatte, wurde nur von einer Kerze beleuchtet, die auf dem Tisch stand. Sie hatte sich rücklings auf ein großes Sofa geworfen, ihre Kleider waren in Unordnung, die eine Hand hielt sie aufs Herz gepreßt, während die andere schlaff herabhing. Auf dem Tisch befand sich auch eine halb mit Wasser gefüllte silberne Waschschüssel; das Wasser darin war von feinen Blutfäden durchzogen.

Ganz bleich und mit geöffnetem Mund suchte Marguerite Atem zu schöpfen. Dann und wann hob sich ihre Brust, und sie tat einen tiefen Seufzer, der sie ein wenig zu befreien und ihr für ein paar Sekunden ein Gefühl der Erleichterung zu geben schien.

Ich trat zu ihr hin, doch sie rührte sich nicht, setzte mich und ergriff ihre auf dem Sofa ruhende Hand.

»Ach, Sie sind es«, sagte sie mit einem Lächeln.

Ich muß wohl ein verstörtes Gesicht gemacht haben, denn sie setzte hinzu: »Ist Ihnen auch nicht wohl?«

»Doch, doch, aber Sie, geht es Ihnen denn jetzt besser?«

»Ein klein wenig schon«, und sie wischte sich mit ihrem Taschentuch die Tränen fort, die der Husten ihr in die Augen getrieben hatte, »ich bin das jetzt schon gewöhnt.«

»Sie richten sich noch zugrunde, Madame«, sagte ich daraufhin mit bewegter Stimme, »wie gern wäre ich Ihr

Freund, ein naher Verwandter, um Sie daran hindern zu können, sich so übel mitzuspielen.«

»Ach, es lohnt nicht, daß Sie so besorgt sind«, gab sie mit einiger Bitternis in der Stimme zurück, »schauen Sie doch, die anderen machen auch kein Aufhebens darum, denn sie wissen recht gut, daß man gegen dieses Übel rein gar nichts ausrichten kann.«

Daraufhin stand sie auf, nahm die Kerze, stellte sie auf den Kaminsims und betrachtete sich im Spiegel.

»Wie bleich ich bin«, sagte sie, indem sie ihre Kleider glattstrich und ihre Finger durch die etwas zerzausten Haare gleiten ließ. »Ach was, wir wollen wieder zu Tisch gehen. Kommen Sie?«

Doch ich saß da und rührte mich nicht.

Sie begriff, daß dieser Anblick mir sehr nahegegangen war, denn sie trat zu mir, reichte mir die Hand und sagte: »Na, kommen Sie schon.«

Ich ergriff ihre Hand, führte sie an meine Lippen und benetzte sie unwillkürlich mit zwei lange zurückgehaltenen Tränen.

»Nein, aber was sind Sie doch bloß für ein Kind!« sagte sie und setzte sich neben mich; »jetzt weinen Sie auch noch! Was haben Sie nur?«

»Ich muß Ihnen recht albern erscheinen, aber was ich da gerade mitangesehen habe, hat mir entsetzlich weh getan.«

»Wie gut Sie doch sind. Aber was soll ich tun? Ich finde keinen Schlaf, also muß ich mich doch ein wenig zerstreuen. Und außerdem, was liegt schon daran, ob es eine Frau wie mich mehr oder weniger gibt? Die Ärzte sagen, das Blut, das ich spucke, komme aus den Bronchien. Ich tue so, als glaubte ich ihnen, was bleibt mir auch sonst anderes übrig.«

»Hören Sie, Marguerite«, sagte ich nun mit einer Ergriffenheit, der ich nicht mehr Herr zu werden vermochte, »ich weiß nicht, welche Bedeutung Sie in meinem Leben haben werden, doch das eine weiß ich sehr wohl, daß es derzeit nicht einen Menschen für mich gibt, der mir so wichtig wäre, wie Sie es sind, nicht einmal meine Schwester. Und das ist so, seit ich Sie gesehen habe. Und darum schonen Sie sich um Himmels willen und führen Sie nicht mehr ein solches Leben. «

»Sterben würde ich, wenn ich mich schonte. Nur dieses fieberhafte Leben hält mich noch aufrecht. Und dann, sich schonen, das ist doch etwas für die Damen der besseren Gesellschaft, die eine Familie haben und Freunde; wir aber, sobald wir nicht mehr nützlich sind für die Eitelkeit oder das Vergnügen unserer Liebhaber, werden fallengelassen, und den endlosen Abenden folgen endlose Tage. Glauben Sie mir, ich weiß das nur zu gut, zwei Monate bin ich im Bett gelegen, und nach drei Wochen hat mich schon keiner mehr besuchen wollen. «

»Ich weiß wohl, daß ich Ihnen nichts bedeute«, fing ich wieder an, »doch wenn Sie es nur erlauben wollten, ich würde Sie pflegen wie ein Bruder, nicht mehr von Ihrer Seite weichen und über Ihre Genesung wachen. Und wenn Sie dann wieder bei Kräften sind, können Sie ja Ihr altes Leben wieder aufnehmen, wenn Ihnen daran liegt. Doch ich bin sicher, Sie würden viel lieber ein ruhiges Leben führen, das würde Sie glücklicher machen und Ihre Schönheit nicht verwüsten. «

»Das sagen Sie heute abend, weil der Wein Sie schwermütig gemacht hat, aber Sie hätten ja doch nicht die Geduld, mit der Sie sich jetzt brüsten. «

»Darf ich Sie daran erinnern, Marguerite, daß Sie zwei Monate lang krank gewesen sind und daß ich in diesen zwei Monaten täglich hier vorbeigekommen bin, um mich nach Ihrem Befinden zu erkundigen. «

»Das stimmt; aber weshalb sind Sie denn nicht heraufgekommen?«

»Weil ich Sie noch nicht kannte. «

»Als ob man vor einer wie mir groß Respekt haben müßte. «

»Vor jeder Frau, zumindest ist das meine Ansicht. «

»So würden Sie mich also pflegen?«

»Ja.«

»Und tagaus tagein würden Sie bei mir bleiben?«

»Ja.«

»Vielleicht sogar jede Nacht?«

»Solange ich Ihnen nicht lästig falle.«

»Und wie würden Sie so etwas nennen?«

»Ergebenheit.«

»Und woher rührt diese Ergebenheit?«

»Ich empfinde sehr tief mit Ihnen, dagegen kann ich gar nicht an.«

»Dann sind Sie also verliebt in mich? Sagen Sie das doch gleich, das macht die Dinge einfacher.«

»Möglich ist's. Doch sollte ich Ihnen das auch vielleicht eines Tages gestehen, so jedenfalls nicht heute.«

»Sie täten besser daran, es mir niemals zu sagen.«

»Weshalb?«

»Weil aus diesem Geständnis nur zweierlei entstehen kann.«

»Und das wäre?«

»Wenn ich Sie abwiese, würden Sie mir gram sein, ginge ich jedoch darauf ein, dann hätten Sie eine recht traurige Geliebte; eine nervöse, kranke, betrübte Frau, oder besser gesagt eine Frau, die auf eine Weise fröhlich ist, daß es nur um so trauriger macht, eine Frau, die Blut spuckt und im Jahr hunderttausend Francs ausgibt, das ist wohl das Rechte für so einen reichen alten Kauz wie den Herzog, aber für einen jungen Mann wie Sie ist das ziemlich lästig. Daher haben mich auch all meine jungen Liebhaber schleunigst wieder verlassen.«

Ich antwortete nichts und hörte nur zu. Diese Offenheit, die fast schon eine Beichte war, dieses schmerzreiche Leben, das ich unter dem goldenen Schleier bemerkte und dessen kruder Wirklichkeit dieses Mädchen durch Ausschweifung, Gelage und ein rastloses Leben zu entgehen suchte – all das machte einen so starken Eindruck auf mich, daß es mir die Sprache verschlug.

»Ach was, kommen Sie schon«, fuhr Marguerite fort, »das sind doch alles Kindereien. Geben Sie mir die Hand, und dann wollen wir ins Eßzimmer zurückgehen. Dort braucht man nicht zu merken, was uns hier zurückhält.«

»Gehen Sie nur, wenn Sie möchten, doch gestatten Sie mir, daß ich noch hierbleibe.«

»Aber warum denn?«

»Weil Ihre Fröhlichkeit mich allzu schmerzlich berührt.«

»Nun gut, dann werde ich eben traurig sein.«

»Hören Sie, Marguerite, ich will Ihnen etwas sagen, was Sie sicher schon oft gehört haben und vielleicht nicht glauben werden, doch darum ist es nicht weniger wahr, und ich werde es Ihnen auch kaum ein zweites Mal sagen.«

»Und zwar?« sagte sie mit der lächelnden Miene einer jungen Mutter, die sich von ihren Kindern irgendwelche Flausen anhört.

»Seit ich Sie gesehen habe, haben Sie einen bestimmten Platz in meinem Leben, und ich weiß nicht, wie und warum das geschah, und so sehr ich auch versuche, Ihr Bild aus meinen Gedanken zu verscheuchen, es kehrt doch immer wieder zurück; heute, als ich Sie wiedertraf, nachdem ich Sie nun zwei Jahre nicht gesehen hatte, haben Sie über meine Gefühle und Gedanken einen noch viel größeren Einfluß gewonnen, und nun, da Sie mich empfangen haben und ich Sie kennenlernen durfte, da ich nun all diese wundersamen Dinge über Sie weiß, sind Sie mir unverzichtbar geworden – ich würde den Verstand verlieren, wenn Sie mich nicht liebten, und vor allem, wenn ich selbst Sie nicht lieben dürfte.«

»Aber Sie Unglücklicher, ich kann Ihnen nur wiederholen, was Madame Duvernoy bereits gesagt hat: Sie müssen ja sehr reich sein! Wissen Sie denn nicht, daß ich sechs- oder siebentausend Francs im Monat ausgebe und daß diese Ausgaben für das Leben, das ich führe, zu einer Notwendigkeit geworden sind? Aber wissen Sie denn nicht, mein armer Freund, daß ich Sie schon in kürzester Zeit in den Ruin treiben würde und Ihre Angehörigen Ihnen das schnell verbieten würden, daß Sie mit einem Geschöpf wie mir zusammenlebten? Haben Sie mich recht lieb, als ein guter Freund, aber nicht anders. Kommen Sie mich besuchen, wir werden zusammen plaudern und lachen, aber überschätzen Sie mich nicht, denn ich tauge nicht so viel, wie Sie glauben. Sie haben ein gutes Herz, Sie verlangen danach, daß man Sie liebt. Sie sind zu jung und zu empfindsam, um in unseren Kreisen leben zu können. Nehmen Sie sich eine verheiratete Frau. Sie sehen, ich meine es gut mit Ihnen und spreche ganz aufrichtig.«

»Na aber, was zum Teufel treibt ihr denn da?« rief Prudence, die wir nicht hatten kommen hören und die mit halbzerzausten Haaren und offenem Kleid in der Tür stand. Diese Unordnung trug unzweifelhaft Gastons Handschrift.

»Wir haben ein ernstes Wort miteinander zu reden«, sagte Marguerite, »lassen Sie uns noch ein Weilchen allein, wir kommen gleich.«

»Ja, ja, unterhaltet euch nur, meine Kinder«, sagte Prudence und schloß beim Hinausgehen die Tür, um damit noch den Ton ihrer letzten Worte zu unterstreichen.

»Also abgemacht«, griff Marguerite auf, als wir wieder allein waren, »Sie werden mich nicht mehr lieben.«

»Ich werde verreisen.«

»Ist es denn schon so weit mit Ihnen gekommen?«

Ich hatte schon zu viel gewagt, um noch zurückweichen zu können, und überdies war ich erschüttert über dieses Mädchen. Diese Mischung aus Heiterkeit, Trübsal, Arglosigkeit und sittlicher Verkommenheit, noch dazu diese Krankheit, die bei ihr wohl die Empfänglichkeit für Eindrücke aller Art und die Reizbarkeit der Nerven gesteigert hatte – all das gab mir zu verstehen, daß sie für alle Zeit für mich verloren wäre, falls ich nicht von Anbeginn Herr würde über ihre gedankenlose und leichtfertige Natur.

»Dann meinten Sie also ernst, was Sie da sagten.«

»Todernst.«

»Aber warum haben Sie mir das nicht früher gesagt?«

»Wann hätte ich es Ihnen denn sagen sollen?«

»Gleich nach dem Tag, als Sie mir in der ›Opéra Comique‹ vorgestellt wurden.«

»Ich denke, Sie hätten mich keineswegs freundlich empfangen, wenn ich Sie besucht hätte.«

»Warum denn nicht?«

»Weil ich mich an dem Abend so dumm aufgeführt hatte.«

»Ja, das ist wahr. Aber Sie liebten mich doch damals schon?«

»Ja, das tat ich.«

»Was Sie nicht daran gehindert hat, nach der Aufführung nach Hause zu gehen und ruhig und fest zu schlafen. Wir wissen schon, was wir von einer solchen Liebe zu halten haben.«

»Da täuschen Sie sich aber. Wissen Sie, was ich am Abend nach dem Theater getan habe?«

»Nein.«

»Ich habe vor dem Café Anglais auf Sie gewartet. Ich bin dem Wagen gefolgt, in dem Sie mit Ihren drei Freunden davonfuhren, und als ich Sie aussteigen und ganz alleine nach Hause gehen sah, hat mich das sehr glücklich gemacht.«

Marguerite brach in Gelächter aus.

»Worüber lachen Sie denn?«

»Ach, nichts.«

»Sagen Sie es mir, ich bitte Sie, andernfalls müßte ich annehmen, daß Sie sich wieder über mich lustig machen.«

»Werden Sie mir auch nicht böse sein?«

»Mit welchem Recht sollte ich das?«

»Nun ja, weil es einen guten Grund dafür gab, daß ich alleine nach Hause ging.«

»Und der wäre?«

»Ich wurde dort erwartet.«

Hätte sie mir ein Messer in den Leib gestoßen, der Schmerz wäre nicht größer gewesen. Ich erhob mich, reichte ihr die Hand und sagte Lebwohl.

»Ich wußte ja, daß es Sie erzürnen würde«, sagte sie. »Die Männer sind geradezu besessen, Dinge zu erfahren, die ihnen nur Schmerz bereiten können.«

»Aber ich versichere Ihnen«, fügte ich mit einem kühlen Ton hinzu, als wollte ich damit beweisen, daß ich für immer von meiner Leidenschaft geheilt sei, »ich versichere Ihnen, daß ich nicht böse auf Sie bin. Das war doch ganz natürlich, daß Sie von jemandem erwartet wurden, so wie es auch ganz natürlich ist, wenn ich mich nun um drei Uhr morgens auf den Heimweg mache.«

»Werden Sie denn zu Hause auch von jemandem erwartet?«

»Nein, aber ich muß gehen.«

»Dann, adieu.«

»Sie schicken mich also fort?«

»Aber keineswegs.«

»Warum sind Sie so grausam zu mir?«

»Wann bin ich denn grausam gewesen?«

»Mir zu sagen, daß Sie von jemandem erwartet wurden.«

»Ich konnte gar nicht anders, ich mußte einfach lachen bei der Vorstellung, daß Sie glücklich waren, mich alleine nach Hause gehen zu sehen, wo es doch einen so guten Grund dafür gab.«

»Man ist so manches Mal froh über eine Kinderei, und es ist gemein, eine solche Freude zu zerstören, wenn man den, der sie empfindet, so viel glücklicher machen könnte, indem man ihn einfach in seinem Glauben läßt.«

»Aber was denken Sie denn eigentlich, mit wem Sie es hier zu tun haben? Ich bin weder Jungfrau noch Fürstin. Ich kenne Sie erst seit heute und schulde Ihnen keine Rechenschaft über mein Tun und Lassen. Nehmen wir einmal an, ich würde eines Tages Ihre Geliebte werden, so müssen Sie wohl wissen, daß Sie nicht der erste wären. Wenn Sie mir jetzt schon Eifersuchtsszenen machen, was soll das denn erst werden, wenn es je zu einem Verhältnis zwischen uns kommen sollte? Ein Mann wie Sie ist mir wirklich noch nie vorgekommen!«

»Weil Sie noch nie jemand so geliebt hat wie ich.«

»Hören Sie, einmal ganz ehrlich, Sie lieben mich also wirklich?«

»Ich denke, so sehr man überhaupt nur lieben kann.«

»Und das geht jetzt schon so seit . . .«

»Seit dem Tag, an dem ich Sie bei Susses Laden aus der Kalesche steigen und den Laden betreten sah – das sind jetzt drei Jahre.«

»Wissen Sie, daß das sehr schön ist? Nun, und was könnte ich jetzt tun, um eine so große Liebe zu belohnen?«

»Sie müssen mich ein bißchen liebhaben«, sagte ich mit solchem Herzklopfen, daß ich kaum mehr sprechen konnte; denn trotz des etwas spöttischen Lächelns, das während des ganzen Gesprächs nicht von ihren Lippen gewichen war, schien es mir doch, daß Marguerite meine Verwirrung allmählich zu teilen begann und daß die schon so lang ersehnte Stunde näherrückte.

»Ja, und der Herzog?«

»Welcher Herzog?«

»Na, der alte Eifersüchtling.«

»Er wird nichts davon erfahren.«

»Und wenn er es doch erfährt?«

»Dann wird er Ihnen schon verzeihen.«

»Ach was! Fallenlassen wird er mich, und was soll dann aus mir werden?«

»Für einen anderen scheinen Sie dieses Risiko sehr wohl eingehen zu wollen.«

»Woher wissen Sie das?«

»Weil Sie Anweisung gegeben haben, heute nacht niemanden einzulassen.«

»Das stimmt; aber er ist ein wirklicher Freund.«

»Sie dürften wohl kaum sehr an ihm hängen, wenn Sie ihm zu einer solchen Stunde den Zutritt zu Ihrer Wohnung verwehren.«

»Sie sollten mir am allerwenigsten Vorhaltungen darüber machen; schließlich tat ich das nur, um Sie empfangen zu können, Sie und Ihren Freund.«

Ich hatte mich nach und nach Marguerite genähert, hatte meine Arme um ihre Taille geschwungen und fühlte, wie ihr biegsamer Körper leicht auf meinen gefalteten Händen ruhte.

»Wenn Sie wüßten, wie sehr ich Sie liebe«, sagte ich ganz leise zu ihr.

»Ist das auch wirklich wahr?«

»Ich schwöre es Ihnen.«

»Nun, wenn Sie mir versprechen, daß Sie mir immer meinen Willen lassen, ohne viele Worte, ohne mir Vorhaltungen zu machen und ohne mich mit Fragen zu bedrängen, dann werde ich Sie vielleicht lieben.«

»Ich tue alles, was Sie nur wünschen!«

»Aber ich warne Sie: Frei will ich sein und tun, was mir gefällt, ohne Ihnen auch nur die geringste Kleinigkeit preiszugeben. Schon lange suche ich einen jungen Verehrer, der mir ergeben ist, mich ohne Bedenken liebt und der sich lieben läßt, ohne Rechte einzufordern. So einen habe ich nie finden können. Statt daß die Männer es zufrieden sind, daß man ihnen allzeit gewährt, was sie kaum ein einziges Mal zu erlangen gehofft hatten, fordern die Männer von einer Geliebten, daß sie ihnen über Gegenwart, Vergangenheit, ja sogar die Zukunft Rechenschaft ablege. Je mehr sie sich an einen gewöhnen, um so mehr wollen sie einen beherrschen, und je mehr man ihnen zu Willen ist, desto fordernder werden sie. Sollte ich mich jetzt dazu entschließen, mir einen neuen Liebhaber zu nehmen, so müßte er drei sehr seltene Eigenschaften besitzen: er müßte vertrauensvoll, ergeben und verschwiegen sein.«

»Hören Sie, ich werde alles sein, was Sie nur wünschen.«

»Das wird sich zeigen.«

»Und wann?«

»Später.«

»Warum später?«

»Weil«, sagte Marguerite, indem sie sich meinen Armen entwand und aus einem großen Strauß Kamelien, den man am Morgen gebracht hatte, eine Blume herauszog und mir ins Knopfloch steckte, »weil man Verträge nicht immer am selben Tag vollstrecken kann, an dem man sie unterzeichnet. Das ist nicht schwer zu verstehen.«

»Und wann werde ich Sie wiedersehen?« fragte ich und nahm sie in die Arme.

»Wenn diese Kamelie ihre Farbe wechselt.«

»Und wann wird das sein?«

»Morgen von elf bis Mitternacht. Sind Sie nun zufrieden?«

»Das fragen Sie noch?«

»Und kein Wort von alledem, weder zu Ihrem Freund noch zu Prudence oder wem auch immer.«

»Versprochen.«

»Und jetzt geben Sie mir einen Kuß, und dann wollen wir ins Eßzimmer zurückgehen.«

Sie bot mir ihren Mund, strich sich erneut die Haare glatt, und wir verließen das Zimmer. Sie trällerte ein Lied, und ich war schier verrückt vor Freude.

Im Salon blieb sie stehen und sagte leise zu mir: »Es muß Ihnen seltsam vorkommen, daß ich Sie so schnell erhört habe, wissen Sie, woher das kommt? Das kommt daher . . .«, fuhr sie fort, während sie meine Hand nahm und an ihr Herz legte, das ich heftig und beharrlich schlagen hörte, »das kommt daher, daß mein Leben kürzer sein wird als das der anderen, und ich mir daher geschworen habe, schneller zu leben.«

»Ich bitte Sie, hören Sie doch auf, so zu reden.«

»Oh, seien Sie beruhigt«, fuhr sie lachend fort, »so wenig Zeit mir auch noch zum Leben bleibt, so werde ich doch länger leben, als Ihre Liebe dauert.«

Und singend betrat sie das Eßzimmer.

»Wo ist Nanine?« fragte sie, als sie Prudence und Gaston alleine sah.

»Sie hat sich in Ihrem Schlafzimmer niedergelegt und wartet darauf, daß Sie sich zu Bett begeben«, antwortete Prudence.

»Das arme Mädchen! Ich werde sie noch umbringen! Also Messieurs, ich bitte Sie, sich zurückzuziehen, es ist schon spät.«

Zehn Minuten darauf machten Gaston und ich uns auf den Heimweg. Marguerite drückte mir zum Abschied die Hand und blieb bei Prudence zurück.

»Nun«, fragte Gaston, als wir draußen waren, »was sagen Sie zu Marguerite?«

»Ein Engel ist sie, ich bin verrückt nach ihr.«

»Das dachte ich mir schon; haben Sie es ihr gestanden?«

»Ja.«

»Und hat sie versprochen, es glauben zu wollen?«

»Nein.«

»Sie ist eben nicht wie Prudence.«

»Sie hat es Ihnen versprochen?«

»Sie hat es sogar schon eingelöst, mein Lieber! Man wird es kaum glauben, aber sie ist noch tadellos, die dicke Duvernoy!«

XI

An dieser Stelle seiner Erzählung hielt Armand inne.

»Würden Sie bitte das Fenster schließen?« bat er mich, »allmählich friert es mich. Ich will mich derweil hinlegen.«

Ich machte das Fenster zu. Armand, der noch sehr schwach war, zog seinen Schlafrock aus und legte sich ins Bett. Er ließ eine Weile den Kopf auf dem Kissen ruhen, als sei er von einem langen Marsch erschöpft oder werde von schmerzvollen Erinnerungen gepeinigt.

»Sie haben vielleicht schon zu viel gesprochen«, sagte ich zu ihm, »soll ich jetzt nicht lieber gehen und Sie schlafen lassen? Sie können mir das Ende der Geschichte ja ein andermal erzählen.«

»Langweilt es Sie?«

»Im Gegenteil.«

»Dann will ich fortfahren; wenn Sie mich jetzt alleine ließen, könnte ich ja doch nicht schlafen.«

Als ich nach Hause kam, griff er wieder auf, ohne sich lange besinnen zu müssen, so sehr standen ihm all diese Einzelheiten noch deutlich vor Augen, legte ich mich nicht schlafen, sondern begann über die Ereignisse dieses Tages nachzudenken. Wie ich ihr begegnet war, wie sie mir vorgestellt wurde, wie Marguerite mir ihr Versprechen gegeben hatte, all das war so schnell und unverhofft geschehen, daß ich bisweilen glaubte, geträumt zu haben. Andererseits war das ja nicht das erste Mal, daß eine solche Frau sich einem Mann schon für den folgenden Tag verspricht. Doch ich mochte noch so sehr versuchen, meine Gedanken in diese Richtung zu lenken, der allererste Eindruck, den meine künftige Geliebte auf mich gemacht hatte, war so stark, daß er alles überwog. Noch immer weigerte ich mich hartnäckig einzusehen, daß sie nicht anders war als all die anderen leichten Mädchen, und aus jener Eitelkeit, der ja alle Männer unterliegen, wollte ich gerne glauben, daß sie von mir ebenso unwiderstehlich angezogen wurde wie ich von ihr.

Indes war mir bewußt, daß die Tatsachen deutlich dagegen sprachen, und ich hatte oft sagen hören, daß Marguerite je nach Saison mehr oder weniger billig zu haben sei.

Doch wie war dieser Ruf wiederum mit Marguerites Haltung dem Grafen gegenüber zu vereinbaren, den wir bei ihr angetroffen hatten und dem sie sich doch hartnäckig verweigerte? Sie werden mir darauf antworten, daß er ihr eben nicht gefiel, und daß sie, da sie doch schon vom Herzog aufs Beste ausgehalten wurde, sich einen Liebhaber nach ihrem Geschmack suchen wollte. Wenn dem so war, wieso wollte sie dann von Gaston nichts wissen, der doch so zuvorkommend, so geistreich und vermögend ist, und schien dagegen mich zu bevorzugen, obgleich sie mich bei unserer ersten Begegnung so überaus lächerlich gefunden hatte?

Es gibt eben in der Tat Umstände, die in einer Minute mehr bewirken als die Bemühungen eines ganzen Jahres.

Unter all den Tischgästen war ich der einzige, der sich Sorgen um sie gemacht hatte, als sie hinausgegangen war. Ich war ihr gefolgt, war so berührt davon gewesen, daß ich es nicht hatte verbergen können. Ich hatte geweint, als ich ihr die Hand küßte. Wenn wir nun dazu noch meine täglichen Besuche in der Zeit ihrer Krankheit rechnen, so mochte sie mich wohl für jemanden angesehen haben, der anders war als all die Männer, die sie bisher gekannt hatte, und sich gesagt haben, daß sie für eine auf solche Art bekundete Liebe wohl tun könne, was sie schon so oft getan hatte und was für sie schon keine große Bedeutung mehr besaß.

Sie sehen schon, all diese Mutmaßungen kamen der Sache schon recht nahe; doch aus welchem Grund auch immer sie eingewilligt haben mochte, eines war gewiß: Sie hatte eingewilligt.

Schön und gut, ich war also verliebt in Marguerite, ich würde sie besitzen, mehr konnte ich nicht von ihr verlangen. Aber ich muß es noch einmal betonen, sie war zwar eine Kurtisane, doch in meinen Gedanken hatte ich diese Liebe, vielleicht damit ich sie verherrlichen konnte, schon für völlig unerreichbar erklärt, so daß meine Zweifel nur stärker wurden, je näher der Augenblick rückte, in dem ich nicht mehr zu warten brauchte.

Die ganze Nacht tat ich kein Auge zu.

Ich erkannte mich selbst nicht wieder, und es brachte mich fast um den Verstand – bald fühlte ich mich nicht schön, nicht reich, nicht elegant genug, um eine solche Frau besitzen zu können, dann wieder erfüllte mich der Gedanke an meine Eroberung mit Stolz, und kurz darauf befürchtete ich schon wieder, Marguerites Zuneigung könne nur eine flüchtige Laune sein. Und da ich bereits vorausahnen konnte, wie sehr ein baldiges Zerwürfnis mich schmerzen würde, sagte ich mir, daß ich besser daran täte, am Abend nicht zu ihr zu gehen, Paris zu verlassen und ihr in einem Brief meine Befürchtung mitzuteilen. Und schon gab ich mich wieder einer zügellosen Hoffnung hin und schwelgte in einem Gefühl grenzenlosen Vertrauens. Ich machte die unglaublichsten Zukunftspläne; ich stellte mir vor, wie diese junge Frau ihre körperliche und seelische Heilung allein mir verdanken werde, malte mir aus, wie wir den Rest unseres Lebens miteinander verbringen würden und sie mich mit ihrer Liebe glücklicher machen werde als jedes noch so unschuldige Mädchen.

Kurz und gut, ich könnte Ihnen unmöglich all die Gedanken schildern, die mir aus dem Herzen in den Kopf stiegen und allmählich in dem Schlaf erloschen, der mich im Morgengrauen überfiel.

Als ich erwachte, war es zwei Uhr. Das Wetter war herrlich. Ich konnte mich nicht entsinnen, daß mir das Leben je so schön und so reich erschienen war. Die Erinnerung an den vergangenen Tag trat mir nun ohne düstere und quälende Schatten wieder vor Augen, und all die Hoffnungen des Abends standen fröhlich Spalier. Hastig kleidete ich mich an. Ich war heiter und fühlte mich zu guten Taten aufgelegt. Von Zeit zu Zeit hüpfte mir vor Freude und Liebe das Herz in der Brust. Ein leichtes Fieber hatte mich gepackt. Ich beunruhigte mich nicht mehr mit den Überlegungen, die mich vor dem Einschlafen noch so beschäftigt hatten. Ich hatte nur Augen für das Ergebnis und fieberte der Stunde entgegen, in der ich Marguerite wiedersehen würde.

Ich konnte es unmöglich länger zu Hause aushalten. Mein Zimmer schien mir zu eng, um mein Glück zu fassen; ich brauchte die ganze Natur, um meinen Gefühlen Raum geben zu können.

Also verließ ich das Haus und lief durch die Rue d'Antin. Marguerites Coupé stand vor ihrer Tür. Da schlug ich die Richtung zu den Champs-Elysées ein. Ich war erfüllt von Liebe für all die Menschen, die mir entgegenkamen, obwohl ich sie doch gar nicht kannte.

Wie gut einen doch die Liebe werden läßt!

Nachdem ich eine Stunde lang von den Pferden von Marly[20] bis zum Rond-Point und von dort wieder bis zu den Pferden von Marly gelaufen war, sah ich in der Ferne Marguerites Wagen; ich erkannte sie nicht eigentlich, ich erriet sie.

An der Ecke, wo der Weg in die Champs-Elysées einbiegt, ließ sie plötzlich anhalten, und ein großer junger Mann löste sich aus einer Gruppe von Leuten, mit denen er in ein Gespräch verwickelt war.

Sie plauderten eine Weile miteinander; dann kehrte der junge Mann wieder zu seinen Freunden zurück, und die Pferde setzten sich in Trab. Ich näherte mich der Gruppe und erkannte in dem jungen Mann den Grafen de G., dessen Porträt mir Prudence gezeigt und mir gesagt hatte, daß Marguerite ihm ihre Stellung verdanke.

Ihm also hatte sie am Vortag den Zutritt verweigert; ich nahm an, daß sie ihren Wagen hatte anhalten lassen, um ihr Verhalten zu erklären, und hoffte zugleich, sie möge einen weiteren Vorwand ersonnen haben, um ihn in dieser Nacht nicht empfangen zu müssen.

Wie ich den restlichen Teil dieses Tages verbrachte, weiß ich nicht mehr; ich ging spazieren, rauchte, sprach mit Leuten, doch was ich sagte und wer mir bis zehn Uhr abends begegnete, wüßte ich nicht zu sagen.

Ich kann mich nur noch daran erinnern, daß ich nach Hause ging, dort drei Stunden auf meine Toilette verwandte und hundertmal auf die Standuhr und meine Taschenuhr sah, von denen jedoch leider eine so langsam ging wie die andere.

Als es halb elf schlug, sagte ich mir, daß es nun Zeit zum Aufbruch sei.

Damals wohnte ich in der Rue de Provence.[21] Ich ging die Rue du Mont-Blanc entlang, dann überquerte ich den Boulevard, nahm die Rue Louis-le-Grand, die Rue de Port-Mahon und erreichte die Rue d'Antin. Ich sah zu Marguerites Fenstern hinauf.

Sie waren erleuchtet.

Ich läutete und fragte den Portier, ob Mademoiselle Gautier zu Hause sei.

Er antwortete mir, daß sie nie vor elf oder Viertel nach elf heimkomme.

Ich schaute auf die Uhr.

Ich hatte zwar geglaubt, ganz langsam gegangen zu sein, doch von der Rue de Provence bis zu Marguerite hatte ich nur fünf Minuten gebraucht. Also lief ich ein wenig in dieser Straße auf und ab, in der es keine Geschäfte gab und die um diese Zeit verlassen dalag.

Nach einer halben Stunde kam Marguerite. Sie stieg aus ihrem Coupé und schaute umher, als suche sie jemanden. Der Wagen fuhr im Schritt weiter, da die Ställe und der Unterstellplatz nicht im Hause lagen. Als Marguerite gerade läuten wollte, trat ich auf sie zu und sagte: »Guten Abend.«

»Ah, Sie sind's?« sagte sie in einem Tonfall, der nicht gerade danach klang, als freute sie sich, mich hier anzutreffen.

»Haben Sie mir nicht erlaubt, Sie heute besuchen zu kommen?«

»Stimmt; ich hatte es ganz vergessen.«

Mit diesen Worten stürzten all meine Träume und Hoffnungen des Tages zusammen. Doch ich begann mich schon an ihre Art zu gewöhnen und ging nicht davon, wie ich es sonst ganz gewiß getan hätte.

Wir traten ins Haus. Nanine war schon heruntergekommen und hatte die Tür geöffnet.

»Ist Prudence schon zurück?« fragte Marguerite.

»Nein, Madame.«

»Dann richte dort aus, daß sie zu mir kommen soll, sobald sie nach Hause kommt. Und vorher lösch noch das Licht im Salon, und falls jemand kommt, sagst du, daß ich nicht da bin und heute auch nicht mehr kommen werde.«

Es war ganz offensichtlich, daß irgend etwas sie beunruhigte, vielleicht war sie auch ungehalten über diesen ungelegenen Besuch. Ich wußte nicht, was ich sagen noch was ich tun sollte.

Marguerite machte Anstalten, in ihr Schlafzimmer zu gehen, und ich blieb einfach stehen, wo ich war.

»Kommen Sie nur«, sagte sie zu mir.

Sie setzte den Hut ab, zog den Samtmantel aus und warf beides aufs Bett. Dann ließ sie sich in einen großen Sessel nahe beim Kaminfeuer fallen, das sie immer bis zum Sommeranfang bereiten ließ, und während sie mit ihrer Uhrkette spielte, sagte sie zu mir: »Nun, was haben Sie mir Neues zu erzählen?«

»Nichts, es sei denn, daß es falsch von mir gewesen ist, heute abend hierherzukommen.«

»Warum denn das?«

»Weil Sie verärgert scheinen und ich Sie zweifellos langweile.«

»Sie langweilen mich nicht; ich bin nur krank; den ganzen Tag über habe ich mich nicht wohl gefühlt, ich habe nicht geschlafen, und jetzt plagt mich eine furchtbare Migräne.«

»Ist es Ihnen lieber, wenn ich jetzt gehe, damit Sie sich ins Bett legen können?«

»Oh, Sie können ruhig bleiben, wenn ich ins Bett gehen will, dann werde ich mich an Ihnen nicht stören.«

In diesem Augenblick läutete es.

»Wer kommt denn jetzt noch?« fragte sie mit einer ungehaltenen Gebärde.

Eine Weile darauf läutete es wieder.

»Ist denn keiner da, um aufzumachen? Dann werde ich eben selbst gehen müssen.«

Und tatsächlich erhob sie sich und sagte zu mir: »Warten Sie hier.«

Sie ging durch die Wohnung, und ich hörte sie die Eingangstür öffnen. Ich lauschte. Der Eintretende blieb im Eßzimmer stehen. Schon beim ersten Wort erkannte ich die Stimme des jungen Grafen de N.

»Wie geht es Ihnen heute abend?« fragte er.

»Schlecht«, gab Marguerite schroff zurück.

»Störe ich Sie etwa?«

»Schon möglich.«

»Wie Sie mich behandeln! Was habe ich Ihnen denn getan, meine liebe Marguerite?«

»Mein lieber Freund, gar nichts haben Sie mir getan. Ich bin krank, ich muß mich ins Bett legen, und nun tun Sie mir die Liebe und gehen Sie. Ich bin es leid, daß ich keinen Abend nach Hause kommen kann, ohne daß Sie fünf Minuten später vor der Tür stehen. Was wollen Sie eigentlich? Daß ich Ihre Geliebte werde? Hören Sie, ich habe Ihnen jetzt schon hundertmal gesagt, daß es damit nichts sein wird, daß Sie mir ganz schrecklich auf die Nerven fallen und bitte woanders Ihr Glück versuchen möchten. Und ich sage es Ihnen heute ein letztes Mal: Ich will nichts von Ihnen wissen, das sollten Sie jetzt begriffen haben. Adieu. Ach, da kommt ja auch schon Nanine, sie wird Ihnen leuchten. Guten Abend!«

Und ohne ein Wort hinzuzufügen oder sich anzuhören, was der junge Graf stammelte, ging Marguerite ins Schlafzimmer zurück und schlug heftig die Tür zu, durch die Nanine unmittelbar darauf eintrat.

»Hör mir jetzt mal gut zu, Nanine«, sagte Marguerite zu ihr, »du wirst diesem Dummkopf jetzt jedesmal sagen, ich sei nicht zu Hause oder wünsche ihn nicht zu sehen. Ich habe es jetzt ein für allemal satt, hier andauernd Leute zu sehen, die alle das Gleiche wollen, die mich bezahlen und dann auch noch glauben, damit hätten sie ihre Schuldigkeit getan. Wenn all die Frauen, die unser schändliches Gewerbe ergreifen, von Anbeginn wüßten, was da auf sie zukommt, dann würden sie lieber Dienstmädchen werden. Aber nein! Uns verlockt die Eitelkeit, Kleider, Diamanten und Equipagen zu besitzen; man glaubt, was man so sieht, denn auch die Prostitution hat ihre Ehre, und dann verschleißt man nach und nach sein Herz, seinen Körper und seine Schönheit. Man wird gefürchtet wie ein wildes Tier, verachtet wie ein Paria und ist von lauter Menschen umgeben, die stets mehr nehmen als sie selbst geben, und eines Tages verreckt man wie ein Hund, nachdem man seine Freunde und auch sich selbst verloren hat. «

»Aber Madame, beruhigen Sie sich«, sagte Nanine, »Ihre Nerven sind heute abend überreizt. «

»Dieses Kleid schnürt mir die Luft ab«, erwiderte Marguerite, indem sie die Haken ihres Korsetts aufriß. »Reich mir doch bitte einen Schlafrock. Nun, und was ist mit Prudence?«

»Sie ist noch nicht zurück, aber man wird sie zu Madame schicken, sobald sie nach Hause kommt. «

»Das ist auch so eine«, fuhr Marguerite fort, indem sie ihr Kleid auszog und sich einen weißen Morgenmantel überwarf, »das ist auch so eine, die immer weiß, wo ich zu finden bin, wenn sie etwas braucht, die mir aber aus freien Stücken nicht einen Gefallen tun würde. Sie weiß, daß ich heute nacht noch auf diese Antwort warte, daß ich sie haben muß und beunruhigt bin, doch ich bin überzeugt, sie treibt sich auf der Suche nach Abenteuern herum und verschwendet nicht einen Gedanken an mich. «

»Vielleicht wurde sie aufgehalten. «

»Laß den Punsch auftragen. «

»Damit werden Sie sich nur noch mehr schaden«, sagte Nanine.

»Um so besser. Bring mir auch Früchte, etwas Pastete, einen Hühnerflügel oder sonst etwas, aber rasch, ich habe Hunger. «

Ich brauche Ihnen erst gar nicht zu sagen, welchen Eindruck diese Szene auf mich machte, das können Sie sich schon selbst denken, nicht wahr?

»Sie werden mit mir zu Abend essen«, sagte sie zu mir, »in der Zwischenzeit nehmen Sie sich ein Buch, ich muß mich noch umziehen.«

Sie zündete die Kerzen eines Kandelabers an, öffnete eine Tapetentür am Fuße ihres Bettes und verschwand.

Ich für mein Teil begann nun über das Leben dieses Mädchens nachzudenken, und meine Liebe wurde vom Mitleid noch vertieft.

Ich ging ganz in Gedanken versunken mit großen Schritten im Zimmer auf und ab, als Prudence eintrat.

»Schau mal einer an, Sie sind hier«, sagte sie, »wo ist denn Marguerite?«

»In ihrem Ankleidezimmer.«

»Dann will ich auf sie warten. Hören Sie, wissen Sie, daß sie Sie ganz reizend findet?«

»Nein.«

»Hat sie Ihnen das nicht ein bißchen angedeutet?«

»Keineswegs.«

»Und wieso sind Sie dann hier?«

»Ich mache ihr einen Besuch.«

»Um Mitternacht?«

»Warum denn nicht?«

»Sie Schwindler!«

»Sie hat mich sogar recht unfreundlich empfangen.«

»Sie wird Sie schon noch besser behandeln.«

»Glauben Sie?«

»Ich bringe ihr nämlich eine gute Nachricht.«

»Das ist recht. So hat sie Ihnen also von mir gesprochen?«

»Gestern abend oder vielmehr diese Nacht, nachdem Sie mit Ihrem Freund fortgegangen waren. Ach übrigens, wie geht es ihm denn, Ihrem Freund? Gaston R., nicht wahr, so hieß er doch?«

»Ja«, antwortete ich, wobei ich mir beim Gedanken an

Gastons vertrauliches Geständnis ein Lächeln nicht verkneifen konnte, als ich nun sah, daß sie kaum seinen Namen kannte.

»Das ist ein netter junger Mann; was treibt er denn so?«

»Er hat fünfundzwanzigtausend Francs Rente.«

»Ach, tatsächlich? Aber um wieder auf Ihre Frage zurückzukommen ... Marguerite hat mich über Sie ausgefragt; sie wollte wissen, wer Sie denn sind und was Sie treiben, welche Geliebten Sie hatten, kurz und gut, eben alles, was man über einen jungen Mann in Ihrem Alter so zu wissen wünscht. Ich habe ihr alles erzählt, was ich weiß, und ihr auch gesagt, daß Sie ein ganz reizender junger Mann sind.«

»Dafür danke ich Ihnen sehr; doch jetzt sagen Sie mir bitte noch, was Ihnen Marguerite gestern aufgetragen hat.«

»Gar nichts; das hat sie doch nur so gesagt, um den Grafen loszuwerden. Doch heute hat sie mir etwas aufgetragen, und die Antwort bringe ich ihr jetzt.«

In diesem Augenblick trat Marguerite aus ihrem Ankleidezimmer. Auf dem Kopf trug sie kokett ein mit bauschigen gelben Bändern geschmücktes Nachthäubchen, das man in Modekreisen *choux*[22] nennt.

Sie sah damit ganz entzückend aus.

Ihre nackten Füße steckten in Atlaspantöffelchen, und sie feilte noch an ihren Fingernägeln.

»Und?« sagte sie, als sie Prudence sah, »haben Sie den Herzog getroffen?«

»Na, und ob!«

»Und was hat er Ihnen geantwortet?«

»Er hat es mir gegeben.«

»Wieviel?«

»Sechstausend.«

»Haben Sie das Geld bei sich?«

»Ja.«

»Machte er einen verärgerten Eindruck?«

»Überhaupt nicht.«

»Der arme Mensch!«

Dieses ›Der arme Mensch!‹ sagte sie in einem Tonfall, den ich Ihnen unmöglich wiedergeben kann. Marguerite nahm die sechs Banknoten an sich und sagte: »Das wurde aber auch Zeit. Meine liebe Prudence, brauchen Sie Geld?«

»Wissen Sie, mein Kind, in zwei Tagen haben wir schon den Fünfzehnten, wenn Sie mir drei- oder vierhundert Francs leihen könnten, täten Sie mir damit einen großen Gefallen.«

»Schicken Sie morgen früh jemanden danach, jetzt ist es schon zu spät, um noch wechseln zu lassen.«

»Aber vergessen Sie es nicht.«

»Seien Sie unbesorgt. Essen Sie mit uns zu Abend?«

»Nein danke, Charles wartet drüben auf mich.«

»Sind Sie denn immer noch so verrückt nach ihm?«

»Völlig vernarrt, meine Liebe! Also bis morgen. Adieu, Armand.«

Madame Duvernoy ging, und Marguerite öffnete den Wandschrank und warf die Banknoten hinein.

»Sie erlauben doch, daß ich mich schlafen lege?«, sagte sie lächelnd und ging zu ihrem Bett.

»Ich erlaube es Ihnen nicht nur, ich bitte Sie sogar darum.«

Sie warf die Spitzendecke aufs Fußende zurück und legte sich hin.

»Und nun setzen Sie sich zu mir und lassen Sie uns miteinander plaudern.«

Prudence hatte recht gehabt: Nachdem sie ihr die Antwort überbracht hatte, war sie nun heiter gestimmt.

»Sie verzeihen mir doch meine schlechte Laune heute abend?« fragte sie und faßte meine Hand.

»Ich würde Ihnen noch so manch anderes verzeihen.«

»Und Sie lieben mich?«

»Bis zum Wahnsinn.«

»Obwohl ich einen so schlechten Charakter habe?«

»Trotz allem.«

»Schwören Sie mir das?«

»Ja«, sagte ich ganz leise.

Da trat Nanine ein, mit Tellern, einem kalten Hühnchen, einer Flasche Bordeaux, Erdbeeren und zwei Gedecken.

»Ich habe doch keinen Punsch für Sie bereiten lassen«, sagte Nanine, »der Rotwein ist besser für Sie. Nicht wahr, Monsieur?«

»Ganz gewiß«, antwortete ich, noch vollkommen aufgewühlt von den letzten Worten Marguerites; ich verschlang sie mit glühenden Blicken.

»Ist gut«, sagte sie, »stell das alles auf den kleinen Tisch und rück ihn ans Bett heran; bedienen werden wir uns selbst. Jetzt bist du nun schon drei Nächte auf, du mußt sehr müde sein, geh schlafen, ich brauche dich heute nicht mehr.«

»Soll ich die Tür zweimal zusperren?«

»Ich denke schon! Und vor allem richte bitte aus, daß man vor morgen mittag niemanden einlassen soll.«

XII

Um fünf Uhr früh, als bereits das Tageslicht durch die Vorhänge zu dringen begann, sagte Marguerite zu mir: »Verzeih mir, daß ich dich jetzt fortschicke, aber es muß sein. Der Herzog kommt jeden Morgen; man wird ihm ausrichten, daß ich noch schlafe, und dann wird er vielleicht warten, bis ich aufgewacht bin.«

Ich nahm Marguerites Kopf in beide Hände, über die nun ihre aufgelösten Haare flossen, gab ihr einen letzten Kuß und sagte: »Wann sehe ich dich wieder?«

»Hör zu«, sagte sie, »nimm den kleinen vergoldeten Schlüssel, der auf dem Kaminsims liegt, und öffne diese

Tür hier; dann bring mir den Schlüssel wieder und geh. Im Lauf des Tages bekommst du einen Brief von mir mit allen Anweisungen, denn du weißt ja, daß du mir blindlings gehorchen mußt.«

»Gut, aber wenn ich dich jetzt schon um etwas bitten würde?«

»Was denn?«

»Daß du mir diesen Schlüssel überläßt.«

»Was du da von mir verlangst, habe ich noch für niemanden getan.«

»Dann tu es eben für mich, denn ich schwöre dir, so wie ich hat dich noch keiner geliebt.«

»Na gut, behalte ihn, aber ich sage dir gleich, wenn ich es nicht will, dann wird dir der Schlüssel gar nichts nutzen.«

»Wie das?«

»Man kann die Tür von innen verriegeln.«

»Miststück!«

»Ich werde die Riegel abschrauben lassen.«

»Dann liebst du mich also ein bißchen?«

»Ich weiß selbst nicht, wie das kommt, aber ich glaube schon. Und jetzt geh; ich bin todmüde.«

Wir lagen einander noch eine Weile in den Armen, und dann ging ich.

Die Straßen waren verlassen, die große Stadt lag noch im Schlummer, und eine angenehme Brise strich durch dieses Viertel, das ein paar Stunden später vom Lärm der Menschen erfüllt sein würde.

Es kam mir so vor, als gehöre diese schlafende Stadt ganz mir allein; ich kramte in meinem Gedächtnis nach den Namen all derer, die ich bisher um ihr Glück beneidet hatte; und es fiel mir nicht einer ein, den ich glücklicher schätzte als mich selbst.

Von einem sittsamen jungen Mädchen geliebt werden, ihr als erster dieses seltsame Geheimnis der Liebe zu enthüllen, ist gewiß ein großes Glück, doch es ist auch die einfachste Sache von der Welt. Ein Herz zu erobern, das keine Angriffe gewöhnt ist, das ist nichts weiter als die Einnahme einer offenen und unbewehrten Stadt. Die Erziehung, das Pflichtgefühl und die Verwandten sind wachsame Hüter, doch kein Hüter könnte wachsam genug sein, daß ein sechzehnjähriges Mädchen ihn nicht zu täuschen wüßte; durch die Stimme des geliebten Mannes erteilt ihr die Natur die erste Unterweisung in Sachen Liebe, und um so reiner diese Worte erscheinen, desto wirksamer sind sie.

Je stärker ein junges Mädchen an das Gute glaubt, desto leichter gibt es sich hin, wenn schon nicht dem Geliebten, so doch zumindest der Liebe. Denn da sie keine Verteidigung besitzt, besitzt sie auch keine Kraft, und ihre Liebe zu erlangen ist ein Sieg, den jeder Zwanzigjährige erringen kann, wenn er es darauf abgesehen hat. Wie wahr das ist, sieht man allein schon daran, wie sehr die jungen Mädchen unter Aufsicht gehalten und abgeschirmt werden! Die Mauern der Klöster sind nicht hoch, die Türschlösser der Mütter nicht stark und die Pflichten der Religion nicht bindend genug, um diese reizenden Vögelchen in ihrem Käfig, den man nicht einmal mit Blumen bedeckt, auf Dauer festzuhalten. Wie sehr müssen sie sich nach dieser Welt sehnen, die man vor ihnen verborgen hält, wie verlockend muß sie ihnen erscheinen, und wie aufmerksam müssen sie der Stimme des ersten lauschen, der ihnen durch die Gitterstäbe hindurch deren Geheimnisse offenbart, und die Hand segnen, die ihnen als erste einen Zipfel des geheimnisvollen Schleiers lüftet.

Doch von einer Kurtisane aufrichtig geliebt zu werden, das ist ein Sieg, der ganz andere Schwierigkeiten in sich birgt. Bei ihnen hat sich die Seele zusammen mit dem Körper verbraucht, die Sinnlichkeit hat das Herz verzehrt, die Ausschweifung hat ihr Gefühl mit einem Panzer umgeben. Die Worte, die man ihnen sagt, haben sie schon oft vernommen, die Mittel, die man anwendet, sind ihnen bekannt, und selbst die Liebe, die sie erwekken, haben sie schon verkauft. Sie lieben, weil es ihr Geschäft ist, und nicht, weil es sie dazu drängt. Sie werden von ihren Berechnungen besser behütet als eine Jungfrau von Mutter und Kloster; und dann haben sie ja auch das Wort Caprice erfunden für Liebesgeschichten, aus denen sie keinen Gewinn schlagen und denen sie sich von Zeit zu Zeit zur Erholung, als Entschuldigung oder Trost hingeben; sie gleichen jenen Wucherern, die tausend Menschenleben aussaugen und glauben, sich von ihrer Schuld freikaufen zu können, wenn sie eines Tages einem armen Schlucker, der fast am Verhungern ist, zwanzig Francs geben, ohne eine Gegenleistung zu erwarten oder eine Quittung dafür zu verlangen.

Und wenn dann Gott einer Kurtisane eine wahre Liebe beschert, so entwickelt sich diese Liebe, die ihr zuerst als eine große Gnade erschien, fast stets zu einer Strafe. Es gibt keine Vergebung ohne Buße. Wenn ein Geschöpf, das sich seine ganze Vergangenheit vorzuwerfen hat, plötzlich von einer tiefen, aufrichtigen, unwiderstehlichen Liebe erfüllt wird, deren sie sich niemals für fähig gehalten hätte, und wenn sie diese Liebe auch gestanden hat, wie sehr kann der geliebte Mann sie dann beherrschen! Und wie stark er sich fühlt, wenn er Anspruch auf die grausame Klage hat: »Du tust ja aus Liebe nicht mehr, als du auch für Geld getan hast.«

Da wissen sie dann nicht, welche Beweise ihrer Liebe sie noch geben sollen. Es gibt eine Geschichte von einem Kind, das sich lange Zeit einen Spaß daraus gemacht hatte, auf dem Feld um Hilfe zu rufen, um die Knechte bei der Arbeit zu stören. Eines Tages wurde es von einem Bären zerrissen, ohne daß jene, die es so lange an der Nase herumgeführt hatte, die wirklichen Hilferufe ernst genommen hätten. Genauso ergeht es diesen unglückseligen Mädchen, wenn sie ernsthaft lieben. Sie haben schon so oft gelogen, daß man ihnen nun nicht mehr glauben will, und neben ihrer tiefen Reue quält sie noch der Liebesschmerz.

Daher rührt auch diese tiefe Hingabe und die strenge Zurückgezogenheit, wovon uns einige ein Beispiel gegeben haben.

Ist jedoch der Mann, der diese erlösende Liebe zu erwecken versteht, großherzig genug, daß er sie annehmen kann, ohne an die Vergangenheit zurückzudenken, gibt er sich hin, liebt er schließlich ganz einfach so, wie er selbst geliebt wird, so erfüllen sich ihm auf einmal alle irdischen Sehnsüchte, und sein Herz wird nach dieser Liebe für alle anderen verschlossen bleiben.

Als ich an diesem Morgen nach Hause zurückkehrte, hatte ich solche Gedanken noch nicht. Sie wären allenfalls eine Vorahnung dessen gewesen, was mir noch bevorstand, und wie sehr ich Marguerite auch liebte, so ahnte ich noch nichts von derlei Folgen. Erst heute stelle ich solche Betrachtungen an. Da nun alles unwiderruflich vorbei ist, sind sie nur der ganz natürliche Schluß, den ich aus all dem ziehe.

Aber kehren wir nun wieder zum ersten Tag unseres Verhältnisses zurück.

Als ich nach Hause kam, war ich ganz verrückt vor Freude. Wenn ich daran dachte, daß alle Hindernisse, die meine Phantasie zwischen mir und Marguerite errichtet hatte, verschwunden waren, daß sie nun mein war, daß sie in ihren Gedanken ein wenig bei mir war, daß ich in meiner Tasche den Schlüssel zu ihrer Wohnung trug und das Recht hatte, ihn auch zu benutzen, war ich mit dem Leben zufrieden, stolz auf mich selbst und dankte Gott, daß er mir das alles beschert hatte.

Ein junger Mann geht eines Tages über die Straße, stößt mit einer jungen Frau zusammen, schaut sie an, dreht sich um, geht vorbei. Er kennt diese Frau nicht, sie hat ihre eigenen Freuden, ihren Kummer, ihre Liebschaften, an denen er nicht teilhat. Für sie existiert er gar nicht, und spräche er sie an, so würde sie sich vielleicht über ihn lustig machen, wie Marguerite es mit mir getan hatte. Wochen, Monate, Jahre gehen ins Land, und ganz plötzlich, nachdem jeder seinem ganz eigenen Schicksal gefolgt ist, führt die Logik des Zufalls die beiden wieder zusammen. Die Frau wird seine Geliebte und liebt ihn aufrichtig. Wie und warum auch immer das geschah, ihre Leben sind zu einem einzigen verschmolzen; kaum sind sie miteinander vertraut, erscheint es ihnen, als müsse das schon immer so gewesen sein, und alles, was zuvor geschehen ist, verwischt in der Erinnerung der beiden Liebenden. Das ist schon seltsam, das muß man zugeben.

Auch ich konnte mich nun kaum mehr entsinnen, welches Leben ich noch am Vortage geführt hatte. Ich war ganz außer mir vor Freude bei der Erinnerung an die Worte, die wir in dieser Nacht gewechselt hatten. Entweder wußte sich Marguerite überaus geschickt zu verstellen, oder aber sie empfand für mich eine jener plötzlichen Leidenschaften, die schon beim ersten Kuß entfesselt werden und die freilich zuweilen ebenso schnell erlöschen, wie sie aufgeflammt sind.

Je länger ich darüber nachdachte, desto überzeugter war ich, daß Marguerite keine Ursache hatte, eine Liebe vorzutäuschen, die sie nicht auch empfand. Auch dachte ich, daß die Frauen auf zwei Arten zu lieben verstehen, deren eine die Folge der anderen sein kann: Sie lieben entweder mit dem Herzen oder mit den Sinnen. Oft nimmt eine Frau sich einen Liebhaber, bloß um dem Drängen ihrer Sinne nachzugeben, und ohne daß sie damit gerechnet hätte, erfährt sie am Ende das Geheimnis der rein geistigen Liebe und wird nur noch von ihrem Herzen geleitet. Auch geschieht es oft, daß ein junges Mädchen in der Ehe nur die Vereinigung zweier reiner Herzen gesucht hatte, und plötzlich entdeckt sie die sinnliche Liebe, die alle keuschen Seelenregungen zum Schweigen bringt.

Über diesen Gedanken schlief ich ein. Ich wurde durch einen Brief von Marguerite geweckt, der die Worte enthielt:

Meine Anweisung lautet: Heute abend im Vaudeville[23].
Kommen Sie während des dritten Zwischenaktes.

   M. G.

Ich verschloß diesen Brief in einer Schublade, um ihn stets als einen Beweis der Wirklichkeit in Händen halten zu können, falls ich wieder einmal zweifeln sollte, wie mir dies mitunter geschah.

Da keine Rede davon gewesen war, daß ich sie am Tage aufsuchen dürfte, wagte ich nicht, bei ihr vorzusprechen; doch ich hatte ein so starkes Bedürfnis, sie noch vor dem Abend zu sehen, daß ich in die Champs-Elysées ging, wo ich sie wie am Tage zuvor vorbeifahren und wieder zurückkommen sah.

Um sieben Uhr war ich im Vaudeville.

Ich war noch nie zu einer solch frühen Stunde ins Theater gegangen.

Die Logen füllten sich eine nach der anderen. Eine einzige blieb leer: die Orchesterloge im Parterre.

Als der dritte Akt begann, hörte ich, wie sich die Logentür öffnete, auf die mein Blick fast unentwegt gerichtet war, und Marguerite eintrat.

Sie ging unverzüglich zur Brüstung vor, suchte das Parkett ab, entdeckte mich und warf mir einen dankenden Blick zu.

Sie war an diesem Abend hinreißend schön.

Sollte ich die Ursache dieser Koketterie sein? Liebte sie mich schon so, daß sie glaubte, je schöner ich sie fände, desto glücklicher würde ich sein? Ich wußte es noch nicht, aber wenn dies ihre Absicht war, so hatte sie ihr Ziel erreicht, denn als sie sich zeigte, steckte man die Köpfe zusammen, und selbst der Schauspieler auf der Bühne warf einen Blick nach der Dame, die durch ihr bloßes Erscheinen die Zuschauer derart in Aufregung zu versetzen vermochte.

Und ich, ich besaß den Schlüssel zu der Wohnung dieser Frau, und in drei oder vier Stunden sollte sie wieder mein sein. Man tadelt die Männer, die für Schauspielerinnen oder Mätressen ihr Vermögen durchbringen; mich hingegen erstaunt, daß für sie nicht zwanzigmal mehr Torheiten begangen werden. Man muß wie ich in dieser Welt gelebt haben, um wissen zu können, wie sehr sie durch solche kleinen täglichen Schmeicheleien die Liebe – wir haben kein besseres Wort – ihrer Verehrer an sich fesseln.

Kurz darauf nahm Prudence in der Loge Platz, und ein Mann, den ich als den Grafen de G. erkannte, setzte sich hinter sie.

Bei seinem Anblick wurde mir kalt ums Herz.

Ohne Zweifel nahm Marguerite wahr, welchen Eindruck die Anwesenheit dieses Mannes in ihrer Loge auf mich machte, denn sie lächelte mir erneut zu, und nachdem sie dem Grafen den Rücken gekehrt hatte, schien sie ganz aufmerksam dem Stück zu folgen.

Im dritten Zwischenakt wandte sie sich um und ließ ein paar Worte fallen; der Graf verließ die Loge, und Marguerite gab mir ein Zeichen, zu ihr zu kommen.

»Guten Abend«, sagte sie zu mir, als ich die Loge betrat, und reichte mir die Hand.

»Guten Abend«, antwortete ich und verbeugte mich vor Marguerite und Prudence.

»Setzen Sie sich.«

»Aber der Platz ist doch schon besetzt. Wird der Graf de G. denn nicht zurückkommen?«

»Doch. Ich hatte ihn um Süßigkeiten fortgeschickt, damit wir einen Augenblick allein miteinander plaudern können. Madame Duvernoy ist in unser Geheimnis eingeweiht.«

»Ja, meine Lieben«, sagte diese, »aber seien Sie ganz unbesorgt, ich werde nichts verraten.«

»Was haben Sie denn heute abend?« fragte Marguerite, indem sie aufstand und mich im Dunkel der Loge auf die Stirn küßte.

»Mir ist nicht ganz wohl.«

»Dann müssen Sie sich ins Bett legen«, erwiderte sie mit dieser spöttischen Miene, die ihrem zarten und geistreichen Gesicht so gut stand.

»Wo denn?«

»Bei Ihnen zu Hause.«

»Sie wissen ganz genau, daß ich dort nicht schlafen könnte.«

»Dann dürfen Sie aber nicht hierher kommen und ein Gesicht ziehen, nur weil Sie einen Mann in meiner Loge gesehen haben.«

»Es war nicht deshalb.«

»Und ob es das war, ich kenne mich da aus, aber das ist überhaupt nicht klug von Ihnen, und deshalb wollen wir auch gar nicht weiter davon sprechen. Sie kommen nach der Vorstellung zu Prudence und werden dort warten, bis ich Sie rufen lasse. Verstanden?«

»Ja.«

Konnte ich denn anders?

»Lieben Sie mich noch immer?« fragte sie.

»Das fragen Sie!«

»Und haben Sie an mich gedacht?«

»Den ganzen Tag.«

»Wissen Sie, daß ich ernstlich befürchte, ich könnte mich in Sie verlieben? Fragen Sie nur Prudence.«

»Ah! Es ist wirklich zum Haareraufen«, antwortete die dicke Person.

»Und jetzt gehen Sie bitte wieder auf Ihren Platz zurück; der Graf wird jeden Augenblick kommen, und er trifft Sie besser nicht hier an.«

»Warum?«

»Weil es Ihnen unangenehm ist, ihm zu begegnen.«

»Das nicht, aber wenn Sie mir doch nur gesagt hätten, daß Sie heute abend gerne ins Vaudeville gehen wollen, dann hätte ich Ihnen ebensogut wie er eine Loge besorgen können.«

»Leider war es so, daß er sie mir besorgt hat, ohne daß ich ihn darum gebeten hätte. Er bot mir an, ihn zu begleiten. Sie wissen sehr wohl, daß ich ihm das nicht abschlagen durfte. Ich konnte Ihnen nur noch Bescheid geben, wohin ich gehe, damit Sie mich sehen können, denn auch ich wollte Sie gerne früher wiedersehen; doch wenn das Ihr Dank ist, soll mir das eine Lehre sein.«

»Ich bin im Unrecht, verzeihen Sie.«

»Na also, und jetzt seien Sie artig und gehen Sie auf Ihren Platz, und vor allem spielen Sie bitte nicht den Eifersüchtigen.«

Sie gab mir noch einen Kuß, und ich ging.

Auf dem Gang begegnete mir der Graf.

Ich ging auf meinen Platz zurück.

Eigentlich war die Anwesenheit des Grafen de G. in Margurites Loge die einfachste Sache von der Welt. Er war ihr Liebhaber gewesen, nun besorgte er ihr eine Loge, führte sie ins Theater aus, das war alles ganz natürlich, und wenn ich eine Frau wie Marguerite zur Geliebten hatte, dann mußte ich mich auch in ihre Gewohnheiten fügen.

Gleichwohl fühlte ich mich für den Rest des Abends sehr unglücklich, und es stimmte mich überaus traurig, als ich beim Nachhausegehen sah, wie Marguerite mit Prudence und dem Grafen in den Wagen stieg, der dort schon auf sie gewartet hatte.

Eine Viertelstunde später war ich schon bei Prudence. Sie war gerade nach Hause gekommen.

XIII

»Sie sind ja fast ebenso schnell gewesen wie wir«, sagte Prudence zu mir.

»Gewiß«, antwortete ich zerstreut, »wo ist denn Marguerite?«

»Drüben, zu Hause.«

»Ganz allein?«

»Monsieur de G. ist bei ihr.«

Ich ging mit langen Schritten im Salon auf und ab.

»Aber was haben Sie denn?«

»Glauben Sie etwa, ich fände das spaßig, hier zu warten, bis Monsieur de G. sich empfiehlt?«

»Sie sind ja nicht recht gescheit. So verstehen Sie doch, daß Marguerite den Grafen nicht einfach vor die Tür setzen kann. Monsieur de G. ist lange mit ihr liiert gewesen, er hat ihr immer viel Geld gegeben, und das tut er auch jetzt noch. Marguerite gibt im Jahr mehr als hunderttausend Francs aus; sie hat viele Schulden. Der Herzog schickt ihr alles, was sie von ihm verlangt, aber sie wagt es nicht immer, so viel zu fordern, wie sie braucht. Sie sollte sich mit dem Grafen besser nicht überwerfen, denn er bringt ihr im Jahr mindestens zehntausend Francs ein. Marguerite hat Sie sehr gern, mein lieber Freund, aber das Verhältnis, das Sie miteinander haben, das darf nichts Ernstes werden, weder in Marguerites noch in Ihrem eigenen Interesse. Mit den sieben- oder achttausend Francs, die Sie von Ihrer Familie beziehen, werden Sie den Luxus dieses Mädchens schwerlich bestreiten können; das würde ja gerade mal für den Unterhalt ihres Wagens reichen. Nehmen Sie Marguerite für das, was sie ist, ein gutes, geistreiches und hübsches Mädchen; seien Sie auf ein, zwei Monate ihr Liebhaber; verwöhnen Sie sie mit Blumen, Süßigkeiten, Logen im Theater; aber schlagen Sie sich aus dem Kopf, mehr verlangen zu wollen, und machen Sie ihr keine lächerlichen Eifersuchtsszenen. Sie wissen ganz genau, mit wem Sie es zu tun haben; Marguerite ist kein Unschuldsengel. Sie gefallen ihr, Sie selbst haben sie gern, alles Weitere darf Sie nicht kümmern! Ich finde es wirklich spaßig, wie Sie hier den Empfindsamen spielen! Sie haben die hübscheste Mätresse von ganz Paris! Sie werden von ihr in einer herrlichen Wohnung empfangen, Marguerite ist über und über mit Diamanten geschmückt, sie wird Sie keinen Sou kosten, wenn Sie so wollen, und Sie sind nicht zufrieden. Zum Teufel, Sie erwarten wirklich zuviel!«

»Sie haben ja recht, aber ich kann nicht dagegen an; der Gedanke, daß dieser Mann ihr Geliebter ist, bereitet mir schreckliche Qualen.«

»So überlegen Sie doch mal«, fuhr Prudence fort, »ist er denn noch ihr Geliebter? Sie ist auf ihn angewiesen, das ist aber auch schon alles. Seit zwei Tagen läßt sie ihn nicht mehr ins Haus; heute morgen ist er vorbeigekommen, und sie konnte gar nicht anders, als die Loge anzunehmen und sich von ihm begleiten zu lassen. Er bringt sie nach Hause, dann geht er noch auf einen Augenblick zu ihr hinauf, doch er wird nicht bleiben, denn schließlich warten Sie ja hier. Das scheint mir doch alles ganz natürlich. Und dann, den Herzog haben Sie sich ja auch gefallen lassen.«

»Ja, aber der ist doch ein alter Mann, und ich bin sicher, daß Marguerite nicht seine Geliebte ist. Außerdem kann es wohl vorkommen, daß man sich ein Verhältnis noch gefallen läßt, nicht aber zwei. Solch ein leichtfertiges Verhalten sieht viel zu sehr nach Berechnung aus, und der Mann, der sich dareinfügt, und sei es aus Liebe, stellt sich auf eine Stufe mit denen, die aus diesem Einverständnis ein Gewerbe machen, aus dem sie dann Profit ziehen.«

»Ach, mein Lieber, was sind Sie doch altmodisch! Wie viele habe ich gekannt, die meinem Rat gefolgt sind, und das waren die vornehmsten, elegantesten und reichsten Männer der Gesellschaft, und sie taten es ohne Bedenken, ohne Scham und ohne Gewissensbisse. Das sieht man doch alle Tage. Und wie sollten denn Ihrer Meinung nach die Kurtisanen an ihrer aufwendigen Lebensführung festhalten können, wenn sie nicht vier oder fünf Liebhaber auf einmal hätten? Da mag einer noch so reich sein, die Ausgaben einer Frau wie Marguerite könnte er nicht allein bestreiten. Wenn einer fünfhunderttausend Francs Rente hat, dann ist das in Frankreich schon ein beträchtliches Vermögen; aber Sie können mir ruhig glauben, mein lieber Freund, fünfhunderttausend Francs Rente würden nicht ausreichen, und ich sage Ihnen auch warum: Wenn ein Mann so ein Einkommen hat, dann hat er auch einen Haushalt zu führen, muß für Pferde, Dienerschaft, Equipagen, seine Freunde und Jagdpartien aufkommen; gewöhnlich ist er verheiratet, hat Kinder, schickt seine Pferde auf Rennen, spielt, geht auf Reisen, was weiß ich! Und das sind alles Gewohnheiten, die er nicht so ohne weiteres ablegen kann, wenn er nicht will, daß man ihn für erledigt hält und daß es einen Skandal gibt. Wenn man das alles zusammenrechnet, dann kann er mit seinen fünfhunderttausend Francs Rente im Jahr für seine Mätresse nicht mehr als vierzig- oder fünfzigtausend Francs aufwenden, und selbst das ist noch viel. Nun ja, so müssen dann eben andere Liebschaften die jährlichen Ausgaben decken. Marguerite hat es da noch einfach. Wie durch ein Wunder ist ihr dieser reiche Kauz vom Himmel gefallen, dem Frau und Tochter gestorben sind, der nur noch Neffen hat, die selbst wohlhabend sind, und ihr alles gibt, was sie nur wünscht, ohne etwas dafür zu verlangen; und doch kann sie nicht mehr als sechzigtausend Francs von ihm fordern, obwohl er so reich und ihr ganz ergeben ist, denn das würde er ihr gewiß abschlagen.

All diese jungen Leute, die in Paris eine Rente von zwanzig- oder dreißigtausend Francs beziehen, was gerade mal ausreicht, um in diesen Kreisen leben zu können, wissen sehr gut, wenn sie eine Frau wie Marguerite zur Geliebten nehmen, dann kann diese mit dem Geld, das sie ihnen geben, nicht einmal die Wohnung und die Dienstleute bezahlen. Sie sagen nicht, daß sie das wissen, sie tun so, als bemerkten sie nichts, und wenn sie genug gesehen haben, dann machen sie sich aus dem Staub. Wird aber einer von der Eitelkeit getrieben, für alles aufkommen zu wollen, dann stürzt er sich wie ein Dummkopf ins Verderben und läßt sich später in Afrika totschießen, nachdem er in Paris hunderttausend Francs Schulden hinterlassen hat. Glauben Sie etwa, die Frau würde ihm das danken? Nicht im geringsten. Im Gegenteil, sie sagt sich, daß sie ihre Stellung für ihn geopfert und in der Zeit ihres Zusammenseins viel Geld verloren hat. Ah, Sie finden diese ganzen Umstände vielleicht schändlich, ist es nicht so? Aber es ist die Wahrheit. Sie sind ein liebenswerter junger Mann, ich bin Ihnen von ganzem Herzen zugetan; seit zwanzig Jahren lebe ich nun schon in der Welt dieser Frauen, ich weiß, was sie sind und was sie wert sind, und ich würde es nicht gerne sehen, wenn Sie die Caprice eines hübschen Mädchens allzu ernst nehmen würden.

Und nehmen wir einmal an«, fuhr Prudence fort, »Marguerite liebte Sie genug, um den Grafen und den Herzog zu verlassen, falls dieser ihr Verhältnis entdecken und sie vor die Wahl zwischen ihm und Ihnen stellen würde. Das Opfer, das sie dann bringen müßte, wäre gewaltig, das kann man nicht leugnen. Welches gleiche Opfer würden Sie für sie bringen? Wenn Sie erst einmal genug von ihr haben, wenn Sie schließlich nichts mehr von ihr wissen wollen, was könnten Sie ihr dann als Entschädigung bieten für all das, was sie durch Sie verloren hat! Gar nichts! Sie hätten sie herausgerissen aus der Welt, in der ihr Vermögen und ihre Zukunft lagen, sie hätte Ihnen die besten Jahre hingegeben und stünde nun verlassen da. Entweder Sie sind ein ganz gewöhnlicher Mann, dann werden Sie ihr ihre ganze Vergangenheit vorwerfen und ihr zum Abschied noch sagen, Sie würden nicht anders handeln wie ihre anderen Liebhaber auch, und sie dann unfehlbar dem Elend ausliefern; sind Sie aber ein ehrenwerter Mann, so würden Sie glauben, sie bei sich behalten zu müssen, und würden sich selbst ganz unweigerlich ins Unglück stürzen, denn ein solches Verhältnis ist bei einem jungen Mann noch entschuldbar, nicht jedoch bei einem Mann reiferen Alters. Sie würde Ihnen bei allem im Wege sein und Ihnen die Gründung einer Familie oder beruflichen Ehrgeiz vereiteln, diese zweiten und letzten Leidenschaften der Männer. Daher sollten Sie ruhig meinem Rat vertrauen, mein Freund, nehmen Sie die Dinge für das, was sie sind, die Frauen für das, was sie sind, und geben Sie einer Kurtisane nicht das Recht, in welcher Sache auch immer Ihre Gläubigerin zu sein.«

Das war sehr vernünftig geurteilt und von einer Logik, die ich Prudence gar nicht zugetraut hätte. Ich wußte ihr nichts darauf zu erwidern, als daß sie recht hatte; ich gab ihr die Hand und dankte ihr für die Ratschläge.

»Na, na«, sagte sie, »jetzt vertreiben Sie doch diese bösen Gedanken und lachen Sie. Das Leben ist herrlich, mein Lieber, man muß es nur durch die rechte Brille betrachten. Und hören Sie, fragen Sie Ihren Freund Gaston um Rat, das scheint mir einer zu sein, der die Liebe genauso sieht wie ich. Und eines dürfen Sie nicht vergessen, wenn Sie nicht ein ganz dummer Junge sein wollen: Da drüben kann es ein hübsches Mädchen kaum mehr erwarten, daß der Mann, der gerade bei ihr ist, doch endlich gehen möge, sie denkt an Sie, hat die Nacht für Sie freigehalten und liebt Sie, da bin ich sicher. Und jetzt wollen wir uns ans Fenster setzen und zuschauen, wie der Graf das Haus verläßt, denn er wird uns schon sehr bald das Feld räumen.«

Prudence öffnete das Fenster, und Seite an Seite lehnten wir uns über die Brüstung.

Sie schaute den wenigen Passanten hinterher, ich aber hing meinen Gedanken nach.

Mir summten noch ihre Worte in den Ohren, und ich mußte mir wiederum eingestehen, daß sie recht hatte. Doch die aufrichtige Liebe, die ich für Maguerite empfand, konnte sich kaum in diese Art von Vernunft fügen. So stieß ich denn auch von Zeit zu Zeit einen Seufzer aus; Prudence wandte sich dann jedesmal zu mir um und zuckte die Achseln wie ein Arzt, der einen Kranken verloren gibt.

Wenn die Gefühle so rasend aufeinander folgen, da merkt man doch, wie kurz das Leben ist, sagte ich zu mir selbst. Ich kenne Marguerite erst seit zwei Tagen, erst seit gestern ist sie meine Geliebte, und schon hat sie so große Gewalt über meine Gedanken, mein Herz und mein Leben, daß der Besuch dieses Grafen de G. ein Unglück für mich ist.

Schließlich trat der Graf aus dem Haus, stieg in seinen Wagen und verschwand. Prudence schloß das Fenster.

Im selben Augenblick rief uns Marguerite.

»Kommt schnell, der Tisch wird gerade gedeckt«, rief sie, »wir wollen zusammen zu Abend essen.«

Als ich bei Marguerite eintrat, lief sie mir schon entgegen, fiel mir um den Hals und umarmte mich mit aller Kraft.

»Sind wir immer noch schlechter Laune?« fragte sie mich.

»Nein, das ist vorüber«, gab ihr Prudence zur Antwort, »ich habe ihm die Leviten gelesen, und er hat versprochen, vernünftig zu sein.«

»So ist's recht!«

Unwillkürlich warf ich einen Blick zum Bett hinüber, es war unbenutzt. Doch Marguerite trug schon ihren weißen Morgenrock.

Wir setzten uns zu Tisch.

Marguerite war so charmant, sanft und unterhaltsam, daß ich mir von Zeit zu Zeit sehr wohl eingestehen mußte, nicht das Recht zu haben, etwas anderes von ihr zu verlangen; wie viele Männer wären an meiner Stelle glücklich gewesen, und wie der Hirte bei Virgil brauchte ich ja nur die Freude zu genießen, die ein Gott oder vielmehr eine Göttin mir bereitete.

Ich versuchte, die Theorien von Prudence in die Praxis umzusetzen und ebenso fröhlich zu sein wie die beiden; doch was bei ihnen eine ganz natürliche Gelöstheit war, das war bei mir nur eine Anstrengung, und mein nervöses Lachen, durch das sie sich täuschen ließen, war von Tränen nicht weit entfernt.

Endlich nahm das Essen ein Ende, und ich blieb mit Marguerite allein. Sie setzte sich, wie es so ihre Gewohnheit war, auf den Teppich vor dem Kamin und schaute mit traurigen Augen in die Flammen.

Sie hing nun ihren Gedanken nach! Welchen bloß? Ich wußte es nicht; ich selbst betrachtete sie mit Liebe und fast ein wenig mit Schrecken, wenn ich daran dachte, welche Leiden ich für sie auf mich nehmen würde.

»Weißt du, woran ich gerade gedacht habe?«

»Nein.«

»Ich habe mir gerade einen Plan ausgedacht, wie man vorgehen müßte.«

»Und wie sähe der aus?«

»Das kann ich dir noch nicht verraten, aber ich kann dir schon sagen, wie das Ergebnis aussehen würde. Es würde bedeuten, daß ich heute in einem Monat frei wäre, keine Schulden mehr hätte und wir den Sommer zusammen auf dem Land verbringen könnten.«

»Und Sie können mir nicht sagen, mit welchen Mitteln Sie das erreichen wollen?«

»Nein, du mußt mich nur so lieben, wie ich dich liebe, dann wird alles gelingen.«

»Und Sie haben sich das ganz allein ausgedacht?«

»Ja.«

»Und Sie wollen es auch ganz allein durchführen?«

»Nur ich allein werde die Mühe haben«, sagte Marguerite zu mir mit einem Lächeln, das mir ewig unvergeßlich bleiben wird, »aber den Gewinn werden wir teilen.«

Das Wort Gewinn trieb mir unwillkürlich die Schamröte ins Gesicht; ich dachte an Manon Lescaut, wie sie mit Des Grieux das Geld des Monsieur de B. verzehrte.

Ich erhob mich und gab ihr ein wenig hart zu verstehen: »Sie werden mir erlauben, meine liebe Marguerite, daß ich Gewinn nur aus solchen Unternehmungen ziehe, die ich selbst veranlaßt und zum Erfolg gebracht habe.«

»Was soll denn das bedeuten?«

»Das soll bedeuten, daß ich den Grafen de G. in starkem Verdacht habe, in diesem erfolgversprechenden Plan Ihr Teilhaber zu sein, und ich von ihm weder Lasten noch Gewinn anzunehmen gewillt bin.«

»Sie sind kindisch. Ich dachte, Sie liebten mich, ich habe mich geirrt. Reden wir nicht mehr davon.«

Damit stand sie auf, schlug den Klavierdeckel hoch und begann die ›Aufforderung zum Tanz‹ zu spielen, bis zu der bekannten Stelle mit den Kreuzen, an der sie immer hängenblieb.

Tat sie das aus Gewohnheit oder wollte sie mir den Tag in Erinnerung rufen, an dem wir uns kennengelernt hatten? Ich weiß nur, daß mit dieser Melodie die Erinnerung in mir wieder hochstieg. Ich trat zu ihr hin, nahm ihren Kopf in beide Hände und küßte sie.

»Sie verzeihen mir doch?« fragte ich.

»Das sehen Sie ja«, antwortete sie, »aber sagen Sie selbst, jetzt sind wir erst zwei Tage zusammen, und schon habe ich Ihnen etwas zu verzeihen. Ihrem Versprechen, mir blind zu gehorchen, kommen Sie nur sehr schlecht nach.«

»Was soll ich denn tun, Marguerite, ich liebe Sie zu sehr, und ich bin eifersüchtig auf den geringsten Ihrer Gedanken. Mit Ihrem Vorschlag haben Sie mich gerade ganz verrückt gemacht vor Freude, doch das Geheimnis, das mit der Ausführung dieses Projektes verbunden ist, schnürt mir das Herz zusammen.«

»Also, jetzt wollen wir einmal vernünftig sein«, fuhr sie fort, indem sie meine beiden Hände ergriff und mir mit einem so reizenden Lächeln in die Augen sah, daß ich mich dem unmöglich entziehen konnte, »Sie lieben mich doch und wären glücklich darüber, drei oder vier Monate allein mit mir auf dem Land verbringen zu können. Ich selbst wäre nicht weniger glücklich über diese Einsamkeit zu zweien, und nicht nur das, es wäre auch für meine Gesundheit sehr wichtig. Aber ich kann Paris nicht auf so lange Zeit verlassen, ohne zuvor Ordnung in meine Angelegenheiten gebracht zu haben, und die Angelegenheiten einer Frau wie mir sind immer sehr verwickelt. Na ja, und jetzt habe ich einen Weg gefunden, all das unter einen Hut zu bringen, meine Geschäfte und meine Liebe zu Ihnen, ja, zu Ihnen, lachen Sie nicht, ich bin wirklich so verrückt, Sie zu lieben! Und schon spielen Sie sich auf und nehmen große Worte in den Mund. Was für ein Kind Sie doch sind, was für ein verflixtes Kind; denken Sie einfach nur daran, daß ich Sie liebe, und machen Sie sich sonst keine Sorgen. Einverstanden, ja?«

»Ich bin einverstanden mit allem, was Sie wollen, das wissen Sie doch.«

»Na sehen Sie, in einem Monat schon werden wir in irgendeinem Dorf sein, am Ufer eines Gewässers spazierengehen und Milch trinken. Das kommt Ihnen wohl seltsam vor, daß ich so rede, ich, Marguerite Gautier; das kommt daher, mein Freund, daß dieses Pariser Leben, das mich so glücklich zu machen scheint, mich anödet, sobald es mich nicht wie ein Fieber verzehrt, und dann habe ich plötzlich Sehnsucht nach einem ruhigeren Leben, das mich an meine Kindheit erinnern könnte. Jeder Mensch hat eine Kindheit gehabt, was auch immer man später geworden ist. Oh, seien Sie nur unbesorgt, ich werde Ihnen jetzt nicht erzählen, daß ich die Tochter eines Obersten im Ruhestand bin und in Saint-Denis erzogen wurde. Ich bin nur ein armes Mädchen vom Lande, und vor sechs Jahren konnte ich noch nicht meinen Namen schreiben. Das beruhigt Sie jetzt, nicht wahr? Ich frage mich, warum Sie wohl der erste sind, dem ich von diesem Wunsch erzähle und mit dem ich diese Freude teilen möchte. Sicherlich, weil ich erkannt habe, daß Sie mich um meiner selbst willen und nicht nur aus Eigennutz lieben, wie das bei den anderen der Fall gewesen ist.

Ich bin schon recht oft auf dem Lande gewesen, aber nie so, wie ich es mir gewünscht hätte. Ich zähle sehr auf Sie, daß Sie mir zu diesem leichten Glück verhelfen, und deshalb dürfen Sie jetzt nicht so böse sein, es mir zu vereiteln. Sie müssen sich immer sagen: ›Sie wird wohl nicht alt werden, und eines Tages werde ich es bereuen, daß ich ihr schon die erste Bitte abgeschlagen habe, wo sie doch so einfach zu erfüllen war.‹«

Was sollte ich auf solche Worte erwidern, zumal ich in Gedanken noch bei der ersten Liebesnacht war und auf die zweite hoffte?

Eine Stunde später lag Marguerite in meinen Armen, und hätte sie mich gebeten, ein Verbrechen zu begehen, ich würde ihr gehorcht haben.

Um sechs Uhr früh ging ich und fragte sie noch vor dem Gehen:

»Bis heute abend?«

Sie umarmte mich ganz heftig, doch sie antwortete nichts.

Am Tag erhielt ich einen Brief mit den folgenden Worten:

»Mein Lieber, ich bin nicht ganz wohlauf, und der Arzt hat mir Ruhe verordnet. Ich werde mich heute abend zeitig schlafen legen und Sie nicht sehen können. Aber nehmen Sie als Trost, daß ich Sie morgen um die Mittagszeit erwarte. Ich liebe Sie.«

Ich sagte mir sofort: »Sie betrügt mich!«

Kalter Schweiß lief mir über die Stirn, denn ich liebte diese Frau schon zu sehr, als daß ein solcher Verdacht mich nicht zutiefst erschüttert hätte.

Und doch mußte ich mich darauf gefaßt machen, daß mir so etwas mit Marguerite alle Tage passieren konnte, und es war mir ja auch mit meinen anderen Geliebten schon des öfteren so ergangen, ohne daß ich mir sonderlich Gedanken darüber gemacht hätte. Wie konnte diese Frau nur eine solche Macht über mein Leben erlangen?

Also spielte ich mit dem Gedanken, wie gewohnt bei ihr vorbeizugehen, denn schließlich besaß ich ja den Schlüssel zu ihrer Wohnung. So würde ich die Wahrheit schnell erfahren, und fände ich einen Mann bei ihr, dann würde ich ihm einen Satz Ohrfeigen verpassen.

Um mir bis dahin die Zeit zu vertreiben, ging ich in die Champs-Elysées. Ich verweilte dort vier Stunden. Sie kam nicht. Am Abend suchte ich alle Theater auf, die sie zu besuchen pflegte. Sie war in keinem zu finden.

Um elf Uhr ging ich in die Rue d'Antin.

Marguerites Fenster waren nicht erleuchtet. Ich läutete dennoch.

Der Portier fragte mich, zu wem ich wollte.

»Zu Mademoiselle Gautier«, gab ich ihm zur Antwort.

»Sie ist noch nicht zu Hause.«

»Ich werde sie oben erwarten.«

»Es ist überhaupt niemand zu Hause.«

Es war eindeutig, daß er Anweisung erhalten hatte. Das brauchte mich wiederum nicht abzuhalten, denn ich besaß ja den Schlüssel, doch ich fürchtete einen Skandal, in dem ich nur eine lächerliche Figur machen konnte, und ging wieder.

Aber nach Hause wollte ich auch nicht gehen, postierte mich auf der Straße und ließ das Haus von Marguerite nicht aus den Augen. Ich hatte den Eindruck, daß ich noch etwas zu erfahren hätte, oder zumindest, daß mein Verdacht sich bestätigen werde.

Gegen Mitternacht hielt vor dem Haus Nr. 9 ein Coupé, das mir wohlbekannt war.

Der Graf de G. stieg aus und betrat das Haus, nachdem er den Wagen wieder fortgeschickt hatte.

Einen Augenblick lang hegte ich die Hoffnung, man würde ihm wie mir ausrichten, daß Marguerite nicht zu Hause sei und er wieder gehen müßte. Doch um vier Uhr morgens stand ich immer noch dort und wartete.

Ich hatte in den letzten drei Wochen viel gelitten, doch das war nichts im Vergleich zu den Qualen, die ich in jener Nacht zu erleiden hatte.

XIV

Zu Hause angekommen, begann ich zu weinen wie ein Kind. Es gibt wohl keinen Mann, der nicht wenigstens einmal betrogen worden wäre und der nicht wüßte, wie sehr man darunter leidet.

In solch einem Fieberzustand hält man sich für stärker, als man ist, und trifft Entscheidungen, die man nie einlöst. So sagte ich mir, daß ich unverzüglich dieser Liebe ein Ende machen müsse, und erwartete mit Ungeduld den Anbruch des Tages, um mir einen Platz in der Postkutsche zu sichern und zu meinem Vater und meiner Schwester zurückzukehren, deren beider Liebe ich mir sicher sein konnte und die mir keine Enttäuschung bereiten würden.

Doch wollte ich auch nicht abreisen, ohne daß Marguerite die Ursache meiner Abreise erführe. Nur wenn ein Mann seine Mätresse wirklich nicht mehr liebt, dann wird er sie verlassen, ohne ihr ein Wort zu schreiben.

In Gedanken schrieb und zerriß ich etwa zwanzig Briefe.

Ich hatte es mit einer Frau zu tun, die genauso war wie alle Kurtisanen, ich hatte sie viel zu sehr verklärt, und nun hatte sie mich wie einen Schuljungen behandelt, wie einen Angestellten, und die Ausflucht, die sie anwandte, um mich zu hintergehen, war so einfach, daß es geradezu eine Beleidigung war, soviel stand fest. Meine Eigenliebe gewann also die Oberhand. Ich mußte diese Frau verlassen, ohne ihr die Genugtuung zu gönnen, daß ich unter dieser Trennung litt. Also schrieb ich ihr in meiner elegantesten Schrift und mit Tränen der Wut und des Schmerzes in den Augen:

»Meine liebe Marguerite,

ich hoffe sehr, Ihr gestriges Unwohlsein war nicht weiter von Bedeutung. Gegen elf Uhr erkundigte ich mich nach Ihrem Befinden, und man hat mir erklärt, daß Sie noch nicht wieder zu Hause wären. Monsieur de G. hatte da weitaus mehr Glück, denn er kam kurz nach mir und ist um vier Uhr in der Früh noch immer bei Ihnen gewesen.

Verzeihen Sie die wenigen langweiligen Stunden, die Sie mit mir verbringen mußten, und seien Sie versichert, daß ich die glücklichen Augenblicke, die ich Ihnen zu verdanken habe, niemals vergessen werde.

Ich hätte mich wohl auch heute nach Ihrem Befinden erkundigt, doch jetzt werde ich zu meinem Vater zurückkehren.

Adieu, meine liebe Marguerite, ich bin nicht reich genug, Sie zu lieben, wie ich es wünschte, noch arm genug, Sie zu lieben, wie Sie es wünschten. Wir wollen also beide vergessen: Sie einen Namen, der Ihnen gleichgültig sein dürfte, und ich ein Glück, das mir unmöglich geworden ist.

Ich schicke Ihnen den Schlüssel zurück, von dem ich nie Gebrauch gemacht habe und der Ihnen noch nützlich sein könnte, denn Sie könnten ja noch des öfteren so krank werden, wie Sie es gestern waren.«

Wie Sie sehen, besaß ich nicht die Kraft, den Brief ohne eine unverschämte ironische Anspielung zu schließen, was nur bewies, wie verliebt ich noch in sie war.

Ich las den Brief wohl zehnmal, und der Gedanke, daß er Marguerite Kummer bereiten würde, beruhigte mich ein wenig. Ich versuchte, mich selbst in den Gefühlen zu bestärken, die der Brief vortäuschte, und als mein Diener um acht Uhr ins Zimmer trat, gab ich ihm den Brief mit dem Auftrag, ihn sogleich dort abzugeben.

»Soll ich auf Antwort warten?« fragte Joseph (mein Diener hieß Joseph wie alle Diener).

»Wenn man Sie fragt, ob Sie Antwort bringen sollen, dann sagen Sie, Ihnen sei diesbezüglich nichts aufgetragen worden, warten jedoch ab.«

Ich klammerte mich an die Hoffnung, daß sie mir antworten würde.

Wie arm und schwach wir doch sind!

Während der ganzen Zeit, die mein Diener fortblieb, war ich in höchster Aufregung. Bald kam mir die Erinnerung daran, wie Marguerite sich mir hingegeben hatte, und dann fragte ich mich, mit welchem Recht ich ihr einen so unverschämten Brief schrieb, wo sie mir doch erwidern konnte, daß der Graf de G. mich nicht betrüge, sondern vielmehr von mir betrogen werde – ein Gedankengang, der es so manchen Frauen gestattet, mehrere Geliebte zu haben. Bald aber dachte ich an die Schwüre, die dieses Mädchen getan hatte, und schon war ich überzeugt, daß der Brief noch viel zu milde ausgefallen war und die Ausdrücke nicht stark genug waren, um eine Frau zu strafen, die sich über eine so aufrichtige Liebe wie die meine lustig machte. Dann wieder sagte ich mir, ich hätte besser daran getan, ihr nicht zu schreiben, sie im Laufe des Tages aufzusuchen und mir auf diese Weise an den Tränen, die sie vergießen würde, Genugtuung zu verschaffen.

Und schließlich fragte ich mich dann, ob sie mir wohl antworten werde, und war auch schon bereit, ihrer Entschuldigung Glauben zu schenken.

Da kam Joseph zurück.

»Nun?« fragte ich ihn.

»Monsieur«, gab er zur Antwort, »Madame lag noch zu Bett und schlief, doch sobald sie läutet, wird man ihr den Brief geben, und im Fall einer Antwort wird man sie überbringen.«

Sie schlief! Ich stand wohl zwanzigmal kurz davor, den Brief wieder zurückzufordern, doch ich sagte mir jedesmal: Vielleicht hat man ihn ihr schon überbracht, dann sähe es so aus, als bereute ich, ihn geschrieben zu haben.

Es schlug zehn, elf, zwölf.

Gegen Mittag war ich schon drauf und dran, zu unserem vereinbarten Treffen zu gehen, als sei gar nichts geschehen.

Schließlich blieb mir nur noch meine Phantasie, um mich aus diesem eisernen Ring zu befreien, der mir die Brust zuschnürte.

Also bildete ich mir ein – mit diesem Aberglauben, der typisch ist für Menschen, die auf etwas warten –, wenn ich nur ein wenig an die frische Luft ginge, würde ich bei meiner Rückkehr schon eine Antwort vorfinden. Denn die voller Ungeduld erwarteten Antworten treffen immer dann ein, wenn man nicht zu Hause ist.

Ich ging unter dem Vorwand aus dem Haus, frühstükken zu wollen.

Statt wie gewöhnlich ins Café Foy[24] an der Ecke des Boulevards zu gehen, zog ich es vor, im Palais Royal zu frühstücken, damit ich den Weg durch die Rue d'Antin nehmen konnte. Sobald ich von weitem eine Frau erblickte, glaubte ich Nanine zu sehen, die mir eine Antwort überbringen wollte. Ich ging durch die Rue d'Antin, ohne auch nur einem Polizisten zu begegnen. Ich kam beim Palais Royal an und trat bei Véry[25] ein; der Kellner brachte mir mein Essen, oder besser gesagt, er trug mir auf, was er wollte, denn ich rührte nichts an.

Ich starrte ganz unwillkürlich die ganze Zeit auf die Uhr an der Wand.

Dann ging ich wieder nach Hause, fest davon überzeugt, einen Brief von Marguerite vorzufinden.

Beim Portier war nichts abgegeben worden. Noch setzte ich einige Hoffnung auf meinen Diener. Diesem war während meiner Abwesenheit niemand begegnet.

Falls Marguerite mir antworten wollte, so wäre das wohl schon längst geschehen.

Also fing ich nun an, den Tonfall meines Briefes zu bereuen; ich hätte mich besser ganz in Schweigen hüllen sollen, das hätte ihre Unruhe zweifellos verstärkt; denn wäre ich ganz einfach nicht zu dem gestern vereinbarten Treffen erschienen, so hätte sie mich nach den Gründen für mein Ausbleiben gefragt, und erst dann hätte ich mich ihr erklärt. Auf diese Weise wäre sie um eine Entschuldigung nicht herumgekommen, und was ich wollte, war ja gerade, daß sie sich entschuldigte. Ich fühlte bereits, welche Gründe sie auch immer anführen würde, ich würde sie ihr glauben, und mir wäre alles lieber gewesen, als sie nicht wiederzusehen.

Ich war schon so weit zu glauben, sie werde selbst bei mir vorbeikommen, doch die Stunden strichen vorüber, und niemand kam.

Marguerite war ganz entschieden nicht wie die anderen Frauen, denn es gibt deren nur wenige, die auf einen solchen Brief, wie ich ihn geschrieben hatte, nicht irgend etwas geantwortet hätten.

Um fünf Uhr eilte ich in die Champs-Elysées.

Sollte ich ihr begegnen, dachte ich, werde ich ein gleichgültiges Gesicht machen, und dann wird sie überzeugt sein, daß ich schon nicht mehr an sie denke.

An der Ecke zur Rue Royale sah ich sie in ihrem Wagen vorüberfahren; die Begegnung erfolgte so plötzlich, daß mir alle Farbe aus dem Gesicht wich. Ich weiß nicht, ob sie etwas davon bemerkte, doch ich war so außer Fassung, daß ich nur ihren Wagen sah.

Ich setzte meinen Spaziergang zu den Champs-Elysées nicht weiter fort; ich las die Theateranschläge, denn es blieb mir ja noch eine Chance, ihr zu begegnen.

Im Palais Royal wurde eine Erstaufführung gegeben. Marguerite würde sicher hingehen.

Um sieben Uhr fand ich mich im Theater ein. Alle Logen füllten sich, doch Marguerite erschien nicht.

Also verließ ich das Palais Royal wieder und ging in alle Theater, die sie oft zu besuchen pflegte, ins Vaudeville, in die ›Variétés‹, in die ›Opéra Comique‹.

Sie war nirgends zu finden.

Entweder hatte mein Brief sie zu sehr betrübt, so daß

sie nicht ins Theater gehen mochte, oder aber sie fürchtete, mir zu begegnen, und wollte einer Auseinandersetzung ausweichen.

Das flüsterte mir meine Eitelkeit ein, als ich schließlich Gaston auf dem Boulevard begegnete, der mich fragte, woher ich käme.

»Vom Palais Royal.«

»Und ich komme von der Oper«, sagte er zu mir, »ich glaubte fast, ich würde Sie dort treffen.«

»Wieso das?«

»Weil Marguerite dort war.«

»Ah, sie war dort?«

»Ja.«

»Allein?«

»Nein, mit einer Freundin.«

»Und weiter niemand?«

»Der Graf de G. ist einen Augenblick in ihre Loge gekommen; aber sie ist mit dem Herzog nach Hause gegangen. Ich glaubte, Sie müßten jeden Augenblick auftauchen. Neben mir ist ein Platz freigeblieben, und ich dachte, Sie hätten ihn vielleicht reserviert.«

»Aber warum sollte ich denn dort hingehen, wo Marguerite ist?«

»Weil Sie ihr Liebhaber sind, zum Teufel!«

»Und wer hat Ihnen das gesagt?«

»Prudence; ich habe sie gestern getroffen. Meinen Glückwunsch, lieber Freund; so eine hübsche Mätresse findet nicht jeder. Versuchen Sie nur, sie zu behalten, sie wird Ihnen Ehre machen.«

Diese einfache Bemerkung Gastons zeigte mir, wie lächerlich ich mit meiner Empfindsamkeit dastand.

Wäre er mir am Tag zuvor begegnet und er hätte so zu mir gesprochen, so hätte ich ihr an diesem Morgen ganz sicher nicht diesen dummen Brief geschrieben.

Ich war drauf und dran, Prudence aufzusuchen, um sie zu Marguerite zu schicken und ihr sagen zu lassen, daß ich ein Wort mit ihr zu reden hatte. Doch ich fürchtete, sie könne mir aus Rache ausrichten lassen, daß sie mich heute nicht empfangen wolle, und ging nach Hause, nicht ohne den Weg durch die Rue d'Antin zu nehmen.

Ich fragte noch einmal meinen Portier, ob ein Brief für mich abgegeben worden sei.

Nichts!

Sie wollte wohl sehen, ob ich einen neuen Schritt unternehmen und heute das Geschriebene widerrufen würde, sagte ich mir, als ich mich schlafen legte; doch wenn sie sieht, daß ich ihr nicht schreibe, wird sie mir morgen antworten.

An diesem Abend bereute ich ganz besonders, was ich getan hatte. Ich war allein zu Hause, fand keinen Schlaf und wurde von Unruhe und Eifersucht gequält. Hätte ich indes den Dingen einfach nur ihren Lauf gelassen, so hätte ich jetzt in den Armen von Marguerite liegen und ihren zärtlichen Worten lauschen können, die sie mir nun schon zweimal ins Ohr geflüstert hatte und die mich jetzt in meiner Einsamkeit quälten.

Das Schlimme an meiner Lage war, daß ich mir bei näherer Überlegung unrecht geben mußte; denn tatsächlich deutete alles darauf hin, daß Marguerite mich liebte. Zuerst einmal dieser Plan, einen Sommer mit mir zusammen auf dem Lande zu verbringen, und dann noch die Gewißheit, daß sie durch nichts dazu gezwungen war, meine Mätresse zu sein, da mein Vermögen für ihre Bedürfnisse, geschweige denn ihre Launen, nicht hinreichen konnte. Sie hatte wohl nur gehofft, in mir jemanden gefunden zu haben, der sie aufrichtig liebte und bei dem sie sich von den erkauften Liebschaften ausruhen konnte, inmitten derer sie ihr Leben zubrachte. Und schon am zweiten Tag zerstörte ich diese Hoffnung und dankte ihr mit einer unverschämten Ironie die Liebe, die ich zwei Tage lang genossen hatte. Was ich da tat, war also nicht nur lächerlich, es war taktlos. Hatte ich etwa diese Frau bezahlt, um mir jetzt das Recht herausnehmen zu können, ihr Vorhaltungen über ihr Leben zu machen?

Und wenn ich mich nun schon nach dem zweiten Tag zurückzog, sah das etwa nicht so aus, als habe ich ihre Liebe nur ausgenutzt und würde jetzt befürchten, daß man mir die Rechnung bringe? Wie denn! Ich kannte Marguerite seit sechsunddreißig Stunden, seit vierundzwanzig war ich ihr Liebhaber und spielte schon den Empfindlichen; und statt überglücklich zu sein, daß sie meine Gefühle erwiderte, wollte ich sie ganz für mich allein und sie dazu zwingen, auf einen Schlag mit den Beziehungen ihrer Vergangenheit zu brechen, die doch die Einkünfte ihrer Zukunft waren. Was konnte ich ihr vorwerfen? Nichts. Sie hatte mir geschrieben, sie sei nicht wohlauf, während sie mir ebensogut mit der garstigen Freimütigkeit mancher Frauen ganz unverhohlen hätte sagen können, daß sie einen Liebhaber erwartete; und statt ihrem Brief Glauben zu schenken, statt in den Straßen von Paris spazierenzugehen, mit Ausnahme der Rue d'Antin, statt meinen Abend mit Freunden zu verbringen und mich am nächsten Tag zur verabredeten Stunde bei ihr einzufinden, spielte ich den Othello, spionierte ihr nach und glaubte sie damit strafen zu können, daß sie mich nun nicht mehr sehen werde. Sie mußte doch ganz im Gegenteil entzückt über diese Trennung sein, sie mußte mich doch für ganz unglaublich dumm halten, und ihr Schweigen war nicht einmal Rache – es war Verachtung.

Ich hätte Marguerite jetzt ein Geschenk machen sollen, das ihr keinen Zweifel an meiner Freigebigkeit lassen und es mir gestatten würde, sie wie eine Kurtisane zu behandeln und zu glauben, ich hätte damit meine Schuldigkeit getan. Doch schon der geringste Anschein von Geschäft wäre mir als eine Beleidigung, zwar nicht ihrer, aber doch meiner Liebe erschienen, und da diese Liebe so rein war, daß sie es nicht vertrug, mit anderen geteilt zu werden, konnte das Glück, das sie mir beschert hatte, nicht mit einem Geschenk bezahlt werden, wie schön auch immer es sein mochte, und wie kurz auch immer dieses Glück gewesen war.

Das alles hielt ich mir in dieser Nacht immer wieder vor Augen und war alle Augenblicke drauf und dran, es Marguerite zu sagen.

Als es Tag wurde, schlief ich noch immer nicht. Ich hatte Fieber und konnte an nichts anderes als an Marguerite denken.

Wie Sie verstehen werden, mußte ich eine letzte Entscheidung treffen und entweder mit dieser Frau brechen oder meinen Bedenken ein Ende machen, falls sie mich überhaupt noch zu sehen wünschte.

Aber Sie wissen ja, eine letzte Entscheidung zögert man immer hinaus. Da ich es also zu Hause nicht mehr aushielt, es aber auch nicht wagen konnte, bei Marguerite vorstellig zu werden, suchte ich nach einem Weg, wie ich mich ihr nähern könnte, und zwar einen, bei dem mein Stolz, falls es gelang, alles dem Zufall zuschreiben konnte.

Es war neun Uhr. Ich eilte zu Prudence, die mich fragte, welchem Umstand sie diesen frühen Besuch zu verdanken habe.

Ich wagte nicht, ihr offen zu sagen, was mich zu ihr führte. Ich gab ihr zur Antwort, ich habe mich so zeitig auf den Weg gemacht, um mir in der Postkutsche nach C., wo mein Vater wohnt, noch einen Platz sichern zu können.

»Sie sind zu beneiden«, sagte sie, »bei diesem schönen Wetter Paris den Rücken kehren zu können.«

Ich schaute Prudence an und fragte mich, ob sie sich über mich lustig machen wollte.

Doch sie machte ein ganz ernstes Gesicht.

»Werden Sie Marguerite adieu sagen?« fuhr sie in ebenso ernstem Ton fort.

»Nein.«

»Da tun Sie recht daran.«

»Finden Sie?«

»Natürlich. Sie haben ja mit ihr gebrochen, warum also sollten Sie sie wiedersehen?«

»Sie wissen also von unserer Trennung?«

»Sie hat mir Ihren Brief gezeigt.«

»Und was hat sie Ihnen gesagt?«

»Sie hat zu mir gesagt: ›Meine liebe Prudence, ihr Schützling ist nicht gerade sehr höflich; solche Briefe denkt man, aber man schreibt sie nicht.‹«

»Und in welchem Ton hat sie das gesagt?«

»Sie hat gelacht, und dann hat sie noch hinzugefügt: Er hat zweimal bei mir zu Abend gegessen, und jetzt macht er nicht einmal eine Verdauungsvisite.«

Das also war die Wirkung, die ich mit meinem Brief und meiner Eifersucht erzielt hatte! Ich war in meiner Liebeseitelkeit grausam verletzt.

»Und wie hat sie den gestrigen Abend zugebracht?«

»Sie ist in die Oper gegangen.«

»Ich weiß. Und danach?«

»Dann hat sie zu Hause zu Abend gegessen.«

»Allein?«

»Der Graf de G. war bei ihr, glaube ich.«

So hatte unser Zerwürfnis also rein gar nichts an Marguerites Lebensweise geändert. Wenn es so steht, sagen die Leute meist: Diese Frau hat Sie nie geliebt, denken Sie nicht mehr daran.

»Na, da bin ich aber froh, daß Marguerite sich um meinetwegen keinen Kummer macht«, erwiderte ich mit einem gezwungenen Lächeln.

»Und wie recht sie damit hat! Sie haben genau das Richtige getan, Sie waren vernünftiger als Marguerite, denn dieses Mädchen hat Sie geliebt, sie hat nur noch von Ihnen gesprochen und wäre zu irgendeiner Dummheit fähig gewesen.«

»Warum hat sie mir dann nicht geantwortet, wenn sie mich doch liebt?«

»Weil sie eingesehen hat, daß es nicht recht war, Sie zu lieben. Und dann lassen die Frauen es sich wohl manchmal gefallen, daß man sie betrügt, aber ihren Stolz darf man nicht verletzen, und das tut ein Mann immer, wenn er sie verläßt, nachdem er erst zwei Tage lang ihr Liebhaber gewesen ist, welche Gründe auch immer er für diesen Bruch haben mag. Ich kenne doch Marguerite, sie würde lieber sterben, als Ihnen zu antworten.«

»Was kann ich also tun?«

»Gar nichts. Sie wird Sie vergessen, Sie selbst werden sie vergessen, und keiner wird dem andern etwas vorzuwerfen haben.«

»Aber wenn ich ihr schriebe und sie um Verzeihung bäte?«

»Tun Sie das bloß nicht, sie würde Ihnen verzeihen.«

Fast wäre ich Prudence um den Hals gefallen.

Eine Viertelstunde später war ich wieder zu Hause und schrieb Marguerite folgendes:

»Jemand, der den Brief, den er Ihnen gestern geschrieben hat, bereut und der morgen abreisen wird, falls Sie ihm nicht verzeihen, läßt fragen, wann er Ihnen seine Reue zu Füßen legen kann. Zu welcher Stunde wird er Sie allein antreffen? Denn wie Sie wohl wissen, darf eine Beichte nicht vor Zeugen abgelegt werden.«

Ich faltete diese Art Madrigal in Prosa zusammen und ließ den Brief durch Joseph überbringen. Er überreichte ihn eigenhändig, und Marguerite ließ ausrichten, sie werde ihn später beantworten.

Ich ging nur kurz zum Essen aus dem Haus, und um elf Uhr abends hatte ich noch immer keine Antwort.

Ich beschloß, nicht länger zu leiden und am nächsten Morgen abzureisen.

Da ich sicher sein konnte, daß ich nach diesem Entschluß keinen Schlaf finden würde, begann ich meine Koffer zu packen.

XV

Joseph und ich waren gerade eine Stunde damit beschäftigt, alles Nötige für meine Abreise vorzubereiten, als Sturm geläutet wurde.

»Soll ich öffnen?« fragte Joseph.

»Ja, machen Sie auf«, sagte ich zu ihm, während ich mich fragte, wer mich um diese Stunde noch besuchen käme, und nicht zu hoffen wagte, es könne Marguerite sein.

»Monsieur, es sind zwei Damen«, sagte Joseph, als er zurückkam.

»Wir sind's, Armand«, rief eine Stimme, an der ich Prudence erkannte.

Ich eilte aus dem Zimmer.

Prudence stand im Salon und betrachtete einige Kunstsachen, die ich dort aufgestellt hatte; Marguerite saß auf dem Sofa und war in Gedanken versunken.

Sofort lief ich auf sie zu, kniete nieder, faßte ihre Hände und bat sie ganz aufgelöst um Verzeihung.

Sie küßte mich auf die Stirn und sagte: »Jetzt ist es schon das dritte Mal, daß ich Ihnen verzeihe.«

»Ich wollte morgen abreisen.«

»Wieso sollte mein Besuch Sie von Ihrem Entschluß abbringen? Ich will Sie nicht daran hindern, Paris zu verlassen. Ich komme nur, weil ich heute nicht die Zeit gefunden habe, Ihnen zu antworten, und Sie nicht in dem Glauben lassen will, ich sei Ihnen noch böse. Prudence wollte nicht, daß ich herkomme; sie meinte, ich würde Sie vielleicht stören.«

»Sie und mich stören, Marguerite, ausgerechnet Sie! Wie sollte das wohl gehen?«

»Es wäre ja doch möglich gewesen, daß Sie eine Frau bei

sich haben«, antwortete Prudence, »und die wäre sicher nicht entzückt gewesen, noch zwei kommen zu sehen.«

Während Prudence dies sagte, sah mich Marguerite prüfend an.

»Liebe Prudence«, antwortete ich, »Sie wissen ja nicht, was Sie reden.«

»Übrigens, Ihre Wohnung ist reizend«, entgegnete Prudence, »ob ich mir wohl einmal das Schlafzimmer ansehen dürfte?«

»Gewiß.«

Sie verschwand ins Schlafzimmer, weniger um es sich anzusehen, als um die albernen Worte wiedergutzumachen und mich mit Marguerite allein zu lassen.

»Warum haben Sie bloß Prudence mitgebracht?« fragte ich sogleich.

»Weil wir zusammen im Theater waren und weil ich jemanden bei mir haben will, der mich nachher begleitet, wenn ich nach Hause gehe.«

»Bin ich denn etwa nicht da?«

»Doch, aber einmal davon abgesehen, daß ich Sie nicht stören wollte, so war ich mir ganz sicher, daß Sie mich vor meiner Haustür dann fragen würden, ob Sie nicht noch mit hinaufkommen könnten; das hätte ich Ihnen aber abschlagen mussen, und ich wollte doch nicht, daß Sie mir vor Ihrer Abreise zu Recht den Vorwurf machen könnten, Sie abgewiesen zu haben.«

»Und warum können Sie mich nicht empfangen?«

»Weil ich streng überwacht werde und schon der geringste Verdacht mir den größten Schaden bringen könnte.«

»Ist das auch wirklich der einzige Grund?«

»Wenn es noch einen anderen gäbe, würde ich es Ihnen schon sagen, schließlich haben wir ja keine Geheimnisse mehr voreinander.«

»Schauen Sie, Marguerite, ich will bei dem, was ich Ihnen zu sagen habe, ganz ohne Umschweife reden. Sagen Sie ganz ehrlich: Lieben Sie mich ein bißchen?«

»Sehr sogar.«

»Warum haben Sie mich dann getäuscht?«

»Mein lieber Freund, wenn ich die Herzogin Soundso wäre, wenn ich zweihunderttausend Francs Rente bezöge, Ihre Geliebte wäre und neben Ihnen noch einen anderen hätte, dann hätten Sie das Recht, mich zu fragen, warum ich Sie betrüge. Aber ich bin nur Mademoiselle Marguerite Gautier, habe vierzigtausend Francs Schulden, nicht einen Sou in der Hinterhand und gebe jährlich hunderttausend Francs aus; und deshalb ist Ihre Frage ebenso müßig wie meine Antwort überflüssig.«

»Das ist wahr«, sagte ich und ließ meinen Kopf auf Marguerites Knie sinken, »aber ich liebe Sie doch bis zum Wahnsinn.«

»Na ja, mein Freund, dann müssen Sie mich eben ein bißchen weniger lieben oder ein bißchen besser verstehen. Ihr Brief hat mich sehr betrübt. Wenn ich frei wäre, dann hätte ich vorgestern den Grafen nicht empfangen oder hätte Sie gestern nach seinem Besuch um Verzeihung gebeten, so wie Sie es jetzt tun, und würde in Zukunft nur noch Sie als meinen Geliebten haben. Einen Augenblick lang hatte ich geglaubt, ich werde dieses Glück sechs Monate lang genießen können; Sie haben es nicht gewollt. Sie wollten unbedingt die Mittel kennenlernen, aber mein Gott, die waren doch leicht zu erraten. Als ich sie anwandte, war das für mich ein größeres Opfer, als Sie sich vielleicht vorstellen können. Ich hätte ja auch zu Ihnen sagen können: ›Ich brauche zwanzigtausend Francs‹; Sie waren verliebt in mich und hätten sie mir wohl auch besorgt, aber dann wäre ich Gefahr gelaufen, daß Sie mir später einen Vorwurf daraus machen könnten. Ich wollte Ihnen lieber nichts schuldig sein. Diese Rücksicht, denn das war es ja, haben Sie nicht verstanden. Wenn unsereinem noch ein bißchen Herz geblieben ist, dann geben wir den Worten und Dingen oft ein Gewicht und eine Bedeutung, von der andere Frauen nichts ahnen. Ich sage es Ihnen also noch einmal:

Das Mittel, durch das Marguerite Gautier versucht hat, ihre Schulden zu bezahlen, ohne Sie um Geld bitten zu müssen, war eine Rücksicht gegen Sie, und Sie hätten es ruhig ohne Murren annehmen können. Hätten wir uns erst heute kennengelernt, so wären Sie über ein solches Versprechen überglücklich gewesen und würden mich nicht fragen, was ich vorgestern getan habe. Manchmal sind wir gezwungen, ein Glück für unsere Seele mit dem Körper zu erkaufen, und leiden nur um so mehr daran, wenn uns dieses Glück dann auch noch durch die Finger schlüpft.«

Voll Bewunderung hörte ich ihr zu und schaute sie an. Wenn ich daran dachte, daß dieses wundervolle Geschöpf, dem ich früher nur zu gern die Füße geküßt hätte, mir nun einen Platz in seinem Denken und seinem Leben einräumen wollte, und ich immer noch nicht zufrieden war mit dem, was es mir schenkte, dann stellte sich mir die Frage, ob die Begierden des Mannes denn überhaupt Grenzen haben, wenn er, nachdem sie so unerwartet schnell befriedigt werden, immer noch nach Weiterem strebt.

»Es stimmt schon«, fuhr sie fort, »unsereins spielt mit dem Glück, wir haben wunderliche Begierden, und unsere Liebeslaunen sind unbegreiflich. Mal geben wir uns für dies und mal für das. Manch einer würde für uns sein Vermögen aufs Spiel setzen und erreicht doch nichts damit, wieder ein anderer bekommt uns schon für einen Blumenstrauß. Unser Herz hat so seine Launen; denn das ist seine einzige Zerstreuung und auch seine einzige Entschuldigung. Dir habe ich mich so schnell hingegeben wie noch keinem, das schwöre ich dir. Und warum? Weil du meine Hand genommen hast, als du mich Blut spucken sahst, weil du geweint hast und weil du das einzige menschliche Wesen bist, das je Mitleid mit mir hatte. Ich werde dir jetzt etwas Albernes erzählen: Ich hatte mal einen kleinen Hund, der hat mich immer ganz traurig angesehen, wenn ich gehustet habe. Das ist das einzige Wesen, das ich je geliebt habe.

Als er starb, habe ich mehr geweint als beim Tod meiner Mutter. Aber die hat mich ja auch zwölf Jahre meines Lebens immer nur geprügelt. Und dich habe ich gleich genauso lieb gehabt wie meinen Hund. Wenn die Männer wüßten, was sie mit einer einzigen Träne alles ausrichten können, dann würden sie mehr geliebt, und wir würden sie nicht so oft in den Ruin treiben. Dein Brief aber hat dich Lügen gestraft. Er hat mir verraten, daß du dich nicht sehr auf die Liebe verstehst. Er hat meiner Liebe zu dir größeren Abbruch getan als alles, was du sonst hättest tun können. Es war zwar Eifersucht, das stimmt, aber eine sehr bissige, anmaßende Eifersucht. Ich war schon in einer traurigen Stimmung, als ich deinen Brief erhielt, und hoffte, dich um zwölf zu sehen, mit dir zu Mittag zu essen und mit deiner Gegenwart einen Gedanken zu verscheuchen, der mich beständig verfolgt und dem ich, bevor ich dich kennenlernte, noch nichts entgegensetzen konnte. Und dann«, fuhr Marguerite fort, »bist du auch der einzige, bei dem ich sogleich das Gefühl hatte, frei denken und reden zu können. Denn die Menschen, mit denen wir zu tun haben, versuchen oft, dem Sinn einer noch so kleinen Bemerkung nachzuspüren und aus den belanglosesten Handlungen einen Schluß zu ziehen. Freunde haben wir natürlich keine. Wir haben selbstsüchtige Verehrer, die ihr Vermögen nicht für uns vergeuden, wie sie immer behaupten, sondern für die eigene Eitelkeit. Für diese Leute, die selbst an gar nichts glauben, müssen wir fröhlich sein, wenn sie guter Laune sind, Appetit haben, wenn sie essen gehen wollen. Aber Herz dürfen wir auf keinen Fall zeigen, sonst werden wir zur Strafe verhöhnt und verlieren unser Ansehen.

Wir können nicht mehr frei über unser Leben verfügen. Wir sind keine Menschen mehr, sondern Dinge. In ihrer Eigenliebe stehen wir an erster Stelle, in ihrer Achtung an letzter. Wir haben zwar Freundinnen, doch das sind oft solche wie Prudence, ehemalige Kurtisanen, die noch genauso kostspielige Gelüste haben wie früher, aber nicht mehr das Alter, das sie ihnen gestattet. Und so werden sie dann unsere Freundinnen oder vielmehr unsere Tischgenossinnen. Ihre Freundschaft geht bis zur Unterwürfigkeit, aber nie bis zur Uneigennützigkeit. Niemals würden sie uns einen Rat geben, der für sie nicht gewinnbringend wäre. Es kümmert sie nicht, ob wir zehn Verehrer mehr haben, solange nur Kleider oder vielleicht ein Armreif für sie abfallen und sie ab und zu in unserem Wagen spazierenfahren oder in unseren Theaterlogen sitzen können. Sie schmücken sich mit unseren Blumensträußen von gestern und borgen sich unsere Kaschmirschals. Und sie tun uns nicht den kleinsten Gefallen, ohne ihn sich um das Doppelte zurückzahlen zu lassen. Du hast es ja an dem Abend selbst gesehen, als Prudence mir die sechstausend Francs gebracht hat, die sie für mich vom Herzog geholt hatte, sie hat sich gleich wieder fünfhundert Francs ausgeliehen, die sie mir nie zurückgeben wird. Sie werden vielmehr in Hüten angelegt, die niemals aus ihren Schachteln kommen werden. So gäbe es denn für uns oder vielmehr für mich, traurig, wie ich manchmal bin und eigentlich immer leidend, nur ein einziges Glück: einen Mann zu finden, der einen so trefflichen Charakter hat, daß er von mir nicht verlangt, ihm Rechenschaft über mein Leben abzulegen, und der mehr mein Wesen liebt als meinen Körper. Einen solchen Mann hatte ich im Herzog gefunden, aber der Herzog ist alt, und das Alter kann uns weder Schutz noch Trost bieten. Ich glaubte, das Leben führen zu können, das er mir anbot. Aber was sollte ich tun, ich kam schier um vor Langeweile, und bevor man so dahinsiecht, kann man sich auch gleich ins Feuer stürzen oder sich mit Kohlengas umbringen.

Und dann bin ich dir begegnet; du warst jung, leidenschaftlich, gefühlvoll, und so habe ich versucht, aus dir den Menschen zu machen, nach dem es mich in meiner lärmenden Einsamkeit so sehr verlangte. Ich liebte in dir nicht den Mann, der du wirklich warst, sondern den, der du werden solltest. Diese Rolle willst du nicht annehmen, du weist sie von dir als etwas, das deiner nicht würdig ist, du bist ein ganz gewöhnlicher Verehrer; dann mach es aber auch wie die anderen, bezahle mich und laß uns nicht weiter davon sprechen.«

Marguerite, die von dieser langen Beichte erschöpft war, sank auf das Sofa zurück und preßte, um einen leichten Hustenanfall zu unterdrücken, ihr Taschentuch auf den Mund und sogar ihre Augen.

»Verzeih mir, verzeih«, sagte ich leise, »ich hatte das alles verstanden, doch ich wollte es von dir selbst hören, meine liebste Marguerite. Wir sollten das alles vergessen und nur noch an eines denken: daß wir einander gehören, daß wir jung sind und uns lieben.«

Marguerite zog meinen Brief aus dem Ausschnitt und reichte ihn mir, wobei sie mit einem unbeschreiblich sanften Lächeln sagte:

»Nimm ihn, ich habe ihn dir mitgebracht.«

Ich zerriß den Brief und bedeckte die Hand, die ihn mir gereicht hatte, mit Küssen und Tränen.

In diesem Augenblick erschien Prudence.

»Prudence, raten Sie mal, worum er mich gebeten hat«, sagte Marguerite.

»Daß Sie ihm verzeihen.«

»Genau.«

»Und das wollen Sie tun?«

»Das schon, doch er verlangt noch etwas anderes.«

»Was denn?«

»Wir sollen mit ihm zu Abend essen.«

»Und Sie haben zugesagt?«

»Was meinen Sie dazu?«

»Ich meine, daß ihr zwei Kinder seid und beide nicht ganz bei Verstand. Aber ich meine auch, daß ich ganz großen Hunger habe, und je eher Sie einwilligen, desto schneller können wir essen.«

»Auf denn«, sagte Marguerite, »in meinem Wagen haben wir alle drei Platz. Übrigens«, setzte sie hinzu und wandte sich zu mir, »Nanine wird schon schlafen, öffnen Sie die Tür. Hier ist der Schlüssel, und sehen Sie zu, daß Sie ihn nicht verlieren.«

Ich umarmte Marguerite so stürmisch, daß sie fast erstickte.

Da trat Joseph ein.

»Monsieur«, sagte er mit der Miene eines Menschen, der mit sich selbst zufrieden ist, »die Koffer sind gepackt.«

»Dann packen Sie sie gleich wieder aus, ich verreise nicht.«

XVI

Ich hätte Ihnen auch in wenigen Worten erzählen können, wie unser Verhältnis seinen Anfang nahm, sagte Armand zu mir, doch ich wollte Ihnen deutlich vor Augen führen, durch welche Ereignisse und welche Entwicklung der Gefühle ich schließlich dahin gelangte, in alles einzuwilligen, was Marguerite wollte, und wie Marguerite selbst nicht mehr ohne mich leben konnte.

Es war damals, am Tage nach ihrem abendlichen Besuch, daß ich ihr ›Manon Lescaut‹ schickte.

Und da ich das Leben meiner Geliebten nicht zu ändern vermochte, so änderte ich von jenem Augenblick an das meine. Vor allen Dingen wollte ich mir selbst keine Zeit lassen, über die Rolle nachzudenken, in die ich eingewilligt hatte, denn das hätte mich unweigerlich sehr traurig gestimmt. Auch wurde mein sonst so ruhiges Leben durch die äußerlichen Veränderungen plötzlich fieberhaft und regellos. Denken Sie bloß nicht, daß die Liebe einer Kurtisane, so uneigennützig sie auch sein möge, Sie nichts kosten würde. Nichts ist so teuer wie die tausend

Launen einer Mätresse, all diese Blumen, Logen, Soupers, Landpartien, die man ihr unmöglich abschlagen kann.

Wie ich Ihnen bereits gesagt habe, besaß ich kein Vermögen. Mein Vater war und ist jetzt noch Generaleinnehmer in C. Er stand in dem Ruf, ein sehr zuverlässiger Mann zu sein, wodurch es ihm ermöglicht wurde, sich die Kaution zu leihen, die er bei seinem Amtsantritt hinterlegen mußte. Seine Stellung trägt ihm jährlich vierzigtausend Francs ein, und in den zehn Jahren, die er nun schon sein Amt bekleidet, hat er die Kaution zurückbezahlt und etwas Geld für die Aussteuer meiner Schwester beiseite gelegt. Mein Vater ist der ehrbarste Mensch, der sich nur denken läßt. Meine Mutter hinterließ bei ihrem Tode eine Rente von sechstausend Francs. Und die hat mein Vater an dem Tage, als er die gewünschte Stellung erhielt, zwischen mir und meiner Schwester aufgeteilt. Als ich dann einundzwanzig Jahre alt wurde, gab er mir zu diesem kleinen Einkommen noch einen jährlichen Zuschuß von fünftausend Francs hinzu und versicherte mir, daß ich mit den achttausend Francs in Paris ganz gut auskommen könne, falls ich mir neben dieser Rente eine Stellung als Advokat oder Arzt sichern wolle.

Ich ging also nach Paris, absolvierte das Studium der Rechte, erhielt meine Zulassung als Advokat und überließ mich, wie so viele junge Leute, kaum daß ich mein Diplom in der Tasche hatte, dem sorglosen Pariser Leben. Meine Ausgaben waren recht bescheiden, doch ich verbrauchte mein jährliches Einkommen in acht Monaten und brachte die vier Sommermonate bei meinem Vater zu, was alles in allem meine jährliche Rente auf zwölftausend brachte und mir den Ruf eintrug, ein guter Sohn zu sein. Im übrigen hatte ich keinen Sou Schulden.

So waren meine Verhältnisse, als ich Marguerite kennenlernte.

Sie können sich denken, daß meine Ausgaben jetzt größer wurden, ob ich es wollte oder nicht. Marguerite war sehr launenhaft veranlagt, und sie gehörte zu den Frauen, die nie bedacht haben, daß die tausend Zerstreuungen, aus denen ihr Leben besteht, auch ganz gewaltig etwas kosten. So kam es, daß Marguerite so viel Zeit als möglich mit mir verbringen wollte, daß sie mir am Morgen einen Brief schrieb, sie wolle mit mir essen gehen, und zwar nicht bei ihr zu Hause, sondern in einem Restaurant in Paris oder auf dem Lande. Ich kam sie abholen, wir aßen zusammen, gingen ins Theater, dann aßen wir noch zu Abend, und so hatte ich schließlich vier oder fünf Louisdors ausgegeben, was zusammen zweitausendfünfhundert oder dreitausend Francs im Monat ergab. Damit reichte meine Jahresrente nur noch für dreieinhalb Monate hin, und ich war gezwungen, entweder Schulden zu machen oder Marguerite zu verlassen.

Ich war zu allem bereit, doch letzteres war ausgeschlossen.

Verzeihen Sie, wenn ich Sie mit der Schilderung all dieser Einzelheiten überhäufe, aber Sie werden sehen, daß sie die Ursache der nun kommenden Ereignisse waren. Dies ist eine wahre, einfache Geschichte, die ich Ihnen völlig ungeschminkt und in der ganzen Nüchternheit ihres Verlaufs schildern will.

Ich sah also ein, daß ich auf Mittel sinnen mußte, all diese Kosten zu bestreiten, da nichts auf der Welt mich dazu bewegen konnte, meine Geliebte zu verlassen. Und dann war ich auch von dieser Liebe so sehr aufgewühlt, daß mir alle Augenblicke, die ich fern von Marguerite verbrachte, zu Jahren wurden und ich den Drang verspürte, diese Momente im Feuer irgendeiner Leidenschaft zu verzehren und sie so schnell zu durchleben, daß sie mir gar nicht erst bewußt werden konnten. Ich fing an, auf mein kleines Kapital fünf- oder sechstausend Francs aufzunehmen, und begann mein Glück im Spiel zu versuchen, denn seit man die Spielhäuser geschlossen hatte, wurde überall gespielt. Wenn man früher zu Frascati[26] ging, hatte man Aussichten, dort sein Glück zu machen: Man spielte gegen Geld, und wenn man verlor, dann konnte man sich zum Trost sagen, daß man auch hätte gewinnen können. Jetzt ist das anders: Abgesehen von den Spielclubs, in denen die Auszahlung noch einigermaßen streng geregelt ist, kann man, falls man einen bedeutenden Betrag gewinnt, fast sicher sein, daß man ihn nie zu Gesicht bekommen wird. Das hat einen leicht ersichtlichen Grund.

Am Spiel beteiligen sich nur noch junge Leute, die große Bedürfnisse haben und nicht das nötige Vermögen, ihren Lebensstil bestreiten zu können. Also spielen sie, und das Ergebnis ist notgedrungen folgendes: wenn sie gewinnen, dann müssen die Verlierer die Pferde und Mätressen bezahlen, was ihnen gar nicht gefällt. Es werden Schulden gemacht; Freundschaften, die am grünen Spieltisch begonnen haben, enden in Streitigkeiten, bei denen Ehre und Leben stets ein wenig zu Schaden kommen. Und ist man ein ehrbarer Mann, so wird man von ebenso ehrbaren jungen Leuten, deren einziger Fehler darin besteht, keine Rente von zweihunderttausend Livres zu beziehen, in den Ruin getrieben.

Gar nicht erst zu reden von den Leuten, die im Spiel betrügen und von denen man eines Tages hört, daß sie notgedrungen abreisen mußten oder später verurteilt wurden.

Und so stürzte ich mich in dieses rastlose, rauschende, brodelnde Leben, das mich früher schon beim bloßen Gedanken daran geschreckt hatte, und das nun für mich zur unvermeidlichen Ergänzung meiner Liebe zu Marguerite geworden war. Was konnte ich auch anderes tun?

In den Nächten, die ich nicht in der Rue d'Antin verbrachte, hätte ich allein bei mir zu Hause doch kein Auge zugetan. Die Eifersucht hätte mich wachgehalten und verzehrt; während das Spiel immerhin für den Moment das Fieber fernhielt, das sonst mein Herz ergriffen haben würde, und es auf eine Leidenschaft lenkte, die meine Aufmerksamkeit bis zu der Stunde fesselte, die mir von meiner Geliebten bestimmt war. Dann konnte ich die Heftigkeit meiner Liebe daran erkennen, daß ich, war der Augenblick gekommen, vom Spieltisch aufstand, gleichgültig, ob ich gewonnen oder verloren hatte, und die Zurückbleibenden bedauerte, die nicht von einem solchen Glück wie dem meinen erwartet wurden.

Für die meisten war das Spiel eine Notwendigkeit; für mich war es ein Heilmittel.

Einmal von Marguerite geheilt, würde ich auch von der Spielleidenschaft geheilt sein.

Deshalb blieb ich auch bei alledem recht gelassen; ich verlor nur so viel, wie ich auch bezahlen konnte, und gewann nur das, was ich auch hätte verlieren dürfen.

Im übrigen stand mir das Glück zur Seite. Ich machte keine Schulden und gab doch dreimal mehr Geld aus als zu der Zeit, da ich noch nicht gespielt hatte. Es war nicht leicht, einem Leben zu widerstehen, das es mir gestattete, Marguerites tausend Launen nachzukommen, ohne in Geldverlegenheit zu geraten. Und sie, sie liebte mich genauso, ja mehr sogar.

Wie schon erwähnt, durfte ich anfangs nur zwischen Mitternacht und sechs Uhr früh bei ihr bleiben, dann durfte ich ab und zu in ihre Loge kommen, und schließlich aß sie auch manchmal bei mir zu Abend. Eines Morgens ging ich erst um acht Uhr von ihr fort, und es kam der Tag, an dem ich bis mittags blieb.

Während ich auf die seelische Veränderung wartete, hatte sich indes bei Marguerite eine körperliche vollzogen. Ich hatte mir ihre Heilung zum Ziel gesetzt, und da die Ärmste meine Absicht erriet, gehorchte sie mir, um mir ihren Dank zu zeigen. Es war mir ohne besondere Mittel und ohne Anstrengung gelungen, sie fast gänzlich von ihren bisherigen Gewohnheiten abzubringen.

Mein Arzt, von dem ich sie hatte beobachten lassen, erklärte mir, daß nur Ruhe und Erholung ihre Gesundheit erhalten könnten, und so führte ich anstelle der Gelage und durchwachten Nächte eine gesunde Diät und regelmäßigen Schlaf ein. Ganz unwillkürlich gewöhnte sich Marguerite an diese neue Lebensweise, deren heilsame Wirkung sie zu spüren begann. Schon fing sie an, manche Abende zu Hause zu verbringen; wenn schönes Wetter war, hüllte sie sich in einen Kaschmirschal, legte einen Schleier über, und so gingen wir zu Fuß wie zwei Kinder am Abend in den dunklen Alleen der Champs-Elysées spazieren. Sie kam erschöpft zu Hause an, aß etwas Leichtes, und nachdem sie noch ein wenig musiziert oder ein wenig gelesen hatte, was sie sonst nie tat, legte sie sich schlafen. Von den Hustenanfällen, die mir, wann immer ich sie mitanhören mußte, das Herz zerrissen, wurde sie jetzt fast gar nicht mehr gequält.

Nach sechs Wochen war von dem Grafen schon nicht mehr die Rede, er war mir endgültig geopfert worden; nur die Rücksicht auf den Herzog zwang mich noch dazu, mein Verhältnis mit Marguerite geheimzuhalten, und war ich dort, so wurde auch er oft unter dem Vorwand abgewiesen, daß Madame noch schlafe und nicht geweckt werden wolle.

Da es Marguerite zur Gewohnheit und fast schon zum zwingenden Bedürfnis geworden war, mich zu sehen, war die Folge, daß ich das Spiel genau zu jenem Zeitpunkt verließ, an dem auch ein geschickter Spieler aufgehört haben würde. Alles zusammengerechnet, fand ich mich durch meine Gewinne im Besitz von etwa zehntausend Francs, was mir als ein unerschöpfliches Kapital erschien.

Es war die Zeit gekommen, zu der ich gewöhnlich meinen Vater und meine Schwester besuchen fuhr, und ich reiste nicht ab. Daraufhin bestürmten sie mich beide in zahlreichen Briefen, doch zu ihnen zu kommen.

Auf all diese Bitten antwortete ich, so gut ich konnte, indem ich stets versicherte, daß es mir gut ginge und ich keine Geldsorgen hätte, zwei Dinge, die, wie ich glaubte, meinen Vater ein wenig darüber hinwegtrösteten, daß ich meinen jährlichen Besuch so hinauszögerte.

Unterdessen verfiel Marguerite eines Morgens, an dem sie von einer strahlenden Sonne geweckt wurde und daraufhin sofort aus dem Bett sprang, auf den Gedanken, ich solle einen ganzen Tag mit ihr auf dem Lande verbringen.

Prudence wurde geholt, und dann fuhren wir alle drei los, nachdem wir Nanine angewiesen hatten, dem Herzog auszurichten, Marguerite habe den schönen Tag genießen wollen und sei mit Madame Duvernoy aufs Land gefahren.

Die Anwesenheit der Duvernoy war notwendig, um den alten Herzog zu beruhigen, und darüber hinaus war sie eine jener Frauen, die für diese Art von Landpartie geradezu geschaffen scheinen. Mit ihrer unerschütterlichen Heiterkeit und ihrem ständigen Appetit ließ sie bei uns nicht einen Augenblick der Langeweile aufkommen und wußte auch ganz genau, was man zu einem traditionellen Mittagessen in der Gegend um Paris bestellen mußte: Eier, Kirschen, Milch, gebratene Kaninchen.

Wir hatten uns nur noch zu entscheiden, wohin wir fahren sollten.

Auch bei dieser Wahl half uns die Duvernoy aus der Verlegenheit.

»Wollt ihr das wahre Landleben genießen?« fragte sie.

»Aber ja doch.«

»Gut, dann fahren wir nach Bougival[27], zum Point-du-Jour, zur Witwe Arnould. Armand, besorgen Sie uns eine Kalesche.«

Sie kennen vielleicht diese Gaststätte, die unter der Woche ein Hotel und sonntags eine Schenke ist. Vom Garten, der so hoch gelegen ist wie sonst das erste Stockwerk, hat man eine herrliche Aussicht. Linkerhand wird der Horizont durch den Aquädukt von Marly begrenzt, rechterhand sieht man über eine endlose Hügelkette; der Fluß, der an dieser Stelle fast keine Strömung hat, schlängelt sich wie ein breites glänzendes Band zwischen der Ebene von Gabillon und der Ile de Croissy, in den

Schlaf gewiegt vom ewigen Rauschen der hohen Pappeln und dem Säuseln der Trauerweiden.

Im Hintergrund erheben sich, vom Sonnenlicht überflutet, kleine weiße Häuser mit roten Dächern und Fabrikgebäude, die aus dieser Entfernung ihr nüchternes und geschäftsmäßiges Aussehen verloren haben und die Landschaft ganz vortrefflich abrunden.

Und dahinter liegt Paris im Dunst!

Es war, wie Prudence uns versprochen hatte, wir waren wirklich auf dem Land, und ich muß zugeben, das war ein Mittagessen, das seinen Namen verdiente.

Ich sage das nicht nur aus Dankbarkeit für das Glück, das ich dort gefunden habe, doch Bougival ist trotz seines fürchterlichen Namens einer der hübschesten Landstriche, die man sich nur denken kann. Ich bin viel gereist, habe Großartigeres gesehen, aber doch nichts Reizvolleres als dieses kleine Dorf, das sich so heiter an den Fuß des schützenden Hügels anschmiegt.

Madame Arnould bot uns eine Spazierfahrt mit dem Boot an, was Marguerite und Prudence mit Freude annahmen.

Schon seit jeher hat man das Landleben mit der Liebe in Verbindung gebracht, und man hat recht daran getan: Nichts ist ein schönerer Rahmen für die Frau, die man liebt, als blauer Himmel, Düfte, Blumen, lauer Wind und die herrliche Einsamkeit der Felder und Wälder. So sehr man eine Frau auch liebt, so sehr man ihr vertraut, so sichere Gewähr uns die Vergangenheit auch für die Zukunft gibt, so ist man doch immer mehr oder minder eifersüchtig. Wenn Sie einmal verliebt gewesen sind, wirklich verliebt, dann werden wohl auch Sie dieses Verlangen kennen, den Menschen, in dem sie völlig aufgehen wollen, von der ganzen Welt abzusondern. Wie gleichgültig auch immer die geliebte Frau ihrer Umwelt gegenüberstehen mag, so scheint sie doch in der Berührung mit den Menschen und den Dingen ihren Duft und ihre Unteilbarkeit zu verlieren. Ich empfand das stärker als jeder andere. Meine Liebe war keine gewöhnliche; ich war zwar so verliebt, wie jedes menschliche Wesen verliebt sein kann, aber eben in Marguerite Gautier, und das bedeutete, daß ich in Paris auf Schritt und Tritt einem Mann begegnen konnte, der ihr Liebhaber gewesen war oder es morgen sein könnte. Hier draußen auf dem Land hingegen, inmitten all dieser Leute, die uns noch nie gesehen hatten und sich auch nicht um uns kümmerten, im Schoße einer Natur, die wie jedes Jahr den Menschen zum Trost ihr Frühlingskleid angelegt hatte, hier durfte ich mich, fern vom Lärm der Stadt, ohne Scham und Furcht geborgen fühlen und meine Liebe ausleben.

Die Kurtisane ging hier allmählich verloren. Ich hatte jetzt eine junge, schöne Frau bei mir, die ich liebte, von der ich wiedergeliebt wurde und die Marguerite hieß: Die Vergangenheit hatte keine Gestalt mehr, und die Zukunft wurde nicht mehr von Wolken überschattet. Die Sonne warf ihr Licht auf meine Geliebte, so wie sie es auch mit der keuschesten Verlobten getan hätte. Wir spazierten zu zweien durch diese herrliche Gegend, die geradezu geschaffen schien, einem die Verse Lamartines oder Scudos[28] Melodien in Erinnerung zu rufen.

Marguerite trug ein weißes Kleid, sie lehnte in meinem Arm, und am Abend würde sie mir unterm Sternenhimmel die gleichen Worte zuflüstern wie vergangene Nacht, und fern von uns ging die Welt ihren gewohnten Gang, ohne einen trüben Schatten auf das strahlende Bild unserer Jugend und Liebe zu werfen. Das war der Traum, den mir die glühende Sonne dieses Tages durchs Laubwerk sandte, während ich hingestreckt in das Gras dieser Insel, auf der wir Rast gemacht hatten, meinen Gedanken freien Lauf ließ, befreit von allen menschlichen Banden, die sie gefesselt hatten, und ich mich meinen Hoffnungen hingab.

Dazu müssen Sie sich noch vorstellen, daß ich von der Stelle, an der ich mich befand, auf ein reizendes zweistöckiges Häuschen blicken konnte, das am Ufer gelegen und von einem Eisengitter im Halbkreis eingeschlossen war; durch das Gitter sah man vor dem Haus eine grüne Wiese, glatt wie ein Samtteppich, und hinter dem Gebäude ein Wäldchen mit geheimnisvollen Schlupfwinkeln, dessen weiches Moos die am Vortag getretenen Pfade bis zum Morgen längst wieder verschluckte.

Schlingpflanzen bedeckten die Freitreppe dieses unbewohnten Hauses, bis zum ersten Stock hatten sie es ganz überwuchert.

Ich betrachtete es so lange, daß ich am Ende davon überzeugt war, es gehöre mir, denn es entsprach so überaus meinem soeben geträumten Traum. Ich sah schon Marguerite und mich, wie wir am Tage in das Wäldchen gingen, das den Hügel bedeckte, und wie wir am Abend auf der Wiese saßen, und fragte mich, ob irdische Wesen je so glücklich waren wie wir.

»Was für ein hübsches Haus«, sagte Marguerite, die meinem Blick und vielleicht auch meinen Gedanken gefolgt war.

»Wo denn?« fragte Prudence.

»Da vorne«, und Marguerite deutete mit dem Finger auf das besagte Haus.

»Ach, ganz entzückend«, rief Prudence, »gefällt es Ihnen?«

»Sehr.«

»Na, dann sagen Sie doch dem Herzog, er soll es Ihnen mieten, er wird es tun, da bin ich mir sicher. Wenn Sie wollen, nehme ich die Sache in die Hand.«

Marguerite sah mich an, als wolle sie fragen, was ich von diesem Vorschlag hielte.

Mit diesen letzten Worten hatte Prudence mein Traumgebilde in Luft aufgelöst und mich so unsanft in die Wirklichkeit zurückgeworfen, daß ich von dem Sturz noch ganz benommen war.

»In der Tat, das ist ein ganz ausgezeichneter Gedanke«, stammelte ich, ohne zu wissen, was ich sagte.

»Gut, dann werde ich das in die Wege leiten«, sagte

Marguerite, die meine Worte nach ihren eigenen Wünschen auslegte und mir die Hand drückte.

»Laßt uns doch gleich nachschauen, ob es noch zu vermieten ist.«

Das Haus stand leer und war für zweitausend Francs zu mieten.

»Werden Sie hier auch glücklich sein?« fragte sie mich.

»Kann ich denn sicher sein, daß ich je hierher kommen werde?«

»Und für wen sollte ich mich denn sonst hier verkriechen, wenn nicht für Sie?«

»Schon gut, Marguerite, aber dann lassen Sie mich selbst das Haus mieten.«

»Ja, sind Sie denn von Sinnen? Das ist nicht nur unnütz, es wäre auch gefährlich; Sie wissen ja, daß ich nur von einem Mann etwas annehmen darf, lassen Sie mich nur machen, Sie großes Kind, und halten Sie sich da raus.«

»Und wenn ich dann einmal zwei freie Tage habe, dann komme ich euch hier draußen besuchen«, sagte Prudence.

Wir verließen das Haus und nahmen den Weg zurück nach Paris. Die ganze Fahrt über besprachen wir den Plan, und ich hielt Marguerite so fest in den Armen, daß ich, als ich bei der Ankunft aus dem Wagen stieg, das Vorhaben meiner Geliebten schon mit weitaus weniger Bedenken betrachtete.

XVII

Am folgenden Morgen schickte mich Marguerite in aller Frühe fort, da der Herzog zeitig kommen wollte, und versprach, mir zu schreiben, sobald er wieder gegangen sei, um mir die Stunde unseres allabendlichen Treffens mitzuteilen.

Und im Laufe des Tages erhielt ich auch wirklich einen Brief mit den folgenden Worten:

»Ich fahre mit dem Herzog nach Bougival; seien Sie heute abend um acht Uhr bei Prudence.«

Zur bestimmten Stunde war Marguerite zurückgekehrt und suchte mich bei Madame Duvernoy auf. Als sie eintrat, sagte sie: »Stellt euch vor, es ist alles geregelt.«

»Ist das Haus gemietet?« fragte Prudence.

»Ja, er war sofort einverstanden.«

Ich kannte den Herzog nicht, doch ich schämte mich, daß ich ihn auf diese Weise betrog.

»Aber das ist noch nicht alles«, fuhr Marguerite fort.

»Was denn noch?«

»Ich habe mich auch nach einer Wohnung für Armand umgesehen.«

»Im selben Haus?« fragte Prudence lachend.

»Nein, im Point-du-Jour, wo wir gefrühstückt haben, der Herzog und ich. Während er die Aussicht genoß, fragte ich Madame Arnould – so heißt sie doch, nicht wahr? – ob sie nicht eine hübsche Wohnung zu vermieten habe. Und so war es denn auch, sie hatte eine mit Salon, Vorzimmer und Schlafzimmer. Für sechzig Francs im Monat. Das Ganze ist so eingerichtet, daß es selbst einen Griesgram aufheitern könnte. Ich habe sie sogleich gemietet. Habe ich das richtig gemacht?«

Ich fiel Marguerite um den Hals.

»Das wird herrlich sein«, fuhr sie fort, »Sie bekommen den Schlüssel zu der kleinen Tür, und dem Herzog habe ich den Schlüssel zu dem Gittertor versprochen, aber er wird ihn nicht nehmen, denn wenn er überhaupt kommt, so wird das nur am Tage sein. Unter uns gesagt: Ich glaube, er ist von dieser Laune ganz entzückt, da ich dadurch einige Zeit von Paris fort sein werde, und das wird in seiner Familie die Gemüter wieder ein bißchen beruhigen. Doch er hat mich auch gefragt, wie ich, da ich doch Paris so liebe, mich dazu durchringen konnte, mich hier auf dem Lande zu vergraben; ich habe ihm geantwortet, daß ich nicht bei guter Gesundheit sei und mich erholen müsse. Das schien er mir nicht recht glauben zu wollen. Der arme Alte wittert stets und ständig Verrat. Wir müssen daher sehr auf der Hut sein, mein lieber Armand. Denn er wird mich da draußen überwachen lassen, und daß er mir ein Häuschen mietet, damit ist es noch nicht getan, er muß mir auch noch meine Schulden bezahlen, und davon habe ich leider einige. Sind Sie mit all dem einverstanden?«

»Ja«, sagte ich und versuchte, die Bedenken zu verscheuchen, die diese Art von Leben hin und wieder in mir wachrief.

»Wir haben uns das Haus ganz genau angesehen, wir werden es dort ganz herrlich haben. Der Herzog hat sich um alles gekümmert. Ach, mein Lieber«, sagte sie ganz außer sich vor Freude und umarmte mich, »Sie können sich nicht beklagen, Ihnen wird von einem Millionär das Bett gemacht.«

»Und wann werden Sie einziehen?« fragte Prudence.

»Je eher, desto besser.«

»Werden Sie auch Ihren Wagen und Ihre Pferde mitnehmen?«

»Den ganzen Haushalt nehme ich mit. Sie kümmern sich um die Wohnung, solange ich weg bin.«

Acht Tage später hatte Marguerite sich in dem Landhaus eingerichtet, und ich hatte meine Wohnung im Point-du-Jour bezogen.

Nun begann ein Leben, das ich Ihnen nur sehr schwer beschreiben kann.

Zu Beginn konnte Marguerite auch in Bougival ihre alten Gewohnheiten noch nicht ganz aufgeben, und da in dem Haus stets ein festliches Treiben herrschte, kamen all ihre Freundinnen sie aus Paris besuchen; den ersten Monat verging kein Tag, an dem bei Marguerite nicht acht bis zehn Personen zu Tisch saßen. Prudence brachte ihrerseits ihre ganze Bekanntschaft mit und machte die Honneurs des Hauses, als ob es ihr gehörte.

Das Ganze wurde vom Geld des Herzogs bezahlt, wie Sie sich denken können, und dennoch ging mich Prudence hin und wieder um einen Tausendfrancschein an, sozusagen im Namen Marguerites.

Wie schon erwähnt, hatte ich ja im Spiel etliches gewonnen; so war ich gern bereit, Marguerite das Gewünschte durch Prudence zukommen zu lassen, und aus Furcht, sie könne einmal mehr brauchen, als ich hatte, lieh ich mir in Paris noch einmal die gleiche Summe aus, wie ich es schon einmal getan und damals ja auch pünktlich zurückgezahlt hatte.

Ich fand mich also wieder im Besitz von zehntausend Francs, meine Rente nicht mitgerechnet.

Doch wurde das Vergnügen, das Marguerite an der Bewirtung ihrer Freundinnen fand, ein wenig geschmälert durch die Kosten, die es verursachte, vor allem jedoch dadurch, daß sie manchmal gezwungen war, mich um Geld anzugehen. Der Herzog, der dieses Haus gemietet hatte, damit Marguerite sich dort erholen könne, erschien nicht mehr, da er stets befürchten mußte, dort eine zahlreiche und ausgelassene Gesellschaft anzutreffen, von der er nicht gesehen werden wollte.

Das war auf einen bestimmten Vorfall zurückzuführen. Eines Tages war der Herzog hinausgefahren, um mit Marguerite in trauter Zweisamkeit zu speisen, und war mitten in eine fünfzehnköpfige Mittagsgesellschaft hineingeplatzt, die zu der Stunde, als er zu Abend essen wollte, noch immer kein Ende gefunden hatte. Als er damals nichtsahnend die Tür zum Speisezimmer geöffnet hatte, war ihm zum Empfang ein allgemeines Gelächter entgegengeschlagen, und er hatte sich gezwungen gesehen, sich schleunigst vor dem unmanierlichen Übermut dieser Mädchen zurückzuziehen.

Marguerite hatte sich von der Tafel erhoben, war dem

Herzog in ein Nebenzimmer gefolgt und hatte versucht, ihn über das Vorgefallene so gut es ging zu beruhigen; doch der in seinem Stolz verletzte Greis trug ihr seinen Groll weiter nach: Er gab der Ärmsten hart zu verstehen, daß er es müde sei, die Tollheiten einer Frau zu bezahlen, die es nicht einmal verstünde, ihm in ihrem eigenen Haus Respekt zu verschaffen, und war hochempört wieder abgefahren.

Seit jenem Tag hatte man nichts mehr von ihm gehört. Marguerite konnte noch so sehr versuchen, es ihm recht zu machen, ihre Gäste nach Hause zu schicken, ihre Lebensweise zu ändern – der Herzog ließ nichts mehr von sich verlauten. Was ich dabei gewonnen hatte, war, daß meine Geliebte mir jetzt ausschließlicher gehörte und mein Traum endlich in Erfüllung ging. Marguerite konnte nicht mehr ohne mich sein.

Sie tat unser Verhältnis vor aller Augen kund, ohne sich darum zu scheren, welche Folgen das nach sich ziehen konnte, und es kam so weit, daß ich ihr Haus nicht mehr verließ. Die Dienstboten nannten mich Monsieur und sahen mich für ihren rechtmäßigen Herrn an.

Prudence hatte Marguerite über dieses neue Leben gehörig Vorhaltungen gemacht. Doch diese hatte ihr geantwortet, daß sie mich liebe, daß sie ohne mich nicht leben könne und daß sie, komme was da wolle, nicht verzichten möge auf das Glück, mich beständig um sich zu haben. Hinzugesetzt hatte sie noch, wem das nicht passe, der brauche ja nicht wiederzukommen.

Das alles hatte ich mitangehört, als Prudence eines Tages mit der Nachricht erschienen war, sie habe Marguerite etwas sehr Wichtiges mitzuteilen, und ich daraufhin an der Zimmertür gelauscht hatte, hinter der sie sich eingeschlossen hatten.

Einige Zeit später kam uns Prudence wieder besuchen. Ich stand gerade hinten im Garten, als sie das Haus betrat; sie sah mich nicht. Aus der Art, wie Marguerite ihr entgegentrat, zog ich den Schluß, daß wieder eine ähnliche Unterredung stattfinden werde, und die wollte ich mir ebenfalls anhören.

Die beiden Frauen schlossen sich in einem Boudoir ein, und ich horchte an der Tür.

»Nun?«

»Nun ja, ich habe den Herzog getroffen.«

»Was hat er Ihnen gesagt?«

»Er sagte mir, den Vorfall von neulich wolle er Ihnen gerne verzeihen, ihm sei jedoch zu Ohren gekommen, daß Sie ganz offen mit Monsieur Armand Duval zusammenlebten, und das könne er nicht dulden. ›Marguerite muß diesen jungen Mann verlassen‹, hat er gesagt, ›und dann wird sie von mir wie früher alles bekommen, was sie nur will, wenn nicht, braucht sie mich um nichts mehr zu bitten.‹«

»Und was haben Sie geantwortet?«

»Daß ich Ihnen seinen Entschluß mitteilen werde, und dann habe ich ihm noch versprochen, Sie zur Vernunft zu bringen. Bedenken Sie doch nur einmal, mein liebes Kind, welche Stellung Sie damit aufgeben; Armand wird sie Ihnen niemals ersetzen können. Er liebt Sie aus ganzem Herzen, aber er ist nicht vermögend genug, um für all Ihre Bedürfnisse aufkommen zu können. Eines Tages werdet ihr dann auseinandergehen müssen, und dann ist es zu spät, und der Herzog wird nichts mehr für Sie tun wollen. Soll ich einmal mit Armand reden?«

Marguerite schien zu überlegen, denn sie antwortete nicht. Mein Herz schlug wie rasend, während ich auf die Entgegnung wartete.

»Nein«, erwiderte sie schließlich, »ich werde Armand nicht verlassen, und ich werde mich auch nicht verstekken, um mit ihm zu leben. Es ist vielleicht ein Wahnsinn, aber ich kann nicht anders, ich liebe ihn. Und dann ist er jetzt auch daran gewöhnt, mich ohne Hindernisse lieben zu können; er würde sehr darunter leiden, mich auch nur eine Stunde entbehren zu müssen. Außerdem bleibt mir nicht mehr so viel Zeit zum Leben, daß ich mich jetzt unglücklich machen wollte und nach dem Willen eines Greises handeln, bei dessen bloßem Anblick ich mich schon dem Alter näher fühle. Soll er doch sein Geld behalten; ich komme auch gut ohne es zurecht.«

»Aber wie wollen Sie das anstellen?«

»Ich weiß es nicht.«

Prudence hatte zweifellos eine Antwort darauf, doch ich stürmte ins Zimmer und warf mich Marguerite zu Füßen und bedeckte ihre Hände mit Tränen der Freude über ihre Liebe.

»Mein Leben gehört dir, Marguerite, was brauchst du diesen Menschen noch, du hast doch mich! Wie könnte ich dich je verlassen, und wie kann ich dir das Glück vergelten, das du mir schenkst? Nichts zwingt uns mehr, meine Marguerite, wir lieben uns! Was kümmert uns der Rest?«

»O ja, ich liebe dich, mein Armand«, flüsterte sie und schlang mir die Arme um den Hals, »ich liebe dich so sehr, wie ich nie geglaubt habe, lieben zu können. Wir werden glücklich sein, wir werden ungestört leben, und ich will einem Leben, über das ich jetzt erröte, auf ewig adieu sagen. Du wirst mir doch nie meine Vergangenheit vorwerfen, nicht wahr?«

Tränen erstickten meine Stimme. Ich konnte ihr nur noch antworten, indem ich sie an mein Herz preßte.

»Erzählen Sie dem Herzog ruhig«, sagte sie mit bewegter Stimme, indem sie sich zu Prudence wandte, »alles, was Sie hier gesehen haben, und sagen Sie ihm auch, daß wir seiner nicht bedürfen.«

Von nun an war vom Herzog nicht mehr die Rede. Marguerite war nicht mehr das leichte Mädchen, das ich früher gekannt hatte. Sie vermied alles, was mich an ihr früheres Leben in jenen Kreisen, in denen ich sie kennengelernt hatte, hätte erinnern können. Keine Frau, keine Schwester hat für den Mann, den Bruder mehr Liebe und Anteilnahme gehabt als sie für mich. Ihre zerbrechliche Natur war für alle Eindrücke offen, allen Regungen zugänglich. Sie hatte mit ihren Freundinnen ebenso gebrochen wie mit ihren Gewohnheiten, mit ihrer früheren Sprache ebenso wie mit ihrer Verschwendungssucht. Wenn man uns aus dem Haus kommen sah, um in dem reizenden kleinen Boot, das ich ihr geschenkt hatte, eine Spazierfahrt zu machen, dann hätte man nie geglaubt, daß diese weißgekleidete Frau mit dem großen Strohhut, die über dem Arm einen leichten Seidenüberwurf trug, der sie gegen die Kühle des Wassers schützen sollte, jene Marguerite Gautier war, die noch vor ein paar Monaten mit ihrem Luxus und ihren Skandalen für so großes Aufsehen gesorgt hatte.

Ach, wir stürzten uns in unser Glück, als ahnten wir bereits, daß es nicht von langer Dauer sein werde.

Schon zwei Monate waren wir nicht einmal mehr nach Paris gefahren. Niemand kam uns besuchen, außer Prudence und jener Julie Duprat, von der ich Ihnen schon erzählt habe und der Marguerite später jene erschütternden Aufzeichnungen übergeben sollte, die ich jetzt hier liegen habe.

Ich lag ganze Tage meiner Geliebten zu Füßen. Wir öffneten die Fenster zum Garten und schauten zu, wie der übermütige Sommer die Blumen zum Sprießen brachte, und im Schatten der Bäume sogen wir Seite an Seite dieses wahre Leben in uns ein, von dem weder Marguerite noch ich bislang gewußt hatten, daß es existierte.

Diese Frau konnte wie ein Kind über die geringsten Dinge staunen. Es gab Tage, an denen sie wie ein zehnjähriges Mädchen einem Schmetterling oder einer Libelle nachlief. Die Kurtisane, die für Blumensträuße mehr Geld ausgegeben hatte, als eine ganze Familie benötigt hätte, um herrlich und in Freuden leben zu können, saß nun zuweilen auf der Wiese und betrachtete eine Stunde lang die schlichte Blume, die ihren Namen trug.[29]

In jener Zeit las sie häufig in ›Manon Lescaut‹. Ich überraschte sie des öfteren dabei, wie sie Bemerkungen hineinschrieb: Sie sagte immer zu mir, wenn eine Frau wahrhaft liebe, dann könne sie nicht so handeln wie Manon.

Zwei- oder dreimal schrieb ihr der Herzog. Sie erkannte die Handschrift und gab die Briefe ungelesen an mich weiter. Oft rührten mich manche Wendungen darin bis zu Tränen. Er hatte geglaubt, sie würde wieder zu ihm zurückkommen, wenn er ihr nur die Geldbörse verschloß. Doch als er gesehen hatte, wie fruchtlos dieses Mittel blieb, hatte er nicht länger an sich halten können; er hatte ihr geschrieben und sie wie damals um die Erlaubnis gebeten, sie doch wieder besuchen zu dürfen, welche Bedingungen auch immer sie ihm stellen wollte.

So las ich also diese flehentlichen und wiederholten Bittbriefe und zerriß sie, ohne Marguerite zu erzählen, was sie enthielten, und auch ohne ihr zuzureden, sie möge doch den Herzog wiedersehen, obgleich das Mitleid, das ich bei dem Schmerz des alten Mannes empfand, mich dazu drängte. Doch ich fürchtete, sie könne mir diesen Rat als den Wunsch deuten, der Herzog möge nach den wiederaufgenommenen Besuchen auch die Kosten für den Haushalt wieder übernehmen. Ich fürchtete vor allem, sie könne von mir denken, ich wolle die Verantwortung für ihr Leben und all die Folgen, die ihre Liebe zu mir haben konnte, nicht weiter tragen.

Die Folge davon war, daß der Herzog, als er keine Antwort erhielt, zu schreiben aufhörte und Marguerite und ich weiter zusammenlebten, ohne uns um die Zukunft zu sorgen.

XVIII

Es wird mir nur schwer gelingen, Ihnen unser neues Leben in allen Einzelheiten zu schildern. Es bestand aus einer Reihe Kindereien, die für uns ihren Zauber hatten, die Ihnen jedoch nur nichtssagend erscheinen dürften, wenn ich Sie Ihnen jetzt erzähle. Sie wissen, wie es ist, eine Frau zu lieben, wie kurz einem die Tage werden, mit welch verliebter Trägheit man sich in den nächsten hinübergleiten läßt. Sie kennen diese Weltvergessenheit, die aus einer stürmischen, innigen und geteilten Liebe erwächst. Jedes andere als das geliebte Wesen scheint in der Schöpfung überflüssig. Man bedauert, manche Winkel des Herzens schon an andere Frauen verschwendet zu haben, und man hält es nicht mehr für möglich, daß man je eine andere Hand hat drücken können als jene, die man jetzt in der seinen hält.

Der Kopf verweigert sowohl Arbeit wie Erinnerung, kurz alles, was ihn von dem einzigen Gedanken ablenken könnte, der ihn unablässig heimsucht. Mit jedem Tag entdeckt man einen neuen Reiz an seiner Geliebten, eine bisher unbekannte Lust. Das Dasein ist nur mehr die unaufhörliche Erfüllung eines fortwährenden Verlangens. Und die Seele ist nur mehr die Vestalin, welche die heiligen Flammen der Liebe nährt. War die Nacht hereingebrochen, setzten wir uns oft am Hügelabhang hinterm Haus in das Wäldchen. Dort lauschten wir den heiteren Klängen des Abends und dachten beide schon an die nahe Stunde, die uns bis zum Morgen einander in die Arme führen würde.

Ein andermal blieben wir den ganzen Tag im Bett und ließen nicht einmal die Sonne in unser Zimmer hinein.

Die Vorhänge waren dicht zugezogen, und die Welt da draußen stand einen Augenblick für uns still.

Allein Nanine hatte Erlaubnis, die Tür zu öffnen, und das nur, um uns das Essen zu bringen. Und auch um unsere Mahlzeiten einzunehmen, standen wir nicht auf, und unterbrachen sie immer wieder mit Gelächter und ausgelassenen Scherzen. Dann folgte ein kurzer Schlummer, denn wenn wir in unserer Liebe versanken, glichen wir zwei besessenen Tauchern, die nur an die Oberfläche stoßen, um kurz Luft zu holen.

Und dennoch entdeckte ich bei Marguerite Anwandlungen von Traurigkeit und mitunter sogar Tränen; ich fragte sie, was ihr denn so plötzlich Kummer bereite, und sie antwortete: »Unsere Liebe ist keine gewöhnliche, mein lieber Armand. Du liebst mich, als hätte ich noch nie einem anderen gehört, und ich zittre bei dem Gedanken, daß du mich später, wenn du deine Liebe bereuen und mich für meine Vergangenheit anklagen magst, zwingen wirst, wieder zu diesem Dasein zurückzukehren, dem du mich entrissen hast. Denn jetzt, nachdem ich ein neues Leben erfahren habe, würde es meinen Tod bedeuten, wenn ich das alte wieder aufnehmen müßte. So sag' mir doch, daß du mich niemals verlassen wirst.«

»Ich schwöre es dir.«

Bei diesem Wort schaute sie mich an, als wollte sie in meinen Augen lesen, ob mein Schwur auch aufrichtig sei; dann fiel sie mir in die Arme, und indem sie ihr Gesicht an meiner Brust verbarg, sagte sie: »Du weißt ja gar nicht, wie sehr ich dich liebe!«

»Jetzt kommt schon der Winter. Sollen wir wegfahren?«

»Und wohin?«

»Nach Italien.«

»Ich fürchte mich vor dem Winter; vor allem fürchte ich mich vor der Rückkehr nach Paris.«

»Warum?«

»Aus vielen Gründen.«

Plötzlich unterbrach sie sich, und ohne mir die Gründe

für ihre Befürchtungen zu nennen, fuhr sie fort: »Willst du abreisen? Ich werde alles verkaufen, was ich besitze, und dann werden wir da unten leben, und von dem, was ich einmal war, wird nichts mehr übrigbleiben, niemand wird dort wissen, wer ich bin. Willst du das?«

»Ja, wir wollen fort von hier, Marguerite, wenn es dir Freude macht, dann laß uns eine Reise machen«, sagte ich zu ihr, »doch weshalb solltest du alle deine Sachen verkaufen? Du wirst froh sein, sie bei deiner Rückkehr wiederzufinden. Mein Vermögen ist nicht groß genug, daß ich ein solches Opfer annehmen könnte, aber es reicht doch dafür hin, daß wir fünf oder sechs Monate lang eine schöne Reise machen können, wenn dir das nur irgendwie eine Freude sein kann.«

»Ach nein, lieber nicht«, fuhr sie fort, indem sie vom Fenster wegtrat und sich in einem finsteren Winkel des Zimmers aufs Sofa setzte, »wozu sollten wir dort unten Geld verschwenden, ich koste dich doch hier schon genug.«

»Du wirfst mir das vor, Marguerite, das ist nicht sehr edel von dir.«

»Verzeih, mein Freund«, sagte sie und reichte mir die Hand, »dieses stürmische Wetter greift meine Nerven an. Ich sage ganz andre Dinge, als ich denke.«

Sie küßte mich und versank dann in ein tiefes Sinnen. Ähnliche Szenen wiederholten sich, und wenn ich auch nicht wußte, aus welchem Anlaß sie entstanden, entging es mir doch nicht, daß Marguerite über die Zukunft beunruhigt und besorgt war. An meiner Liebe konnte sie nicht zweifeln, denn sie wurde täglich größer, doch sah ich sie oft traurig, ohne daß sie mir je eine andere Ursache für ihre Traurigkeit genannt hätte als ein körperliches Leiden.

Da ich fürchtete, sie könne des allzu einförmigen Lebens überdrüssig sein, schlug ich ihr vor, nach Paris zurückzukehren, doch sie wies diesen Vorschlag stets zurück und versicherte mir, nirgends könne sie so glücklich sein wie hier auf dem Lande.

Prudence kam nur noch sehr selten, dafür aber schrieb sie Briefe, die ich nie zu sehen verlangte, obwohl sie Marguerite regelmäßig in tiefe Sorgen stürzten. Ich wußte nicht, was ich davon halten sollte.

Eines Tages blieb sie auf ihrem Zimmer. Ich trat ein; sie schrieb gerade.

»An wen schreibst du da?« fragte ich.

»An Prudence. Soll ich dir vorlesen, was ich geschrieben habe?«

Da ich alles verabscheute, was nach Argwohn hätte aussehen können, erklärte ich Marguerite, ich wolle nicht wissen, was sie schreibe, und doch war ich mir sicher, daß ich aus diesem Brief die wahre Ursache ihrer Niedergeschlagenheit erfahren hätte.

Am nächsten Tag war herrliches Wetter. Marguerite machte den Vorschlag, wir sollten eine Spazierfahrt mit dem Boot machen und uns die Ile de Croissy ansehen.

Sie schien sehr ausgelassen. Um fünf Uhr kamen wir zurück.

»Madame Duvernoy ist dagewesen«, sagte Nanine, als sie uns eintreten sah.

»Ist sie wieder fort?« fragte Marguerite.

»Ja, mit dem Wagen von Madame. Sie hat gesagt, es sei so ausgemacht.«

»Sehr schön«, antwortete Marguerite lebhaft, »servieren Sie uns jetzt.«

Zwei Tage darauf kam ein Brief von Prudence, und während der nächsten vierzehn Tage schien Marguerite ihre seltsame Schwermut überwunden zu haben, für die sie mich nun, da sie verschwunden war, immer wieder um Verzeihung bat.

Doch der Wagen kam nicht zurück.

»Wie kommt es, daß Prudence dir dein Coupé nicht zurückschickt?« fragte ich sie eines Tages.

»Eines der beiden Pferde ist krank, und am Wagen gibt es etliches in Ordnung zu bringen. Es ist besser, wenn das alles gemacht wird, solange wir noch hier sind, statt bis zu unserer Rückkehr nach Paris zu warten, denn hier brauchen wir ja keinen Wagen.«

Prudence kam uns einige Tage später besuchen und bestätigte alles, was Marguerite gesagt hatte.

Die beiden Frauen gingen allein im Garten spazieren, und als ich zu ihnen trat, wechselten sie den Gegenstand ihres Gesprächs.

Als Prudence am Abend aufbrach, klagte sie über die Kälte und bat Marguerite, ihr einen Kaschmirschal zu leihen.

So verging ein Monat, in dem Marguerite fröhlicher und liebevoller war als je zuvor.

Doch war der Wagen nicht zurückgekommen, und auch der Kaschmirschal wurde nicht zurückgeschickt. All das gab mir allmählich doch zu denken, und da ich wußte, in welcher Schublade Marguerite die Briefe aufbewahrte, die sie von Prudence erhielt, nutzte ich die Gelegenheit, als sie sich einmal hinten im Garten befand, und versuchte, die Schublade zu öffnen. Doch vergebens, sie war fest verschlossen.

Nun durchsuchte ich jene, in denen sie gewöhnlich ihren Schmuck und ihre Diamanten aufbewahrte. Sie ließen sich ohne weiteres öffnen, doch die Etuis waren verschwunden, und mit ihnen natürlich auch alles, was sie enthielten.

Da packte mich eine furchtbare Ahnung.

Ich war schon im Begriff, Marguerite um Aufklärung über das Verbleiben des Schmucks zu bitten, doch sie hätte mir wohl kaum die Wahrheit gesagt.

»Meine liebe Marguerite«, sagte ich also zu ihr, »du mußt mir erlauben, nach Paris zu fahren. Bei mir weiß keiner, wo ich bin, und es müssen Briefe von meinem Vater angekommen sein; er ist sicher in Sorge, und ich muß ihm schreiben.«

»Geh nur, mein Freund«, sagte sie, »aber sieh zu, daß du rechtzeitig wieder zurück bist.«

Ich fuhr.

Bei meiner Ankunft eilte ich unverzüglich zu Prudence.

»Antworten Sie mir ganz offen«, sagte ich ohne Umschweife, »wo sind die Pferde von Marguerite?«

»Verkauft.«

»Und der Kaschmirschal?«

»Verkauft.«

»Und die Diamanten?«

»Verpfändet.«

»Und wer hat verkauft und verpfändet?«

»Ich.«

»Warum haben Sie mir nichts davon gesagt?«

»Weil Marguerite es mir verboten hatte.«

»Und warum haben Sie mich nicht um Geld gebeten?«

»Weil sie das nicht wollte.«

»Und wo ist das ganze Geld hingegangen?«

»Es gab Schulden zu bezahlen.«

»Hat sie denn so viele?«

»Jetzt sind es noch ungefähr dreißigtausend Francs. Tja, mein Lieber, ich hatte es Ihnen ja gleich gesagt, oder etwa nicht? Aber Sie haben mir ja nicht glauben wollen, jetzt sehen Sie, wie recht ich hatte. Der Möbelhändler, bei dem der Herzog für sie gebürgt hatte, ist von ihm vor die Tür gesetzt worden, als er ihm die Rechnung brachte. Und am nächsten Tag hat der Herzog ihm einen Brief geschrieben, daß er nicht weiter für Mademoiselle Gautier aufkommen werde. Der Mann wollte sein Geld sehen, da haben wir ihm Abschlagszahlungen versprochen, das waren die paar tausend Francs, die ich von Ihnen erbeten habe. Dann haben ihm ein paar barmherzige Seelen hinterbracht, daß seine Schuldnerin, nachdem sie vom Herzog verlassen wurde, nun mit einem jungen Mann ohne Vermögen zusammenlebe; die anderen Gläubiger wurden gleichfalls gewarnt, sie haben ihr Geld verlangt und Pfändungen veranlaßt. Marguerite wollte alles verkaufen, aber dazu war nicht mehr die Zeit, und ich hätte es auch gar nicht zugelassen. Bezahlen mußten wir jedenfalls, und um Sie nicht um Geld bitten zu müssen, hat sie ihre Pferde und Kaschmirschals verkauft und ihren Schmuck verpfändet. Wollen Sie die Quittungen der Käufer und die Leihhausscheine sehen?«

Prudence öffnete eine Schublade und zeigte mir die Papiere.

»Ha! Sie glauben wohl«, fuhr sie fort mit der Beharrlichkeit einer Frau, die sich im Recht weiß, »Sie glauben wohl, es würde genügen, sich zu lieben und auf dem Lande ein idyllisches und luftigleichtes Leben zu führen? Nein, mein Freund, nein. Neben dem Idealen gibt es auch noch das Materielle, und selbst die hehrsten Entschlüsse sind durch lächerliche, doch eisenstarke Bande an die Erde gefesselt, und die schlägt man nicht so leicht entzwei. Daß Marguerite Sie nicht schon zwanzigmal betrogen hat, liegt allein an ihrem außergewöhnlichen Wesen. Dazu geraten habe ich ihr nur oft genug, denn es tat mir weh zu sehen, wie die Ärmste alles weggeben mußte. Sie wollte nicht auf mich hören! Sie antwortete mir, sie liebe Sie und könne Sie um nichts auf der Welt betrügen. Das mag ja recht hübsch sein, recht poetisch, aber das ist nicht die Münze, in der man Gläubiger bezahlt. Und jetzt kann sie sich nicht mehr aus der Schlinge ziehen, ganze dreißigtausend Francs, wie gesagt.«

»Schon gut, ich werde für den Betrag aufkommen.«

»Sie wollen doch wohl nicht Anleihen aufnehmen?«

»Aber ja doch, mein Gott!«

»Davon sollten Sie schön die Finger lassen; Sie werden sich nur mit Ihrem Vater überwerfen und sich Ihre Einnahmequelle versperren, und außerdem findet man dreißigtausend Francs nicht so von heute auf morgen. Hören Sie auf mich, mein lieber Armand, ich kenne die Frauen besser als Sie; eine solche Torheit sollten Sie nicht begehen, Sie müßten es eines Tages bereuen. Nehmen Sie doch Vernunft an. Ich sage ja gar nicht, daß Sie Marguerite verlassen sollen, leben Sie mit ihr wieder so wie zu Beginn des Sommers. Lassen Sie sie doch selbst auf Mittel sinnen, wie sie sich aus der Verlegenheit ziehen kann. Der Herzog wird mit der Zeit schon wieder zu ihr zurückfinden. Und der Graf de N. hat mir noch gestern gesagt, wenn sie ihn wieder nehmen wollte, dann würde er all ihre Schulden begleichen und ihr monatlich fünf- oder sechstausend Francs zahlen. Er bezieht eine Rente von zweihunderttausend Livres. Da hätte sie eine gesicherte Stellung. Sie hingegen müßten sie früher oder später ja doch verlassen. Warten Sie damit nicht, bis Sie sich völlig ruiniert haben, zumal der Graf de N. ein Dummkopf ist und nichts Sie daran hindern würde, Marguerites Liebhaber zu bleiben. Zu Anfang wird sie ein paar Tränen vergießen, doch am Ende wird sie sich daran gewöhnen, und eines Tages wird sie es Ihnen danken. Sie sollten sich einfach vorstellen, Marguerite wäre verheiratet und Sie betrögen den Gatten, so einfach ist das. Das alles habe ich Ihnen schon einmal gesagt, doch damals war es nur ein guter Rat, während es heute fast schon unumgänglich ist, so zu handeln.«

Prudence hatte leider überaus recht.

»So ist das nun mal«, fuhr Prudence fort, während sie die Papiere, die sie mir gezeigt hatte, wieder verschloß, »die Kurtisanen sind stets darauf gefaßt, daß man sich in sie verliebt, denken jedoch nie, sie könnten sich selbst verlieben, denn sonst würden sie sich ein wenig Geld beiseite legen, und mit dreißig Jahren könnten sie sich dann den Luxus leisten, sich umsonst an einen Liebhaber zu verschenken. Hätte ich doch damals schon gewußt, was ich heute alles weiß! Nun gut, kein Wort davon zu Marguerite, und daß Sie sie ja nach Paris zurückbringen! Sie haben sie vier oder fünf Monate lang für sich alleine gehabt, das sollte jetzt genügen; drücken Sie ein Auge zu, das ist alles, was man von Ihnen verlangt. Nach vierzehn Tagen wird sie den Grafen de N. nehmen, über den Winter kann sie Ersparnisse machen, und im nächsten Sommer können Sie dann wieder von vorne beginnen. So macht man das, mein Lieber!«

Prudence schien entzückt von ihrem Ratschlag, den ich entrüstet zurückwies.

Nicht nur mein Stolz und meine Liebe hinderten mich daran, so zu handeln, darüber hinaus war ich auch überzeugt, daß Marguerite an einem Punkt angelangt war, wo sie lieber gestorben wäre, als in einen solchen Handel einzuwilligen.

»Scherz beiseite«, sagte ich zu Prudence, »wieviel fehlen Marguerite noch, alles in allem?«

»Wie schon gesagt, etwa dreißigtausend Francs.«

»Und wann ist der Betrag fällig?«

»In weniger als zwei Monaten.«

»Sie wird das Geld bekommen.«

Prudence zuckte die Achseln.

»Ich werde es Ihnen bringen«, fuhr ich fort, »doch Sie dürfen Marguerite nichts davon sagen, daß ich es gewesen bin.«

»Seien Sie unbesorgt.«

»Und wenn sie Ihnen wieder etwas zum Verkaufen oder Verpfänden schickt, dann benachrichtigen Sie mich.«

»Da besteht keine Gefahr, sie besitzt nichts mehr.«

Ich ging zuerst in meine Wohnung, um nachzusehen, ob mein Vater geschrieben hatte. Es lagen vier Briefe da.

XIX

In den ersten drei Briefen äußerte mein Vater seine Besorgnis darüber, daß ich ihm nicht antwortete, und fragte mich nach dem Grund; im letzten gab er zu verstehen, daß er inzwischen über meinen neuen Lebenswandel unterrichtet sei, und kündigte mir seinen baldigen Besuch an.

Ich habe für meinen Vater stets eine große Achtung und aufrichtige Zuneigung empfunden. Ich antwortete ihm also, daß eine kleine Reise der Grund für mein Schweigen gewesen sei, und bat ihn, mich den Tag seiner Ankunft im voraus wissen zu lassen, damit ich ihn abholen könne.

Meinem Diener teilte ich meine Anschrift auf dem Lande mit und gab ihm Anweisung, mir sofort jeden Brief zu überbringen, der den Poststempel der Stadt C. trage. Dann fuhr ich unverzüglich nach Bougival zurück.

Marguerite erwartete mich am Gartentor. Ihr Blick verriet Besorgnis. Sie fiel mir um den Hals und fragte mich unwillkürlich: »Hast du Prudence gesehen?«

»Nein.«

»Du bist recht lange in Paris gewesen.«

»Es lagen dort Briefe von meinem Vater, ich mußte sie beantworten.«

Einige Augenblicke darauf trat Nanine ganz außer Atem herein. Marguerite stand auf und sprach leise mit ihr. Als Nanine sich wieder entfernt hatte, setzte sich Marguerite ganz nah zu mir, nahm mich bei der Hand und fragte: »Warum hast du mich angelogen? Du bist doch bei Prudence gewesen!«

»Wer hat dir das gesagt?«

»Nanine.«

»Und woher weiß sie das?«

»Sie ist dir gefolgt.«

»Und du hast ihr Weisung dazu gegeben?«

»Ja. Ich sagte mir, du müßtest einen ernsten Grund haben, daß du nach Paris fährst, wo du mich doch seit vier Monaten nicht allein lassen konntest. Ich befürchtete, dir könne ein Unglück widerfahren sein, oder daß du vielleicht eine andere Frau treffen könntest.«

»Du Kindskopf.«

»Jetzt bin ich beruhigt, ich weiß, was du getan hast, doch ich weiß noch immer nicht, was man dir gesagt hat.«

Ich zeigte Marguerite die Briefe meines Vaters.

»Nicht darum wollte ich dich bitten. Was ich wissen will, ist: Warum bist du zu Prudence gegangen?«

»Um bei ihr hereinzuschauen.«

»Du lügst, mein Freund.«

»Na gut, ich bin bei ihr gewesen, weil ich wissen wollte, ob es denn dem Pferd jetzt schon besser geht und ob sie deinen Kaschmirschal und deinen Schmuck immer noch benötigt.«

Marguerite errötete, doch sie sagte kein Wort.

»Und dann«, fuhr ich fort, »habe ich erfahren, was für einen Gebrauch du von deinen Pferden, deinen Kaschmirschals und deinen Diamanten machst.«

»Und nimmst du es mir übel?«

»Ich nehme dir übel, daß du nicht auf den Gedanken gekommen bist, mich um das nötige Geld zu bitten.«

»In einem Verhältnis wie dem unseren muß die Frau, wenn sie noch ein klein wenig Stolz in sich hat, alle nur erdenklichen Opfer auf sich nehmen, bevor sie ihren Liebhaber um Geld bittet und dadurch ihrer Liebe einen käuflichen Anstrich verleiht. Du liebst mich, davon bin ich überzeugt, doch du weißt nicht, wie dünn das Band einer Liebe ist, die man für ein Mädchen wie mich empfindet. Wer weiß? Es mag ein Tag kommen, an dem du dich ärgerst oder dich langweilst, und dann wirst du dir vielleicht einbilden, unsere Liebe sei eine geschickt ausgeklügelte Berechnung! Prudence ist eine Schwätzerin. Was brauchte ich denn diese Pferde! Es war klug von mir, sie zu verkaufen, so habe ich Geld gespart; ich kann gut auch ohne sie auskommen, und jetzt verursachen sie mir keine Kosten mehr; falls du mich liebst, und das ist alles, was ich von dir verlange, so wirst du mich auch ohne Pferde, ohne Kaschmirschals und ohne Diamanten lieben!«

Das alles wurde in einem so natürlichen Tonfall gesagt, daß mir beim Zuhören die Tränen in die Augen stiegen.

»Aber meine gute Marguerite«, erwiderte ich und drückte liebevoll die Hände meiner Geliebten, »du wußtest recht wohl, daß ich eines Tages von diesem Opfer erfahren würde und daß ich es von diesem Tage an nicht mehr würde dulden können.«

»Wie das?«

»Weil ich es nicht hinnehmen könnte, meine Liebe, wenn du für die Zuneigung, die du für mich empfindest, auch nur auf ein einziges Schmuckstück verzichten müßtest. Auch ich würde nicht wollen, daß du in einem Augenblick, in dem du dich ärgerst oder dich langweilst, auf den Gedanken kommen könntest, das wäre mit einem anderen vielleicht nicht so, und es auch nur eine Minute bereuen könntest, mit mir zusammenzuleben. In wenigen Tagen wirst du deine Pferde, deine Diamanten und deine Kaschmirschals zurückbekommen. Du brauchst sie wie die Luft zum Atmen, und es mag lächerlich sein, doch verschwenderisch liebe ich dich mehr als bescheiden.«

»Dann liebst du mich also nicht mehr.«

»Du Wahnsinnige!«

»Denn liebtest du mich, so würdest du es zulassen, daß ich dich auf meine Weise liebe; du hingegen willst in mir nur weiterhin ein leichtes Mädchen sehen, das den Luxus nicht entbehren kann, und glaubst, ihn bezahlen zu müssen. Du schämst dich, meine Liebesbeweise anzunehmen. Du willst es dir vielleicht noch nicht eingestehen, doch du denkst daran, mich eines Tages zu verlassen, und dir ist sehr daran gelegen, daß dein Feingefühl über jeden Zweifel erhaben ist. Recht hast du, mein Freund, doch ich hatte Besseres erwartet.«

Marguerite machte Anstalten aufzustehen; ich hielt sie zurück und sagte: »Ich will, daß du glücklich bist und mir nichts vorzuwerfen hast, das ist alles.«

»Und doch sollten wir uns trennen.«

»Weshalb, Marguerite? Wer kann uns trennen?« schrie ich auf.

»Du selbst, der du mir nicht erlauben willst, auf deine Lage und Stellung Rücksicht zu nehmen, und der du die Eitelkeit besitzt, mir die meine bewahren zu wollen; du, der du die sittliche Kluft, die uns trennt, dadurch aufrechterhalten willst, daß du mir weiterhin den Luxus sicherst, den ich bisher gewohnt war. Und schließlich noch einmal du, denn du hältst meine Zuneigung nicht für uneigennützig genug, als daß ich dein Vermögen mit dir teilen wollte, mit dem wir glücklich leben könnten, und treibst dich lieber in den Ruin, als dich von dem Joch eines so lächerlichen Vorurteils zu befreien. Glaubst du etwa, ich könnte einen Wagen und Schmuck gegen deine Liebe abwägen? Glaubst du, das Glück läge für mich in diesen eitlen Nichtigkeiten, mit denen man sich tröstet, solange man nicht liebt, die sich jedoch als recht armselig erweisen, wenn man liebt? Du wirst meine Schulden bezahlen, dein Vermögen diskontieren, und damit hältst du mich letztlich aus! Wie lange kann das wohl so gehen? Zwei oder drei Monate, und dann wird es zu spät sein, um das Leben zu beginnen, das ich dir anbiete, denn dann würdest du auf all meine Bedingungen eingehen, und das darf ein Mann von Ehre nicht tun. Jetzt dagegen hast du eine Rente von acht- oder zehntausend Francs, damit könnten wir leben. Ich würde alles Überflüssige aus meiner Habe verkaufen, und allein das brächte mir schon zehntausend Livres im Jahr ein. Dann würden wir uns eine hübsche kleine Wohnung für uns beide mieten. Den Sommer würden wir aufs Land gehen, nicht in ein Haus wie dieses hier, sondern ein kleines, das für zwei genügte. Du bist unabhängig, ich bin frei, wir beide sind jung, um Himmels willen, Armand, stoß mich nicht wieder in das Leben zurück, das ich früher führen mußte!«

Ich konnte nichts darauf erwidern, Tränen der Dankbarkeit und der Liebe füllten meine Augen, und ich warf mich in ihre Arme.

»Ich wollte alles in Ordnung bringen, ohne dir etwas davon zu sagen«, fuhr sie weiter fort, »all meine Schulden bezahlen und meine neue Wohnung herrichten lassen. Im Oktober wären wir nach Paris zurückgekehrt, und alles wäre erledigt gewesen. Doch da Prudence dir nun alles erzählt hat, mußt du mir im voraus deine Einwilligung geben statt hinterher. Liebst du mich genug, um das zu tun?«

Einer solchen Hingabe zu widerstehen, war nicht denkbar. Ich küßte Marguerite stürmisch die Hände und sagte: »Ich will alles tun, was du nur willst.«

Damit war ihr Entschluß besiegelt.

Jetzt wurde sie von einer übermütigen Heiterkeit gepackt: Sie tanzte, sie sang und schwärmte ausgelassen von der Einfachheit ihrer neuen Wohnung, von dem Viertel und der Einrichtung, zu der sie mich jetzt schon um Rat anging.

Ich sah, wie glücklich und stolz sie über diesen Entschluß war, der uns beide nun endgültig zu vereinen schien.

Auch wollte ich ihr in nichts nachstehen.

In einem Augenblick entschied ich über mein Leben. Ich überschlug mein Vermögen und trat Marguerite die Rente ab, die meine Mutter mir hinterlassen hatte und die mir nur eine dürftige Vergeltung für das Opfer schien, das ich von ihr angenommen hatte.

Es blieben mir die jährlichen fünftausend Francs, die mir mein Vater ausgesetzt hatte und mit denen ich, was auch immer geschehen mochte, stets mein Leben würde fristen können. Ich sagte Marguerite nicht, was ich beschlossen hatte, da ich überzeugt war, sie würde die Schenkung ausschlagen.

Diese Rente stammte aus einer Hypothek von sechzigtausend Francs, die auf einem Haus lag, das ich selbst noch nie gesehen hatte. Ich wußte weiter nichts, als daß der Notar meines Vaters, ein alter Freund unserer Familie, mir alle Vierteljahre siebenhundertfünfzig Francs gegen einfache Quittung übergab.

An dem Tag, da ich mit Marguerite zur Wohnungssuche nach Paris fuhr, ging ich zu diesem Notar und erkundigte mich, welche Formalitäten nötig waren, um diese Rente auf eine andere Person zu übertragen.

Der gute Mann hielt mich für ruiniert und fragte mich nach den Gründen für diesen Entschluß. Und da ich ihm früher oder später ohnehin würde sagen müssen, zu wessen Gunsten ich diese Schenkung machte, wollte ich ihm lieber gleich reinen Wein einschenken.

Er machte mir keine jener Vorhaltungen, zu denen seine Stellung als Notar und Freund der Familie ihn berechtigt hätten, und versicherte mir, er wolle die ganze Sache aufs Beste regeln.

Natürlich drang ich auf größte Verschwiegenheit meinem Vater gegenüber und ging wieder zu Marguerite, die bei Julie Duprat auf mich hatte warten wollen, um sich Prudences Moralpredigten zu ersparen.

Wir gingen auf Wohnungssuche. Was wir uns auch ansahen, Marguerite fand alles zu teuer und ich zu einfach. Doch schließlich konnten wir uns einigen und entschieden uns für einen kleinen Pavillon, etwas abseits vom Hauptgebäude gelegen, in einem der ruhigsten Viertel von Paris.

Hinter dem Haus erstreckte sich ein reizender Garten, dessen Mauern hoch genug waren, uns vor den Blicken der Nachbarn zu schützen, und niedrig genug, uns die Aussicht nicht zu versperren.

Es war besser gekommen, als wir erwartet hatten.

Während ich in meine Wohnung ging, um dort zu kündigen, begab sich Marguerite zu einem Geschäftsmann, der angeblich für eine ihrer Freundinnen bereits getan hatte, worum sie ihn nun bitten wollte.

Ich holte Marguerite in der Rue de Provence ab, sie war überglücklich.

Der Geschäftsmann hatte ihr versprochen, all ihre Schulden zu begleichen, ihr die Quittungen auszuhändigen und ihr bei Übereignung all ihrer Möbel zwanzigtausend Francs auszuzahlen.

Sie haben ja an den Summen, die auf der Versteigerung geboten wurden, sehen können, daß dieser Ehrenmann an seiner Klientin mehr als dreißigtausend Francs Gewinn gemacht haben mußte.

Wir fuhren in bester Laune nach Bougival zurück und besprachen weiter unsere Zukunftspläne, die wir uns, dank unserer Sorglosigkeit und vor allem dank unserer Liebe, nur in den rosigsten Farben malten.

Acht Tage später saßen wir gerade beim Frühstück, als Nanine eintrat, um mir zu melden, daß mein Diener mich zu sprechen wünsche.

Ich ließ ihn hereinbitten.

»Monsieur Duval«, sagte er, »Ihr Vater ist in Paris eingetroffen und bittet Sie, ihn sofort in Ihrer Wohnung aufzusuchen, er erwartet Sie dort.«

Diese Nachricht war die einfachste Sache von der Welt, und doch warfen Marguerite und ich uns unwillkürlich einen Blick zu, als wir davon erfuhren.

Wir ahnten bereits, daß in diesem Vorfall Bedrohliches lag.

Und darum faßte ich sie, ohne daß sie mir zu erkennen gegeben hätte, daß sie meine Ahnung teilte, bei der Hand und sagte: »Sei ganz unbesorgt.«

»Komm zurück, so schnell du kannst«, flüsterte sie, als sie mich umarmte, »ich werde am Fenster auf dich warten.«

Ich schickte Joseph fort, meinem Vater zu sagen, daß ich sofort kommen werde.

Und zwei Stunden darauf war ich auch schon in der Rue de Provence.

XX

Mein Vater saß im Hausrock im Salon und schrieb.

An der Art, wie er den Blick zu mir hob, als ich den Raum betrat, erkannte ich, daß er Ernstes mit mir zu besprechen hatte. Dennoch trat ich ihm entgegen, als hätte ich seiner Miene nichts angemerkt, und umarmte ihn:

»Wann sind Sie angekommen, Vater?«

»Gestern abend.«

»Und haben Sie wie gewöhnlich bei mir übernachtet?«

»Ja.«

»Es tut mir sehr leid, daß ich nicht da war, um Sie empfangen zu können.«

Ich erwartete schon, daß auf diese Worte hin die Strafpredigt losdonnern werde, die sein Blick mir ankündigte; doch er antwortete nichts, versiegelte den Brief, den er soeben geschrieben hatte, und schickte Joseph damit zur Post.

Als wir allein waren, stand mein Vater auf und sagte mir, indem er sich auf den Kaminsims stützte:

»Mein lieber Armand, wir haben ernste Dinge zu bereden.«

»Ich höre, Vater.«

»Versprichst du mir, aufrichtig zu sein?«

»Das bin ich immer gewesen.«

»Ist es wahr, daß du mit einer Frau namens Marguerite Gautier zusammenlebst?«

»Ja.«

»Weißt du, wer diese Frau gewesen ist?«

»Eine Kurtisane.«

»Und um ihretwillen hast du dieses Jahr vergessen, uns zu besuchen, deine Schwester und mich?«

»Ja, Vater, das gebe ich zu.«

»Du liebst diese Frau also sehr?«

»Das sehen Sie ja, Vater, denn sie hat mich eine heilige Pflicht versäumen lassen, wofür ich Sie jetzt demütig um Verzeihung bitten möchte.«

Mein Vater hatte gewiß solche entschiedenen Antworten nicht erwartet, denn er schien einen Augenblick zu überlegen, bevor er zu mir sagte:

»Du hast sicher eingesehen, daß du nicht immer so wirst leben können?«

»Ich habe es befürchtet, aber eingesehen habe ich es nicht.«

»Aber Sie sind sich darüber im klaren gewesen«, fuhr

mein Vater in einem schärferen Ton fort, »daß ich das nicht dulden würde.«

»Ich habe mir gedacht, solange ich nichts tue, womit ich die Achtung verletzen könnte, die ich Ihrem Namen und unserer alten Familienehre schuldig bin, werde ich weiterhin so leben können wie bisher, und das hat meine Bedenken einigermaßen beschwichtigt.«

Leidenschaften machen uns stark gegen andrängende Gefühle.

Um Marguerite nicht verlieren zu müssen, war ich zu jedem Kampf bereit, selbst gegen meinen Vater.

»Dann werden Sie jetzt ein anderes Leben führen müssen.«

»Warum das, Vater?«

»Weil Sie im Begriff sind, Dinge zu tun, die die Achtung, die Sie zu haben glauben, sehr wohl verletzen.«

»Ich verstehe Sie nicht.«

»Ich will es Ihnen erklären. Daß Sie ein Verhältnis haben, dagegen ist nichts zu sagen. Daß Sie die Liebe dieser Kurtisane bezahlen, wie es von einem rechten Kavalier verlangt wird, um so besser. Aber daß Sie um ihretwillen die heiligen Pflichten versäumen und es zulassen, daß das Gemunkel um Ihr skandalöses Leben schon bis in die hinterste Provinz zu vernehmen ist und auf den ehrenhaften Namen, den ich Ihnen gab, einen Schandfleck wirft, das darf nicht sein, und das wird auch nicht sein.«

»Lieber Vater, dann lassen Sie sich sagen, daß Ihre Gewährsmänner schlecht unterrichtet sind. Ich bin der Geliebte von Mademoiselle Gautier, wir leben zusammen, nichts einfacher als das. Ich gebe ihr weder den Namen, den ich von Ihnen erhalten habe, noch gebe ich für sie mehr aus, als meine Mittel mir erlauben; ich habe keine Schulden gemacht, ich befinde mich also durchaus nicht in einer Lage, die einen Vater dazu berechtigen könnte, so zu seinem Sohn zu sprechen, wie Sie es gerade getan haben.«

»Ein Vater ist immer dazu berechtigt, seinen Sohn von

dem schlechten Weg abzubringen, den er ihn einschlagen sieht. Noch haben Sie nichts Übles getan, aber das wird noch kommen.«

»Vater!«

»Ich kenne das Leben besser als Sie. Nur bei vollkommen keuschen Frauen findet man vollkommen reine Gefühle. Durch jede Manon kann man zu einem Des Grieux werden, und die Zeiten und Sitten haben sich gewandelt. Wozu sollte die Welt auch älter werden, wenn sie sich nicht auch verbessern würde. Sie werden Ihre Geliebte verlassen.«

»Es tut mir leid, Vater, daß ich Ihnen nicht gehorchen kann, doch das ist unmöglich.«

»Ich werde Sie dazu zwingen.«

»Vater, leider gibt es keine Sainte-Marguerite-Inseln mehr, auf die man die Kurtisanen verbannen könnte, und gäbe es sie noch, so würde ich Marguerite Gautier folgen, falls es Ihnen gelänge, sie dorthin verschicken zu lassen. Was haben Sie denn nur? Vielleicht tue ich das Falsche, doch ich kann nur als Liebhaber dieser Frau mein Glück finden.«

»Seien Sie doch vernünftig, Armand, machen Sie die Augen auf, vor Ihnen steht Ihr Vater, der Sie immer geliebt hat und nur Ihr Glück will. Verträgt es sich etwa mit Ihrer Ehre, daß Sie wie in einer Ehe mit einem Mädchen zusammenleben, das ein jeder schon besessen hat?«

»Was liegt schon daran, Vater, wenn sie doch jetzt keinem mehr gehören wird, wenn sie durch ihre und meine Liebe eine ganz andere geworden ist. Was liegt letztlich daran, wo sie doch jetzt bekehrt ist?«

»Sie glauben wohl, es sei die Aufgabe eines Ehrenmannes, Kurtisanen zu bekehren? Sie glauben wohl, Gott habe dem Leben diesen grotesken Zweck gegeben, und das Herz dürfe sich für nichts anderes mehr begeistern? Was wird denn das Ende dieser wunderbaren Heilung sein, und was werden Sie wohl über Ihre jetzigen Worte denken, wenn Sie einmal vierzig Jahre alt sind? Lachen werden Sie über Ihre Liebe, wenn Sie dann noch darüber lachen können, wenn sie nicht schon zu tiefe Spuren in Ihrer Vergangenheit hinterlassen hat. Was wären Sie wohl zu dieser Stunde, wenn Ihr Vater auf solche Gedanken gekommen wäre und in seinem Leben jeder Liebeslaune nachgegeben hätte, anstatt es auf die Begriffe von Ehre und Redlichkeit zu gründen. Seien Sie doch vernünftig, lassen Sie diese Frau fallen, Ihr Vater bittet Sie inständig darum.«

Ich antwortete nichts.

»Armand«, fuhr mein Vater fort, »im Namen Ihrer seligen Mutter, hören Sie auf mich, lassen Sie ab von diesem Leben, das Sie schneller vergessen werden, als Sie glauben, und an das Sie eine unhaltbare Theorie fesselt. Sie sind vierundzwanzig Jahre alt, denken Sie an die Zukunft. Sie können diese Frau nicht immer lieben, sowenig wie sie Sie immer lieben wird. Da überschätzen Sie alle beide Ihre Zuneigung. Sie verbauen sich damit jedes Fortkommen. Noch einen Schritt weiter, und Sie können den eingeschlagenen Weg nicht mehr verlassen und werden ein Leben lang Ihrer Jugend nachtrauern. Reisen Sie mit mir ab und verbringen Sie einen oder auch zwei Monate bei Ihrer Schwester. Die Stille und die achtungsvolle Liebe Ihrer Familie werden Sie rasch von diesem Fieber heilen, denn weiter ist es nichts. Unterdessen wird sich Ihre Geliebte schon zu trösten wissen, sie wird sich einen anderen Liebhaber suchen, und wenn Sie dann erkennen werden, um wessentwillen Sie sich beinahe mit Ihrem Vater überworfen und seine Zuneigung verscherzt hätten, dann werden Sie mir sagen, daß ich gut daran getan habe, Sie aufzusuchen, und werden es mir danken.

Nicht wahr, Armand, du kommst doch mit?«

Die Worte meines Vaters mochten wohl auf alle Frauen zutreffen, doch ich war überzeugt, daß er in bezug auf Marguerite damit im Irrtum war. Aber er sprach die letzten Worte so sanft, so flehentlich, daß ich ihm nicht zu widersprechen wagte.

»Nun?« fragte er mit bewegter Stimme.

»Nun ja, Vater, versprechen kann ich Ihnen nichts«, antwortete ich schließlich, »was Sie von mir verlangen, geht über meine Kräfte. Glauben Sie mir«, fuhr ich fort, als ich an einer Gebärde seine Ungeduld bemerkte, »Sie malen sich die Folgen dieses Verhältnisses in allzu düsteren Farben aus. Marguerite ist nicht die Dirne, für die Sie sie halten. Diese Liebe ist weit davon entfernt, mich auf Abwege zu führen, sie ist vielmehr fähig, die edelsten Empfindungen in mir zu wecken. Wahre Liebe macht uns stets zu besseren Menschen, ganz gleich, welche Frau sie in uns wachruft. Wenn Sie Marguerite kennen würden, dann würden Sie einsehen, daß ich mich in keinerlei Gefahr begebe. Sie steht den edelsten Frauen in nichts nach, und bei ihr finden Sie so viel Uneigennützigkeit, wie Habgier bei anderen.«

»Was sie nicht daran hindert, Ihr ganzes Vermögen anzunehmen, denn die sechzigtausend Francs, die Ihre Mutter Ihnen hinterlassen hat, und die Sie ihr jetzt schenken wollen, sind, und vergessen Sie das nicht, Ihr ganzes Vermögen.«

Dieses Schlußwort und diese Drohung hatte sich mein Vater wahrscheinlich bis zuletzt aufgehoben, um mir den entscheidenden Hieb zu versetzen.

Seinen Drohungen konnte ich mehr entgegensetzen als seinen Bitten.

»Wer hat Ihnen davon erzählt, daß ich diese Summe abtreten will?« fragte ich.

»Mein Notar. Glauben Sie etwa, ein ehrlicher Mensch hätte etwas Derartiges getan, ohne mich davon zu benachrichtigen? Nun, ich bin nach Paris gekommen, um Sie daran zu hindern, sich für eine Dirne zu ruinieren. Ihre Mutter hat Ihnen bei ihrem Tode dieses Geld vermacht, damit Sie anständig leben können, und nicht, damit Sie bei Ihren Mätressen den Gönner spielen.«

»Ich schwöre Ihnen, Vater, Marguerite weiß nichts von dieser Schenkung.«

»Und warum haben Sie sie dann veranlaßt?«

»Weil Marguerite, diese Frau, der Sie Übles nachreden, und die ich in Ihren Augen verlassen soll, ihren ganzen Besitz geopfert hat, um mit mir leben zu können.«

»Und Sie nehmen dieses Opfer an? Was sind Sie nur für ein Mann, daß Sie einer Mademoiselle Marguerite erlauben, Ihnen etwas zu opfern? Das ist ja wirklich die Höhe. Sie werden diese Frau verlassen. Soeben habe ich Sie noch darum gebeten, doch jetzt befehle ich es Ihnen; ich dulde es nicht, daß man den Namen meiner Familie in den Schmutz zieht. Packen Sie Ihre Koffer und halten Sie sich bereit, wir reisen ab.«

»Entschuldigen Sie, Vater«, sagte ich daraufhin, »aber ich werde nicht mitkommen.«

»Und warum nicht?«

»Weil ich bereits in einem Alter bin, in dem man sich nichts mehr befehlen lassen muß.«

Mein Vater erblaßte bei dieser Antwort.

»Es ist gut«, sagte er, »dann weiß ich, was ich zu tun habe.«

Er läutete.

Joseph erschien.

»Lassen Sie meine Koffer ins ›Hotel de Paris‹ bringen«, befahl er meinem Diener. Daraufhin ging er in sein Zimmer, um sich fertig anzukleiden.

Als er wieder erschien, trat ich auf ihn zu.

»Vater, versprechen Sie mir«, sagte ich zu ihm, »daß Sie nichts tun werden, was Marguerite schaden könnte.«

Mein Vater blieb stehen, schaute mich verachtungsvoll an und sagte nur: »Ich glaube, Sie sind völlig von Sinnen.«

Mit diesen Worten schlug er heftig die Tür hinter sich zu.

Ich ging ebenfalls aus dem Haus, nahm ein Kabriolett und fuhr nach Bougival.

Marguerite wartete am Fenster auf mich.

XXI

»Endlich«, rief sie aus und sprang mir um den Hals. »Da bist du ja! Wie bleich du bist!«

Da erzählte ich ihr von dem Streit mit meinem Vater.

»Ach, mein Gott, das hatte ich schon befürchtet«, sagte sie. »Als Joseph uns die Ankunft deines Vaters meldete, erschrak ich wie bei einer Unglücksbotschaft. Armer Freund! Und ich bin schuld an deinem Kummer. Du würdest wohl besser daran tun, mich zu verlassen, statt dich mit deinem Vater zu überwerfen. Und doch habe ich ihm nichts getan. Wir haben in aller Stille gelebt, und jetzt wird es noch stiller um uns werden. Er weiß recht wohl, daß du eine Geliebte haben mußt, und sollte doch glücklich darüber sein, daß ich es bin, da ich dich doch liebe und nichts von dir verlange, was deine Verhältnisse nicht gestatten würden. Hast du ihm davon erzählt, wie wir uns die Zukunft einrichten wollen?«

»Ja, doch eben das hat ihn am meisten aufgebracht, denn an diesem Entschluß hat er erkennen können, daß es uns ernst ist mit unserer Liebe.«

»Was können wir jetzt tun?«

»Zusammenbleiben, liebste Marguerite, und darauf warten, daß der Sturm vorüberzieht.«

»Und wird er das?«

»Er muß wohl.«

»Aber dein Vater wird es doch gewiß nicht dabei bewenden lassen.«

»Was soll er denn schon tun?«

»Was weiß ich? Was ein Vater so alles tun kann, damit sein Sohn ihm wieder gehorcht. Er wird dir meine Vergangenheit vor Augen halten, und mir wird er womöglich die Ehre erweisen, irgendeine neue Geschichte zu erfinden, damit du mich fallenläßt.«

»Du weißt ja, daß ich dich liebe.«

»Ja, doch ich weiß auch, daß man seinem Vater früher oder später gehorchen muß und daß du dich am Ende vielleicht wirst überzeugen lassen.«

»Nein, Marguerite, ich werde vielmehr ihn überzeugen. Daß er jetzt so erbost ist, liegt nur an dem bösen Klatsch einiger seiner Freunde; aber er ist gut, er ist gerecht, und er wird seinen ersten Eindruck zurücknehmen. Und dann, letzten Endes, was kümmert's mich?«

»Sag das nicht, Armand; alles wäre mir lieber, als daß du glaubst, ich wolle dich mit deiner Familie entzweien; laß diesen Tag noch verstreichen, und morgen fährst du dann nach Paris zurück. Dein Vater wird sich ebenso wie du die Sache überlegt haben, und vielleicht werdet ihr euch dann besser verstehen. Du darfst seine Prinzipien nicht verletzen, gib dir den Anschein, als wolltest du seinen Wünschen entgegenkommen; auch darfst du nicht erkennen lassen, wie sehr du an mir hängst, dann wird er die Angelegenheit schon auf sich beruhen lassen. Du mußt Hoffnung haben, mein Freund, und einer Sache sei dir gewiß: Was immer da kommen mag, Marguerite bleibt dein.«

»Schwörst du mir das?«

»Ja muß ich dir das noch schwören?«

Wie süß es doch ist, sich von einer geliebten Stimme überzeugen zu lassen! Marguerite und ich brachten den ganzen Tag damit zu, wieder und wieder unsere Pläne zu besprechen, als hätten wir erkannt, daß wir sie nun schneller verwirklichen mußten. Wir waren jeden Augenblick darauf gefaßt, daß etwas geschehen könnte, doch glücklicherweise verging der Tag, ohne etwas Neues zu bringen.

Am nächsten Morgen fuhr ich um zehn Uhr ab und war gegen Mittag im Hotel.

Mein Vater war schon ausgegangen.

Ich fuhr zu meiner Wohnung, in der Hoffnung, ihn vielleicht dort anzutreffen. Es war niemand dagewesen. Ich ging zu meinem Notar – niemand. Dann kehrte ich ins Hotel zurück und wartete bis sechs.

Monsieur Duval erschien nicht.

So fuhr ich nach Bougival zurück.

Marguerite erwartete mich nicht wie am Tag zuvor am Fenster, sondern saß am Kaminfeuer, das man zu dieser Jahreszeit schon anzünden mußte.

Sie war so in Gedanken versunken, daß sie mich nicht kommen hörte und sich nicht umwandte, als ich an ihren Sessel trat. Als ich sie auf die Stirn küßte, fuhr sie zusammen, als habe dieser Kuß sie aus dem Schlaf geschreckt.

»Du hast mir angst gemacht«, sagte sie. »Und dein Vater?«

»Ich habe ihn nicht gesehen. Ich weiß nicht, was das bedeuten soll. Er ist weder in seinem Hotel gewesen noch an sonst irgendeinem Ort, an dem ich ihn vermuten konnte.«

»Dann mußt du morgen noch einmal hinfahren.«

»Ich hätte gute Lust abzuwarten, bis er mich darum bittet. Ich denke, ich habe getan, was ich konnte.«

»Nein, mein Freund, das ist noch nicht genug. Du mußt noch einmal zu deinem Vater gehen, ganz besonders morgen.«

»Wieso gerade morgen?«

»Weil«, sagte Marguerite, die auf diese Frage hin etwas zu erröten schien, »weil du durch deine Beharrlichkeit zu erkennen gibst, wieviel dir daran liegt, und er dir um so leichter verzeihen wird.«

Den ganzen Tag über blieb Marguerite besorgt, zerstreut und traurig. Ich mußte eine Frage oft zweimal stellen, bevor ich eine Antwort erhielt. Sie schob diese Zerstreutheit auf die Sorgen, die sie sich aufgrund der Geschehnisse der letzten beiden Tage um die Zukunft machte.

Die ganze Nacht suchte ich sie zu beruhigen, und am

nächsten Morgen drang sie mit einer wachsenden Nervosität, die ich mir nicht erklären konnte, auf meine Abreise.

Wie tags zuvor war mein Vater nirgends anzutreffen, doch er hatte mir folgenden Brief hinterlassen:

»Falls Du heute wiederkommst, so warte auf mich bis vier Uhr; sollte ich bis dahin nicht zurückgekehrt sein, dann komm morgen zum Essen vorbei; ich muß Dich sprechen.«

Ich wartete bis zur angegebenen Stunde. Mein Vater kam nicht. Ich fuhr wieder ab.

Hatte ich gestern eine traurige Marguerite angetroffen, so fand ich sie heute in fieberhafter Unrast. Als sie mich eintreten sah, sprang sie mir um den Hals, doch dann weinte sie lange in meinen Armen.

Ich wollte die Ursache ihres plötzlichen Kummers erfahren, dessen Heftigkeit mich beunruhigte. Sie konnte mir keinen triftigen Grund angeben und schützte alles vor, was eine Frau so vorschützen kann, wenn sie die Wahrheit verschweigen will.

Als sie sich etwas beruhigt hatte, erzählte ich ihr, was meine Reise ergeben hatte. Ich zeigte ihr den Brief meines Vaters und machte sie darauf aufmerksam, daß das doch ein gutes Zeichen für uns sei.

Als sie den Brief sah und meine Bemerkung hörte, fing sie so bitterlich zu weinen an, daß ich Nanine herbeirief. Wir fürchteten schon eine Nervenkrise; und so brachten wir die Ärmste ins Bett. Sie schluchzte weiterhin, ohne auch nur ein Wort zu sagen, und ließ dabei meine Hände nicht wieder los, die sie alle Augenblicke mit Küssen bedeckte.

Ich fragte Nanine, ob ihre Herrin während meiner Abwesenheit einen Brief oder einen Besuch erhalten habe, der ihren jetzigen Zustand erklären könnte, doch Nanine antwortete mir, es sei niemand dagewesen und man habe auch nichts gebracht.

Und doch mußte seit gestern etwas vor sich gehen, das

mich um so besorgter machte, als Marguerite es vor mir geheimhielt.

Am Abend schien sie sich ein wenig beruhigt zu haben; ich mußte mich an ihr Bett setzen, und sie beteuerte mir wiederholt ihre Liebe. Dann lächelte sie mich an, doch dieses Lächeln war gezwungen, denn ihre Augen verschleierten sich unwillkürlich mit Tränen.

Ich bot alle Mittel auf, um ihr das Geständnis der wahren Ursache ihres Kummers zu entlocken, doch sie gab mir beharrlich nur jene vagen Erklärungen, die ich Ihnen schon genannt hatte.

Schließlich schlummerte sie in meinen Armen ein, doch es war ein Schlaf, der den Körper mehr schwächt als stärkt. Von Zeit zu Zeit schrie sie auf, schreckte aus dem Schlaf, und nachdem sie sich überzeugt hatte, daß ich ja bei ihr war, mußte ich ihr schwören, daß ich sie stets lieben würde.

Diese zeitweiligen Anwandlungen von Kummer, die bis zum Morgen fortdauerten, waren mir vollkommen unbegreiflich. Dann fiel Marguerite in eine Art Betäubung. Zwei Nächte hatte sie nun schon nicht mehr geschlafen.

Diese Ruhe war nicht von langer Dauer.

Gegen elf erwachte Marguerite, und als sie sah, daß ich schon aufgestanden war, blickte sie umher und rief:

»Willst du etwa schon gehen?«

»Nein«, sagte ich und nahm sie bei den Händen, »aber ich wollte dich schlafen lassen. Es ist noch früh.«

»Wann fährst du nach Paris?«

»Um vier.«

»So früh? Bis dahin wirst du bei mir bleiben, nicht wahr?«

»Gewiß, ich bin doch immer bei dir.«

»Wie herrlich!«

»Wollen wir frühstücken?« fuhr sie mit zerstreuter Miene fort.

»Wenn du willst.«

»Und dann nimmst du mich in die Arme, bis du gehst?«

»Ja, und ich komme so schnell wie möglich zurück.«

»Du kommst zurück?« fragte sie und schaute mich ganz verstört an.

»Natürlich.«

»Ja, ja, das ist richtig, du kommst heute abend zurück, und ich, ich werde auf dich warten, wie gewöhnlich, und du wirst mich lieben, und wir werden glücklich sein, wie wir es jeden Tag gewesen sind, seit wir uns kennengelernt haben.«

All diese Worte wurden in einem so abgehackten Tonfall gesprochen und schienen einen so hartnäckigen schmerzlichen Gedanken zu verbergen, daß ich fürchtete, Marguerite könne den Verstand verlieren.

»Hör zu«, sagte ich, »du bist krank, so kann ich dich nicht allein lassen. Ich werde meinem Vater schreiben, daß er nicht auf mich warten soll.«

»Nein, nein«, schrie sie plötzlich auf, »tu das nicht. Dein Vater wird mir wieder vorwerfen, daß ich dich daran hindere, zu ihm zu gehen, wenn er dich sehen will. Nein, nein, du mußt hingehen, du mußt. Außerdem bin ich gar nicht krank, es geht mir bestens. Ich hatte nur einen schlechten Traum und war noch nicht ganz daraus erwacht.«

Von diesem Augenblick an versuchte Marguerite, fröhlicher zu erscheinen. Sie weinte nicht mehr.

Als die Stunde meiner Abreise gekommen war, umarmte ich sie und fragte sie, ob sie mich bis zum Bahnhof begleiten wolle; ich hoffte, der Spaziergang werde sie zerstreuen und die frische Luft werde ihr guttun.

Doch vor allem wollte ich so lange wie möglich bei ihr bleiben.

Sie war einverstanden, nahm einen Mantel und hieß Nanine mitkommen, damit sie den Rückweg nicht allein machen mußte.

Ich war zwanzigmal im Begriff, nicht abzufahren.

Doch die Hoffnung, daß ich schon bald wieder zurück sein würde, und die Befürchtung, meinen Vater erneut gegen mich aufzubringen, bestärkten meinen Entschluß, und ich fuhr ab.

»Bis heute abend«, sagte ich zum Abschied zu Marguerite.

Sie antwortete mir nicht.

Sie hatte mir schon einmal auf diese Worte keine Antwort gegeben, und damals, Sie erinnern sich, hatte der Graf de G. die Nacht bei ihr verbracht; doch jene Zeit war so fern, daß sie schon meinem Gedächtnis entrückt schien, und wenn ich etwas fürchtete, so sicherlich nicht, daß Marguerite mich betrügen könne.

Sobald ich in Paris ankam, eilte ich zu Prudence, um sie zu bitten, sie möge Marguerite besuchen, denn ich hoffte, sie könne sie mit ihrem Schwung und ihrer Heiterkeit auf andere Gedanken bringen.

Ich trat ein, ohne mich melden zu lassen, und fand Prudence beim Ankleiden.

»Ah!« sagte sie mit beunruhigter Miene. »Ist Marguerite bei Ihnen?«

»Nein.«

»Wie geht es ihr?«

»Nicht sehr gut.«

»Wird sie nicht kommen?«

»Ja, sollte sie denn kommen?«

Madame Duvernoy errötete und antwortete mir nicht ohne eine gewisse Verlegenheit: »Ich wollte sagen: Da Sie jetzt wieder in Paris sind, wird sie da nicht nachkommen?«

»Nein.«

Ich schaute Prudence an. Sie schlug die Augen nieder, und auf ihrem Gesicht stand die Befürchtung geschrieben, mein Besuch könne noch länger dauern.

»Ich wollte Sie sogar bitten, meine liebe Prudence, Marguerite heute abend zu besuchen, falls Sie gerade nichts vorhaben. Sie können ihr Gesellschaft leisten und dann dort übernachten. In so einem Zustand wie heute habe ich sie noch nie gesehen, und ich fürchte fast, sie wird krank.«

»Ich bin in der Stadt zum Essen eingeladen«, antwortete Prudence, »heute abend werde ich Marguerite also nicht sehen können. Aber ich werde sie morgen besuchen.«

Also verabschiedete ich mich von Madame Duvernoy, die mir geradeso durcheinander erschienen war wie Marguerite, und ging meinen Vater aufsuchen, der mich mit einem erwartungsvoll prüfenden Blick empfing.

Er reichte mir die Hand.

»Es hat mich sehr gefreut, daß du nun schon zweimal versucht hast, mich zu sehen, Armand«, sagte er, »das schien mir Grund zu der Hoffnung, daß du die Sache von deiner Seite aus noch einmal reiflich erwogen hast, wie ich es ebenfalls getan habe.«

»Darf ich fragen, Vater, zu welchem Schluß Sie bei Ihren Überlegungen gelangt sind?«

»Gewiß, mein Lieber, ich bin zu der Überzeugung gelangt, daß ich die Geschichten, die man mir über dich erzählt hat, viel zu ernst genommen habe, und habe mir nun vorgenommen, weniger streng mit dir zu sein.«

»Was sagen Sie da, Vater?« rief ich freudig aus.

»Ich sage dir, mein Junge, ein junger Mann in deinem Alter muß eine Geliebte haben, und nach allem, was ich inzwischen in Erfahrung gebracht habe, sehe ich dich lieber in den Armen von Mademoiselle Gautier als bei einer anderen.«

»Lieber Vater, wie gut Sie sind, Sie machen mich glücklich.«

Und so plauderten wir noch eine Weile miteinander, dann setzten wir uns zu Tisch. Mein Vater war die ganze Mahlzeit über reizend zu mir. Mich drängte es jedoch, nach Bougival zurückzufahren, um Marguerite von dieser glücklichen Wendung zu berichten. Jeden Augenblick sah ich nach der Uhr an der Wand.

»Du schaust nach der Uhr«, sagte mein Vater, »du würdest gerne fort. Ja, ja, ihr jungen Leute, werdet ihr wohl immer bereit sein, eine aufrichtige Zuneigung einer zweifelhaften zu opfern?«

»Sagen Sie das nicht, Vater, Marguerite liebt mich, da bin ich mir sicher.«

Mein Vater sagte nichts darauf. Er schien es weder glauben noch anzweifeln zu wollen. Er drang sehr darauf, daß ich den ganzen Abend mit ihm verbringen und erst am nächsten Morgen zurückfahren solle; doch ich hatte Marguerite unpäßlich zurückgelassen, ich sagte ihm das und bat ihn um die Erlaubnis, zeitig zu ihr zurückzufahren. Dafür versprach ich ihm, gleich morgen wiederzukommen.

Das Wetter war schön. Er bot mir an, mich zum Bahnhof zu begleiten. Noch nie war ich so glücklich gewesen.

Die Zukunft erschien mir so, wie ich sie mir seit langer Zeit erträumt hatte. Ich liebte meinen Vater mehr als je zuvor. Kurz vor der Abfahrt drang mein Vater noch ein letztes Mal darauf, daß ich doch bleiben solle; ich schlug es ihm ab.

»Du liebst sie also wirklich?« fragte er.

»Wie wahnsinnig.«

»Dann fahr«, und er fuhr sich mit der Hand über die Stirn, als wolle er einen Gedanken verjagen, und schien fast noch etwas sagen zu wollen, doch schließlich drückte er mir nur die Hand, wandte sich brüsk um und rief mir noch zu: »Also auf morgen!«

XXII

Der Zug schien mir überhaupt nicht von der Stelle kommen zu wollen.

Um elf Uhr war ich in Bougival.

Im Haus war nicht ein Fenster erleuchtet, und auf mein Läuten hin blieb alles still.

Dergleichen passierte mir zum ersten Mal.

Schließlich kam der Gärtner und ließ mich ein.

Nanine kam mir mit einem Licht entgegen. Ich trat in Marguerites Zimmer.

»Wo ist Madame?«

»Madame ist nach Paris gefahren«, antwortete mir Nanine.

»Nach Paris!«

»Ja, Monsieur.«

»Wann?«

»Eine Stunde nach Ihnen.«

»Hat sie keine Nachricht für mich hinterlassen?«

»Nein, nichts.«

Nanine ließ mich allein.

Es ist ihr zuzutrauen, dachte ich, daß sie mißtrauisch geworden und mir dann nach Paris gefolgt ist, um sicherzugehen, daß der Besuch bei meinem Vater nicht nur ein Vorwand war, mich einen Tag von ihr frei zu machen. Vielleicht hat ihr auch Prudence in irgendeiner wichtigen Angelegenheit geschrieben, sagte ich mir, als ich allein war. Aber ich hatte Prudence ja gleich nach meiner Ankunft gesehen, und sie hatte mir nichts gesagt, woraus ich hätte entnehmen können, daß sie Marguerite geschrieben hatte. Da schoß mir die Frage durch den Sinn, die Madame Duvernoy mir gestellt hatte, als ich ihr von Marguerites Unwohlsein erzählt hatte: »Wird sie also heute nicht kommen?« Damit fiel mir auch wieder ein, was für ein betretenes Gesicht sie gemacht hatte, als ich ihr nach diesen Worten, die ein vereinbartes Treffen zu verraten schienen, ins Gesicht sah. Und nun dachte ich auch an die Tränen, die Marguerite den ganzen Tag vergossen hatte und die ich über dem liebevollen Empfang, der mir von meinem Vater bereitet worden war, fast schon wieder vergessen hatte.

Von da an ließen sich alle Ereignisse dieses Tages zusammenfügen, um meinen ersten Verdacht zu nähren, der sich in meinem Kopf so hartnäckig festsetzte, daß alles, selbst die großmütige Haltung meines Vaters, ihn erhärtete.

Marguerite hatte mich fast schon genötigt, nach Paris zu fahren. Sie hatte Gelassenheit vorgetäuscht, als ich ihr vorschlug, bei ihr zu bleiben. War ich in eine Falle gelaufen? Hinterging mich Marguerite? Hatte sie fest damit gerechnet, rechtzeitig wieder zurück zu sein, damit ich ihre Abwesenheit nicht bemerken würde, und nur ein Zufall hatte sie aufgehalten? Warum hatte sie Nanine nicht Bescheid gegeben, oder warum hatte sie mir nichts geschrieben? Was sollten die Tränen bedeuten, diese Zerstreutheit, diese Geheimnistuerei?

Mit Schrecken stellte ich mir diese Fragen, während ich inmitten dieses leeren Zimmers stand, die Augen starr auf die Wanduhr geheftet, die mir, als es auf Mitternacht ging, zu sagen schien, es sei nun zu spät, noch auf die Rückkehr meiner Geliebten zu hoffen.

Doch nach all den Vorkehrungen, die wir gerade getroffen hatten, nach dem Opfer, das sie mir angeboten und das ich angenommen hatte, war es da noch wahrscheinlich, daß sie mich betrog? Nein. Ich versuchte, mir diese Mutmaßungen aus dem Sinn zu schlagen: Das arme Ding wird einen Käufer für ihre Möbel gefunden haben und nach Paris gefahren sein, um den Handel abzuschließen. Sie wollte mir wohl nichts davon sagen, denn sie weiß ja, wie unangenehm mir dieser Verkauf ist, obgleich ich ihm zugestimmt hatte in der Einsicht, daß er für unser kommendes Glück unerläßlich ist . . . Wahrscheinlich will sie lieber erst dann zurückkommen, wenn alles erledigt ist. Prudence hat sie sicherlich deswegen erwartet und sich verplappert. Und dann konnte Marguerite wohl den Handel heute nicht abschließen und übernachtet jetzt bei Prudence, oder vielleicht wird sie sogar gleich zurückkommen, denn sie wird sich schon denken können, daß ich mir Sorgen mache, und wird mich gewiß nicht im Ungewissen lassen wollen. Aber warum dann diese Tränen? Zweifellos hat das arme Mädchen, trotz ihrer Liebe zu mir, ihren Luxus, in dem sie bislang ein so glückliches und vielbeneidetes Leben geführt hatte, doch nicht ganz ohne Tränen fortgeben können. – Diese Tränen des Bedauerns wollte ich ihr gerne verzeihen. Ich erwartete voller Ungeduld den Moment, in dem ich ihr unter Küssen sagen würde, daß ich die Ursache ihres geheimnisvollen Verschwindens erraten hatte.

Doch es wurde immer später, und Marguerite kam nicht.

Da wuchs die Unruhe und nahm mein Denken und Fühlen ganz gefangen. Vielleicht war ihr etwas zugestoßen! Vielleicht war sie verletzt, krank, tot! Vielleicht würde schon bald ein Bote eintreffen und mir von einem tragischen Unfall Nachricht bringen! Vielleicht aber würde ich auch bei Tagesanbruch noch immer in dieser Ungewißheit und Sorge schweben!

Der Gedanke, daß Marguerite mich in genau jener schreckensvollen Stunde, da ich auf ihre Rückkehr hoffte, betrügen könnte, kam mir nicht in den Sinn.

Nur etwas außerhalb ihrer Macht Liegendes konnte sie fern von mir zurückgehalten haben, und je länger ich darüber nachdachte, desto mehr war ich überzeugt, daß es sich nur um ein Unglück handeln könne. Oh, männliche Eitelkeit, welch vielfältige Gestalten du doch annehmen kannst!

Es hatte gerade ein Uhr geschlagen. Ich sagte mir, eine Stunde wolle ich noch warten, und wenn Marguerite bis zwei Uhr nicht zurück sein sollte, würde ich nach Paris fahren.

In der Zwischenzeit sah ich mich nach einem Buch um, denn ich fürchtete mich vor meinen Gedanken.

›Manon Lescaut‹ lag aufgeschlagen auf dem Tisch. Es schien mir, als seien die Seiten hie und da von Tränen benetzt worden. Nachdem ich darin herumgeblättert hatte, klappte ich das Buch wieder zu, denn meine Befürchtungen verschleierten mir alles, und die Worte wollten keinen Sinn ergeben.

Die Zeit kroch nur langsam voran. Der Himmel war bedeckt. Ein Herbstregen prasselte gegen die Fensterscheiben. Das leere Bett schien mir für Momente wie ein Grab. Ich hatte Angst.

Ich öffnete die Tür und lauschte, doch es war nichts zu hören als das Rauschen des Windes in den Bäumen. Kein Wagen fuhr auf der Straße. Vom Kirchturm schlug es düster halb zwei.

Ich fing schon an zu fürchten, daß jemand kommen könnte. Es schien mir, als könne mich zu dieser Stunde und bei diesem trostlosen Wetter nur ein Unglück treffen.

Es schlug zwei Uhr. Ich wartete noch eine Weile. Nur die Standuhr zerhackte mit ihrem eintönigen, rhythmischen Pendelschlag die Stille.

Schließlich verließ ich das Zimmer, in dem jeder kleine Gegenstand von solcher Trauer umgeben schien, wie sie nur ein banges, einsames Herz hervorbringen kann.

Im Nebenzimmer fand ich Nanine, die über ihrer Handarbeit eingeschlafen war. Beim Geräusch der Tür wachte sie auf und fragte mich, ob ihre Herrin zurückgekehrt sei.

»Nein, aber wenn sie kommt, dann sagen Sie ihr, daß ich meiner Unruhe nicht länger Herr geworden und nach Paris gefahren bin.«

»Jetzt um diese Zeit?«

»Ja.«

»Aber wie wollen Sie das anstellen? Jetzt bekommen Sie keinen Wagen mehr.«

»Ich gehe zu Fuß.«

»Aber es regnet doch.«

»Das ist mir gleich.«

»Madame wird schon noch kommen, und wenn nicht, dann ist morgen früh immer noch Zeit herauszufinden, was sie zurückgehalten hat. Man wird Sie unterwegs noch totschlagen!«

»Da besteht keine Gefahr, meine liebe Nanine. Auf morgen.«

Das gute Kind holte mir meinen Mantel, warf ihn mir über die Schultern und erbot sich, die Witwe Arnould wecken zu gehen und sich zu erkundigen, ob man noch einen Wagen bekommen könnte! Doch ich verwahrte mich dagegen, da ich überzeugt war, daß ich bei diesem vielleicht fruchtlosen Unterfangen mehr Zeit verlieren würde, als ich benötigte, um die Hälfte des Weges zurückzulegen.

Außerdem brauchte ich frische Luft und hoffte, die körperliche Anstrengung werde die Überreiztheit meiner Nerven etwas lindern. Ich nahm den Schlüssel zu der Wohnung in der Rue d'Antin, und nachdem ich Nanine, die mich bis zum Gitter begleitete, adieu gesagt hatte, machte ich mich auf den Weg.

Zuerst begann ich zu laufen, doch die Erde war noch regennaß, und so ermüdete ich nur um so schneller. Nach einer halben Stunde Lauf mußte ich stehenbleiben, ich war in Schweiß gebadet. Ich schöpfte wieder Atem und setzte meinen Weg fort. Die Nacht war so undurchdringlich, daß ich jeden Augenblick fürchten mußte, gegen einen der Bäume anzurennen, die die Straße säumten und die stets so unerwartet aus dem Dunkel auftauchten, daß sie gleich riesigen Gespenstern auf mich zuzustürzen schienen.

Hie und da begegnete mir ein Fuhrwerk, das ich rasch hinter mir ließ.

Eine Kutsche fuhr in vollem Trab auf Bougival zu. Als sie an mir vorüberfuhr, hoffte ich schon, Marguerite darin zu finden. Ich blieb stehen und schrie: »Marguerite! Marguerite!«

Doch niemand gab mir Antwort, und die Kutsche fuhr weiter. Ich sah zu, wie sie sich entfernte, und setzte meinen Weg fort.

Ich brauchte zwei Stunden bis zur Schranke am Etoile.

Der Anblick von Paris gab mir neue Kräfte, und ich rannte die lange Allee hinunter, durch die ich schon so oft gegangen war.

In jener Nacht war dort keine Menschenseele unterwegs.

Es war fast wie ein Gang durch eine Totenstadt.

Der Morgen graute.

Als ich in der Rue d'Antin anlangte, begann die große Stadt sich schon ein wenig zu regen, bevor sie ganz zum Leben erwachte.

Als ich gerade Marguerites Haus betreten wollte, schlug es vom Kirchturm von Saint-Roch fünf Uhr. Ich schleuderte dem Portier im Vorbeigehen meinen Namen entgegen. Dieser hatte schon genug Zwanzigfrancsstükke von mir erhalten, um zu wissen, daß ich ein Recht hatte, um fünf Uhr in der Früh bei Mademoiselle Gautier zu erscheinen.

Ich wurde nicht aufgehalten.

Ich hätte ihn fragen können, ob Marguerite zu Hause sei, doch das hätte er ja verneinen können, und ich wollte lieber noch zwei Minuten länger im Zweifel sein: Solange ich zweifelte, hoffte ich auch noch.

Ich legte das Ohr an die Tür und versuchte, ein Geräusch, eine Bewegung zu erlauschen. Nichts. Die ländliche Stille schien bis hierher zu dringen.

Ich schloß die Tür auf und trat ein.

Alle Vorhänge waren dicht zugezogen.

Ich ließ im Eßzimmer den Tag herein, ging aufs Schlafzimmer zu und stieß die Tür auf. Dann stürzte ich zur Vorhangschnur und zog heftig daran. Die Vorhänge teilten sich; ein fahles Licht drang von draußen herein, ich lief zum Bett.

Es war leer!

Ich öffnete die Türen eine nach der anderen, sah in alle Zimmer.

Niemand.

Es war zum Verrücktwerden.

Ich ging ins Ankleidezimmer, öffnete dort das Fenster und rief mehrmals nach Prudence.

Das Fenster der Duvernoy blieb geschlossen.

Da ging ich zum Portier hinunter und fragte ihn, ob Mademoiselle Gautier über den Tag nach Hause gekommen sei.

»Ja«, antwortete er mir, »sie ist mit Madame Duvernoy hier gewesen.«

»Hat sie nichts für mich ausrichten lassen?«

»Nein, nichts.«

»Wissen Sie, was die beiden danach getan haben?«

»Sie sind mit dem Wagen weggefahren.«

»Was für einem Wagen?«

»Einem herrschaftlichen.«

Was konnte das bedeuten?

Ich läutete an der Nachbarstür.

»Zu wem wollen Sie?« fragte mich der Concierge, nachdem er mir geöffnet hatte.

»Zu Madame Duvernoy.«

»Sie ist nicht zu Hause.«

»Sind Sie da sicher?«

»Ja, Monsieur; hier ist sogar ein Brief, den man mir gestern vorbeigebracht hat und den ich ihr noch nicht geben konnte.«

Und der Portier zeigte mir einen Brief, auf den ich mechanisch einen Blick warf.

Ich erkannte Marguerites Handschrift.

Ich nahm den Brief an mich.

Er war folgendermaßen adressiert:

An Madame Duvernoy. Zu Händen Monsieur Duval.

»Dieser Brief ist für mich«, sagte ich zu dem Pförtner und deutete auf die Adresse.

»Sind Sie Monsieur Duval?« fragte er mich.

»Ja.«

»Ah! Jetzt erkenne ich Sie wieder, Sie sind oft bei Madame Duvernoy gewesen.«

Kaum stand ich auf der Straße, erbrach ich das Siegel.

Wäre der Blitz zu meinen Füßen eingeschlagen, es könnte mich nicht mehr erschreckt haben als die Zeilen, die ich las.

»Zu der Stunde, da Sie diesen Brief lesen werden, Armand, werde ich schon die Geliebte eines anderen sein. Es ist also alles aus zwischen uns.

Kehren Sie zurück zu Ihrem Vater, mein Freund, fahren Sie zu Ihrer Schwester, diesem jungen, unschuldigen Mädchen, das nichts von unserem Elend weiß. Bei ihr werden Sie recht schnell den Schmerz vergessen, den dieses verlorene Geschöpf namens Maguerite Gautier Ihnen bereitet hat, die Sie eine Weile geliebt haben und die Ihnen die einzigen glücklichen Augenblicke ihres Lebens verdankt, das, so hofft sie, nicht mehr lange dauern wird.«

Als ich diese letzten Worte gelesen hatte, glaubte ich den Verstand zu verlieren.

Einen Augenblick fürchtete ich tatsächlich, aufs Pflaster zu stürzen. Es wurde mir schwarz vor den Augen, und das Blut hämmerte mir in den Schläfen.

Schließlich hatte ich mich ein wenig erholt, ich blickte um mich, ganz erstaunt darüber, wie das Leben der Menschen rings um mich weiterging, ohne daß sie sich um mein Unglück scherten.

Ich war nicht stark genug, den Schlag, den Marguerite mir versetzt hatte, allein zu tragen. Da fiel mir ein, daß mein Vater noch in der Stadt weilte, ich in zehn Minuten bei ihm sein konnte und er meinen Schmerz, was auch immer die Ursache war, sicher teilen würde. Ich rannte wie ein Irrer, wie ein Dieb zum Hotel de Paris: Der Schlüssel steckte in der Wohnungstür. Ich trat ein.

Er las gerade.

Er war so wenig erstaunt, mich zu sehen, daß es fast den Anschein hatte, als habe er mich schon erwartet.

Ich stürzte ohne ein Wort in seine Arme, gab ihm den Brief von Marguerite zu lesen, ließ mich auf sein Bett fallen und vergoß heiße Tränen.

XXIII

Als ich sah, wie das alltägliche Leben um mich herum wieder in seinen gewohnten Bahnen lief, konnte ich gar nicht glauben, daß der anbrechende Tag für mich anders verlaufen sollte als alle vorherigen. Es gab Augenblicke, in denen ich mir einbildete, irgendein Umstand, an den ich mich nicht zu erinnern vermochte, habe mich gezwungen, die Nacht fern von Marguerite zu verbringen, doch daß ich sie, würde ich nach Bougival zurückfahren, dort in derselben Unruhe vorfinden würde, wie ich sie selbst empfunden hatte, und daß sie mich dann fragen würde, was mich so lange von ihr ferngehalten habe.

Wenn einem im Leben etwas wie eine solche Liebe zur Gewohnheit geworden ist, dann scheint es unmöglich zu sein, auf sie zu verzichten, ohne daß zugleich auch alle übrigen Lebensantriebe zerstört werden.

Ich mußte also von Zeit zu Zeit Marguerites Brief wiederlesen, um auch ganz sicherzugehen, daß ich nicht geträumt hatte.

Mein Leib war nach dieser seelischen Erschütterung keiner Bewegung fähig. Das Bangen, der Marsch durch die Nacht, die Nachricht am Morgen, all das hatte mich erschöpft. Mein Vater nutzte diesen Zustand, in dem all meine Kräfte gebrochen waren, um mir das feste Versprechen abzunehmen, daß ich mit ihm abreisen werde.

Ich versprach alles, was er wollte. Ich war außerstande, ein Streitgespräch durchzustehen, und nach allem, was mir widerfahren war, hatte ich seine aufrichtige Zuneigung bitter nötig, um weiterleben zu können.

Ich war nur zu froh darüber, daß mein Vater mich in meinem Kummer trösten wollte.

Alles, woran ich mich erinnern kann, ist, daß er mich an jenem Tag gegen fünf Uhr in eine Postkutsche steigen hieß. Er hatte stillschweigend meine Koffer packen und sie zusammen mit den seinen hinten auf den Wagen binden lassen, dann sind wir gemeinsam abgefahren.

Was ich da tat, wurde mir erst bewußt, als die Stadt schon meinem Blick entschwunden war und die Einsamkeit der Landstraße mich an die Leere meines Herzens gemahnte.

Da kamen mir wieder die Tränen.

Mein Vater hatte eingesehen, daß ich durch Worte, selbst aus seinem Munde, nicht zu trösten war, und so ließ er mich weinen, ohne ein Wort zu sagen, und drückte nur hie und da meine Hand, wie um mir zu sagen, daß ich einen Freund an meiner Seite hatte.

In der Nacht fand ich ein wenig Schlaf. Ich träumte von Marguerite.

Da fuhr ich auf und konnte nicht begreifen, warum ich in diesem Wagen saß.

Schließlich fand ich wieder in die Wirklichkeit zurück und ließ den Kopf auf die Brust sinken.

Ich wagte nicht, mit meinem Vater zu sprechen, denn ich fürchtete stets, er könne mir sagen: »Siehst du, ich hatte recht gehabt, daß ich nicht an die Liebe dieser Frau glauben wollte.«

Doch er spielte seinen Trumpf nicht aus, und bis wir in C. ankamen, sprach er mir nur von Dingen, die nicht an den Vorfall rührten, der mich zur Abreise bewogen hatte.

Als ich meine Schwester umarmte, entsann ich mich der Worte, mit denen Marguerite in dem Brief von ihr gesprochen hatte, doch ich begriff sofort, daß meine Schwester, trotz ihrer Güte, mir meine Geliebte nicht würde ersetzen können.

Die Jagd war eröffnet, und mein Vater dachte, das

könne mich zerstreuen. Also lud er Freunde und Nachbarn zu Jagdpartien ein. Ich schloß mich dem ohne Widerwillen, aber auch ohne Begeisterung an, mit dieser gewissen Teilnahmslosigkeit, mit der ich seit meiner Abreise alle Dinge verrichtete.

Es wurden Treibjagden veranstaltet. Man stellte mich auf meinen Posten. Ich legte mein gesichertes Gewehr neben mich und überließ mich meinen Träumen.

Ich sah die Wolken vorüberziehen, ließ meine gedankenverlorenen Blicke über die einsamen Ebenen schweifen, und hin und wieder rief mich ein Jäger und deutete auf einen Hasen, der keine zehn Schritt weit an mir vorüberlief.

Meinem Vater entging nichts von alledem, und er ließ sich durch meine äußere Ruhe nicht täuschen. Er wußte wohl, daß meine Gefühle, war ich jetzt auch niedergeschlagen, doch eines Tages auf eine schreckliche und vielleicht gefährliche Weise wieder aufbrechen würden, und während er es tunlichst vermied, mir das Gefühl zu geben, er wolle mich trösten, tat er doch alles, mich zu zerstreuen.

Meine Schwester war natürlich nicht in die Geschehnisse eingeweiht worden und vermochte sich darum auch nicht zu erklären, wieso ich, der ich doch sonst immer ein so fröhlicher Mensch gewesen bin, plötzlich so nachdenklich und bedrückt war.

Manchmal, wenn mich mitten im Trübsalblasen der besorgte Blick meines Vaters traf, nahm ich seine Hand und drückte sie, als wolle ich ihn wortlos um Verzeihung bitten für den Kummer, den ich ihm wider Willen bereiten mußte.

So verging ein Monat, doch länger hielt ich es nicht aus.

Die Erinnerung an Marguerite verfolgte mich immerzu. Meine Liebe war zu stark gewesen, ich hatte diese Frau einfach zu sehr geliebt, als daß sie mir nun auf einen Schlag gleichgültig werden konnte. Vor allem mußte ich sie wiedersehen, wie auch immer ich fühlen mochte, und zwar sofort.

Dieses Verlangen ergriff mein Denken und setzte sich dort mit der ganzen Macht eines Willens fest, der in einem seit langer Zeit leblosen Körper wieder aufkeimt.

Nicht irgendwann, nicht in einem Monat oder acht Tagen wollte ich Marguerite sehen – kaum war mir der Gedanke gekommen, mußte es auch schon gleich der nächste Tag sein. Und so ging ich zu meinem Vater, um ihm zu sagen, daß geschäftliche Angelegenheiten mich nach Paris rufen würden, ich jedoch unverzüglich zurück sein werde.

Zweifellos erriet er den Beweggrund meiner Reise, denn er suchte mich zum Bleiben zu bewegen. Doch als er erkannte, daß es in meiner empfindlichen Verfassung schlimme Folgen für mich haben könnte, wenn ich meinen Wunsch nicht ausführen würde, umarmte er mich und bat mich fast unter Tränen, so schnell wie möglich zu ihm zurückzukommen.

Bevor ich nicht in Paris war, konnte ich kein Auge mehr zutun.

Was sollte ich tun, wenn ich erst einmal dort angekommen war? Ich wußte es nicht. Vor allem mußte ich mich nach Marguerite umsehen.

Ich ging in meine Wohnung, um mich umzukleiden, und da wir schönes Wetter hatten und es auch noch recht früh war, ging ich in die Champs-Elysées.

Eine halbe Stunde später sah ich in der Ferne Marguerites Wagen auftauchen, und zwar fuhr sie vom Rond-Point in Richtung Place de la Concorde.

Sie hatte ihre Pferde zurückgekauft, denn Gespann und Wagen waren noch dieselben wie früher, nur saß sie nicht darin.

Kaum hatte ich ihre Abwesenheit bemerkt, ließ ich meine Blicke um mich schweifen und sah Marguerite die Allee herunterkommen, begleitet von einer Frau, die ich noch nie gesehen hatte.

Als sie an mir vorbeiging, erblaßte sie, und ihre Lippen verzogen sich zu einem nervösen Lachen. Mir selbst schlug das Herz wie wild in der Brust, doch es gelang mir, gleichgültig dreinzuschauen, und ich grüßte kühl meine ehemalige Geliebte, die fast unverzüglich zu ihrem Wagen ging und mit ihrer Freundin einstieg.

Doch ich kannte Marguerite. Diese unerwartete Begegnung hatte sie sicherlich erschüttert. Sie hatte zweifellos von meiner Abreise erfahren und war dadurch über die Folgen unserer Trennung beruhigt gewesen. Doch als sie mich jetzt wieder hier in Paris sah, von Angesicht zu Angesicht, bleich wie ich war, hatte sie begriffen, daß sich hinter meiner Rückkehr eine Absicht verbarg, und mochte sich nun fragen, was jetzt geschehen werde.

Wenn ich eine unglückliche Marguerite vorgefunden hätte und mich an ihr hätte rächen können, indem ich ihr zu Hilfe kam, so würde ich ihr vielleicht verziehen und sicherlich nicht daran gedacht haben, ihr wehzutun; aber sie war glücklich, zumindest schien das so. Ein anderer hatte ihr den Luxus wiedergebracht, den ich ihr nicht hatte bieten können; die Trennung, die sie herbeigeführt hatte, bekam damit einen Anstrich von gemeinstem Eigennutz. Ich war in meinem Stolz wie in meiner Liebe gedemütigt. Jetzt sollte sie büßen für den Schmerz, den sie mir zugefügt hatte.

Marguerites Tun und Lassen konnte mir unmöglich gleichgültig sein. Folglich konnte sie nichts empfindlicher treffen als meine Gleichgültigkeit. Also mußte ich dieses Gefühl heucheln, nicht nur ihr gegenüber, sondern vor aller Augen.

Ich versuchte, eine heitere Miene aufzusetzen, und stattete Prudence einen Besuch ab.

Das Hausmädchen ging mich melden und ließ mich einige Augenblicke im Salon warten.

Schließlich erschien Madame Duvernoy und führte mich in ihr Boudoir. Als ich mich gerade setzen wollte, vernahm ich, wie im Salon die Tür geöffnet wurde, leichte Schritte das Parkett leise knarren ließen und dann die Flurtür heftig zugeschlagen wurde.

»Störe ich Sie?« fragte ich Prudence.

»Durchaus nicht. Marguerite war gerade da, und als sie hörte, wie Sie angemeldet wurden, hat sie sich aus dem Staub gemacht; sie war es, die da gegangen ist.«

»Mache ich ihr jetzt etwa angst?«

»Nein, doch sie fürchtet, es könnte Ihnen unangenehm sein, ihr zu begegnen.«

»Wie das?« fragte ich und versuchte, frei durchzuatmen, da ich vor Aufregung kaum noch Luft bekam, »das arme Ding hat mich verlassen, um wieder ihren Wagen, ihre Möbel und ihre Diamanten zu haben, und daran hat sie gut getan, das darf ich ihr nicht verübeln. Übrigens ist sie mir heute begegnet«, setzte ich unbekümmert hinzu.

»Wo denn?« fragte Prudence und sah mich an, als fragte sie sich, ob dieser Mann hier wohl noch derselbe sei, den sie so leidenschaftlich verliebt gesehen hatte.

»In den Champs-Elysées. Sie war dort in Gesellschaft einer anderen sehr hübschen Dame. Wer war denn das?«

»Beschreiben Sie sie näher.«

»Blond und zierlich, mit Korkenzieherlöckchen, blauen Augen, ziemlich elegant gekleidet.«

»Ah! Das ist Olympe. Ein sehr hübsches Mädchen, in der Tat.«

»Mit wem lebt sie denn?«

»Mit jedem und keinem.«

»Und wo wohnt sie?«

»In der Rue Trochet Nr... Ah! Sowas aber auch! Sie wollen ihr wohl den Hof machen?«

»Das kann man nie wissen.«

»Und Marguerite?«

»Ich müßte lügen, würde ich Ihnen sagen, daß ich gar nicht mehr an sie denke. Aber ich gehöre zu jenen Männern, die sehr auf die Art achten, in der man mit ihnen bricht. Marguerite hat mir so leichtfertig den Laufpaß gegeben, daß ich mich einen argen Dummkopf schelten mußte, jemals so verliebt in sie gewesen zu sein. Denn ich habe dieses Mädchen wirklich geliebt.«

Sie können sich schon denken, in welchem Tonfall ich diese Dinge zu sagen versuchte. Der Schweiß lief mir von der Stirn.

»Ach was! Sie hat Sie sehr geliebt und liebt Sie noch immer. Ist sie doch heute gleich zu mir gekommen, nachdem sie Sie getroffen hat, um mir davon zu erzählen. Als sie hier ankam, zitterte sie am ganzen Leib und wollte schon fast in Ohnmacht fallen.«

»Nun, und was hat sie Ihnen gesagt?«

»Sie hat zu mir gesagt: ›Er wird Sie sicher besuchen kommen‹, und dann hat sie mich gebeten, Sie um Verzeihung anzuflehen.«

»Ich habe ihr verziehen, das können Sie ihr ruhig sagen. Sie ist ein gutes Mädchen, aber sie ist eben nur eine Dirne, und mit dem, was sie getan hat, hätte ich rechnen müssen. Ich bin ihr dankbar für ihren Entschluß, denn heute frage ich mich, wohin uns wohl mein Plan, ganz mit ihr allein zu leben, geführt haben würde. Das war der reine Wahnsinn.«

»Sie wird sicher glücklich sein, wenn sie erfährt, daß Sie jetzt ein Einsehen in die Notwendigkeit dieses Schrittes haben. Es war höchste Zeit, Sie zu verlassen, lieber Freund. Der Geschäftsmann, dieser Halunke, dem sie ihr Mobiliar verkaufen wollte, hat ihre Gläubiger aufgesucht, um Erkundigungen über ihre Schulden einzuziehen. Diese bekamen Angst um ihr Geld, und binnen zwei Tagen sollte alles verkauft werden.«

»Und sind die Schulden jetzt bezahlt?«

»So ziemlich alle.«

»Und wer hat das Geld dafür gegeben?«

»Der Graf de N. Ach, mein Lieber, es gibt Männer, die sind für so etwas wie geschaffen. Kurz und gut, er hat zwanzigtausend Francs hergeben müssen, aber sein Ziel hat er damit erreicht. Er weiß ganz genau, daß Marguerite nicht in ihn verliebt ist, was ihn aber nicht daran hindert, ihr viele Aufmerksamkeiten zu erweisen. Sie haben es ja selbst gesehen: Er hat ihr Gespann zurückgekauft, ihren Schmuck ausgelöst und gibt ihr ebensoviel Geld, wie sie früher vom Herzog bekam; wenn sie ein ruhiges Leben führen will, dann wird sie ihn noch lange behalten.«

»Und was macht sie? Lebt sie ganz in Paris?«

»Als Sie fort waren, wollte sie unter keinen Umständen wieder nach Bougival gehen. Ich war es, die hinfuhr, um ihre Sachen zu holen, die Ihren übrigens auch. Ich habe ein Paket gemacht, es liegt hier, Sie können es abholen lassen. Es ist alles drin, außer einer Brieftasche mit Ihrem Monogramm. Marguerite hat es an sich genommen und trägt es bei sich. Aber wenn Ihnen daran liegt, dann werde ich es von ihr zurückfordern.«

»Sie kann es behalten«, stammelte ich, denn bei der Erinnerung an dieses Dorf, in dem ich so glücklich gewesen war, und bei dem Gedanken, daß Marguerite etwas behalten wollte, das von mir stammte und sie an mich erinnerte, stiegen mir die Tränen in die Augen.

Wenn sie in diesem Augenblick zur Tür hereingetreten wäre, so hätte ich alle Rachepläne aufgegeben und mich ihr zu Füßen geworfen.

»Und sonst muß ich sagen«, fuhr Prudence fort, »habe ich sie noch nie so gesehen, wie sie jetzt ist. Sie schläft kaum noch, rennt auf jeden Ball, feiert Gelage und betrinkt sich sogar. Letztens mußte sie nach einem solchen Souper eine Woche lang das Bett hüten, und als der Arzt ihr wieder aufzustehen erlaubte, hat sie gerade wieder damit angefangen und sich fast umgebracht dabei. Werden Sie sie besuchen?«

»Wozu? Ich bin nur gekommen, um Sie zu sehen, denn Sie sind immer reizend zu mir gewesen, und schließlich habe ich Sie noch vor Marguerite gekannt. Ihnen habe ich es zu verdanken, daß ich ihr Liebhaber gewesen bin, so wie ich es ja auch Ihnen verdanke, daß ich das jetzt nicht mehr bin, ist es nicht so?«

»Ja, gewiß! Ich habe getan, was ich konnte, damit sie Sie verläßt, und ich glaube, Sie werden mir das später nicht verübeln können.«

»Ich bin Ihnen dafür doppelt dankbar«, sagte ich, indem ich mich erhob, denn es ekelte mich an, daß diese Frau alles, was ich sagte, für bare Münze hielt.

»Sie wollen gehen?«

»Ja.«

Ich hatte genug.

»Wann wird man Sie wiedersehen?«

»Bald. Adieu.«

»Adieu.«

Prudence begleitete mich zur Tür, und ich kehrte mit Tränen der Wut und Rachegelüsten im Herzen nach Hause zurück.

So war also Marguerite tatsächlich nur eine Dirne wie alle anderen auch. Und so vermochte auch diese tiefe Liebe, die sie für mich empfand, nichts gegen den Wunsch, ihr früheres Leben wieder aufzunehmen, gegen das Bedürfnis, einen Wagen zu haben und Gelage zu veranstalten.

Das waren meine Gedanken in den schlaflosen Nächten, während ich doch, hätte ich wirklich mit so kalter Überlegung geurteilt, wie ich vorgab, erkannt haben müßte, daß dieses neue, lärmende Dasein für Marguerite die einzige Hoffnung war, einen sie unablässig verfolgenden Gedanken, eine unauslöschliche Erinnerung zum Schweigen zu bringen.

Leider siegte der böse Dämon in mir, und ich sann nur noch auf Mittel und Wege, dieses arme Geschöpf zu quälen.

Ach, wie niedrig und gemein wird doch der Mensch, wenn man eine seiner blinden Leidenschaften verletzt.

Diese Olympe, die ich mit Marguerite gesehen hatte, war zwar nicht gerade ihre Freundin, doch zumindest war sie die Frau, die Marguerite seit ihrer Rückkehr nach Paris am häufigsten sah. Ich erfuhr, daß sie einen Ball geben werde, und da ich annahm, daß dort auch Marguerite erscheinen würde, versuchte ich, mir eine Einladung zu verschaffen, die ich auch erhielt.

Als ich von schmerzlichen Gefühlen gequält auf diesem Ball eintraf, war das Treiben schon in vollem Gange. Man tanzte, man lärmte sogar, und in einer Quadrille sah ich Marguerite mit dem Grafen de N. tanzen, der offensichtlich sehr stolz darauf war, sie vorzeigen zu können. Er schien aller Welt sagen zu wollen: Diese Frau ist mein!

Ich lehnte mich an den Kamin, Marguerite gerade gegenüber, und sah ihr beim Tanzen zu. Kaum daß sie mich bemerkt hatte, wurde sie auch schon ganz verwirrt. Ich sah sie an und grüßte sie zerstreut mit einer Handbewegung und einem Blick.

Wenn ich nur daran dachte, daß sie nach dem Ball nicht mit mir, sondern mit diesem reichen Idioten nach Hause gehen würde, wenn ich mir vorstellte, was dann in ihrer Wohnung folgen würde, stieg mir das Blut zu Kopf, und kam es mich die Lust an, ihnen ihre Liebschaft zu verderben.

Nach dem Kontertanz ging ich die Gastgeberin begrüßen, die den Blicken der eingeladenen Gäste herrliche Schultern und einen guten Teil ihres bezaubernden Busens darbot.

Dieses Mädchen war schön, und was die äußeren Formen betraf sogar schöner als Marguerite. Das bewiesen mir um so deutlicher diese gewissen Blicke, die jene auf Olympe warf, als ich mit ihr sprach.

Der Geliebte dieser Frau konnte ebenso stolz sein, wie der Graf de N. es war, und sie war schön genug, eine Leidenschaft zu entfachen, die jener, welche ich für Marguerite empfunden hatte, in nichts nachstand.

Sie hatte zu dieser Zeit gerade keinen Liebhaber. Es würde nicht schwer sein, sie zu gewinnen. Es kam nur darauf an, genügend Gold zu zeigen, um auf sich aufmerksam zu machen.

Mein Entschluß war gefaßt. Diese Frau würde meine Geliebte sein.

Ich begann meine Rolle als Bewerber, indem ich mit Olympe tanzte.

Eine halbe Stunde darauf legte Marguerite, bleich wie eine Tote, ihren Pelz um und verließ den Ball.

XXIV

Das war schon etwas, aber es war noch nicht genug. Ich begriff, welche Macht ich über diese Frau hatte, und nutzte das schamlos aus.

Wenn ich daran denke, daß sie jetzt tot ist, frage ich mich, ob Gott mir je verzeihen wird, daß ich ihr so großes Leid zugefügt habe.

Nach einem äußerst geräuschvollen Souper setzte man sich zum Spiel.

Ich nahm neben Olympe Platz und setzte mein Geld mit einer solchen Waghalsigkeit, daß ich ihrer Aufmerksamkeit unter gar keinen Umständen entgehen konnte. Im Handumdrehen hatte ich hundertfünfzig oder zweihundert Louisdor gewonnen, die ich vor mir ausbreitete und auf die sie begehrliche Blicke warf.

Ich war der einzige, den das Spiel nicht völlig gefangennahm und der sich noch mit ihr beschäftigte. Ich gewann die ganze Nacht hindurch und gab ihr Geld zum Spielen, denn sie hatte alles verloren, was sie vor sich liegen hatte – womöglich alles, was sie überhaupt besaß.

Um fünf Uhr morgens ging die Gesellschaft auseinander.

Ich hatte dreihundert Louisdor gewonnen.

Alle Spieler waren schon nach unten gegangen, nur ich war zurückgeblieben, ohne daß es jemandem aufgefallen wäre, denn ich war mit keinem dieser Herren befreundet. Olympe leuchtete selbst ihren Gästen an der Treppe, und ich wollte schon den anderen nachgehen, als ich mich umwandte und zu ihr sagte: »Ich muß Sie sprechen.«

»Morgen«, antwortete sie.

»Nein, jetzt.«

»Was haben Sie mir denn zu sagen?«

»Sie werden schon sehen.«

Damit ging ich in die Wohnung zurück.

»Sie haben Geld verloren«, sagte ich zu ihr.

»Ja.«

»Alles, was Sie bei sich hatten?«

Sie zögerte.

»Seien Sie offen.«

»Nun ja, es stimmt.«

»Ich habe dreihundert Louisdor gewonnen, hier sind sie, Sie können sie haben, wenn Sie mich heute bei sich behalten.«

Und mit diesen Worten warf ich die Goldstücke auf den Tisch.

»Und warum dieses Angebot?«

»Weil ich Sie liebe, zum Teufel!«

»Nein, weil Sie Marguerite lieben und sich an ihr rächen wollen, indem Sie mich zu Ihrer Geliebten machen. Eine Frau wie mich kann man nicht hinters Licht führen, mein lieber Freund. Doch leider bin ich noch zu jung und zu schön, um die Rolle anzunehmen, die Sie mir da anbieten.«

»Sie weigern sich also?«

»Ja.«

»Würden Sie mich lieber umsonst lieben? Das müßte ich Ihnen abschlagen. Denken Sie gut darüber nach, meine liebe Olympe. Wenn ich irgend jemanden mit diesen dreihundert Louisdor und den gleichen Forderungen bei Ihnen vorbeigeschickt hätte, würden Sie angenommen haben. Ich möchte lieber ganz ohne Umwege mit Ihnen verhandeln. Nehmen Sie mein Angebot an, ohne nach den Beweggründen zu suchen. Sagen Sie sich einfach, daß Sie schön sind und daß es deshalb keineswegs erstaunt, wenn ich mich in Sie verliebe.«

Marguerite war eine Kurtisane wie Olympe, und doch hätte ich es niemals gewagt, ihr schon nach der ersten Begegnung solche Worte zu sagen. Und das war so, weil ich sie liebte, weil ich wertvolle Gefühle bei ihr entdeckt hatte, die dieses Geschöpf hier nicht besaß. Im gleichen Augenblick, in dem ich ihr diesen Handel vorschlug, widerte sie mich auch schon an, trotz ihrer außerordentlichen Schönheit.

Selbstverständlich ging sie am Ende darauf ein, und am folgenden Mittag verließ ich als ihr Liebhaber das Haus. Doch ich verließ ihr Bett ohne Erinnerung an die Zärtlichkeiten und Liebesworte, die sie mir für die sechstausend Francs, die ich ihr dalieb, reichlich zu schulden glaubte.

Und doch hatte sich so mancher für diese Frau ruiniert.

Von diesem Tag an begann ich Marguerite unablässig zu quälen. Wie Sie sich leicht denken können, brach sie jede Beziehung zu Olympe ab. Ich schenkte meiner neuen Mätresse einen Wagen, Schmuck, ging wieder zum Spiel, kurz und gut, ich beging all die Torheiten, die ein verliebter Mann einer Frau wie Olympe schuldig ist. Das Gerede um meine neue Leidenschaft machte schnell die Runde.

Auch Prudence ließ sich täuschen und glaubte am Ende, ich hätte Marguerite völlig vergessen. Ob diese nun den Beweggrund meines Handelns erahnt hatte oder sich wie die anderen täuschen ließ, jedenfalls begegnete sie den Kränkungen, die ich ihr täglich zufügte, mit einer großen Würde. Doch schien sie sehr zu leiden, denn wo ich ihr auch begegnete, ich sah sie immer trauriger, immer bleicher werden. Meine Liebe zu ihr hatte ein solches Übermaß erreicht, daß sie sich fast zum Haß auswuchs, und ich weidete mich am Anblick dieses täglich aufs neue zugefügten Leidens. Doch es fanden sich auch

Gelegenheiten, bei denen ich Marguerite mit einer so niederträchtigen Grausamkeit behandelte, daß sie mir flehentliche Blicke zuwarf und ich zutiefst über meine Rolle beschämt war und kurz davor stand, sie um Verzeihung zu bitten.

Doch diese Anwandlungen von Reue waren nur von kurzer Dauer, und Olympe, die allen Stolz von sich abgelegt und erkannt hatte, daß sie alles von mir bekommen konnte, wenn sie nur Marguerite Schlimmes antat, hetzte mich ständig gegen sie auf und ließ sich keine Gelegenheit entgehen, sie zu beschimpfen. Und das tat sie mit der feigen Beharrlichkeit einer Frau, die sich durch einen Mann zu allem ermächtigt weiß.

Schließlich ging Marguerite auf keinen Ball und in kein Theater mehr, da sie stets befürchten mußte, uns dort zu begegnen. Den persönlichen Beleidigungen folgten nun anonyme Briefe, und den boshaften Geschichten über Marguerite, die ich meine Geliebte erzählen ließ und die ich selbst ebenfalls zum besten gab, waren keine Grenzen gesetzt.

Nur ein Verrückter konnte so weit gehen. Ich glich einem Mann, der sich mit schlechtem Fusel berauscht hat und nun in einen Zustand nervöser Überreiztheit fällt, in dem die Hand eines Verbrechens fähig ist, ohne daß das Denken in irgendeiner Weise daran beteiligt wäre. Und bei alledem litt ich Höllenqualen. Diese ruhige, würdevolle Haltung frei von jeglicher Verachtung, mit der Marguerite all meinen Angriffen begegnete, machte sie in meinen Augen überlegen und brachte mich nur noch mehr gegen sie auf.

Eines Abends war Olympe ohne mich irgendwohin gegangen und dort Marguerite begegnet. Diese wollte sich die Beleidigungen des dummen Mädchens diesmal nicht gefallen lassen und zwang sie schließlich, das Feld zu räumen. Olympe war wutschnaubend gegangen, und Marguerite hatte man ohnmächtig weggetragen.

Als Olympe nach Hause kam, erzählte sie mir den

Vorfall und sagte mir, Marguerite habe sich, als sie sah, daß Olympe alleine war, dafür rächen wollen, daß sie meine Geliebte sei. Ich solle Marguerite nun in einem Brief schreiben, daß sie gefälligst die Frau, die ich liebe, zu respektieren habe, gleich, ob ich zugegen sei oder nicht.

Ich brauche Ihnen wohl nicht zu sagen, daß ich einwilligte. In diesen Brief packte ich alles, was ich an bitteren, schmählichen und grausamen Vorwürfen nur ersinnen konnte, und schickte ihn noch am selben Tag an ihre Adresse.

Diesmal war der Schlag zu schmerzhaft, als daß die Unglückliche ihn wortlos hätte hinnehmen können.

Ich ahnte schon, daß ich eine Antwort erhalten würde, und beschloß daher, den ganzen Tag nicht mehr aus dem Haus zu gehen.

Gegen zwei Uhr wurde geläutet, und ich sah Prudence eintreten.

Ich versuchte, eine gleichgültige Miene aufzusetzen bei der Frage, welchem Anlaß ich ihren Besuch verdanke. Doch an diesem Tag war Madame Duvernoy nicht zu Scherzen aufgelegt, und mit sichtlich bewegter Stimme hielt sie mir vor, daß ich mir seit meiner Rückkehr, das heißt seit etwa drei Wochen, keine Gelegenheit hätte entgehen lassen, Marguerite weh zu tun, daß sie davon krank geworden sei und nun seit der gestrigen Szene und meinem Brief von heute morgen das Bett hüten müsse.

Kurz, Marguerite habe sie geschickt, um mich, ohne mir Vorwürfe zu machen, um Schonung zu bitten, da sie weder die seelische noch die körperliche Kraft besäße, meine Grausamkeiten länger ertragen zu können.

»Wenn Mademoiselle Gautier«, entgegnete ich Prudence, »mir den Laufpaß geben will, so ist das ihr gutes Recht. Doch daß sie eine Frau beleidigt, die ich liebe, und zwar allein aus dem Grund, daß sie meine Geliebte ist, das werde ich unter keinen Umständen dulden.«

»Mein Freund, Sie haben sich von einem herzlosen und

geistlosen Mädchen betören lassen. Sie lieben sie, das mag wohl sein, doch das gibt Ihnen nicht das Recht, eine Frau zu quälen, die sich nicht wehren kann.«

»So soll mir Mademoiselle Gautier doch ihren Grafen de N. vorbeischicken, dann kämpfen wir mit gleichen Waffen.«

»Sie wissen sehr wohl, daß sie das nicht tun wird. So lassen Sie sie doch in Frieden, mein lieber Armand; wenn Sie sie jetzt sehen könnten, würden Sie sich dafür schämen, so grob mit ihr umzuspringen. Sie ist ganz blaß und hustet immerzu; lange wird sie es jetzt nicht mehr machen.«

Darauf reichte Prudence mir die Hand und setzte noch hinzu: »Gehen Sie sie besuchen, das wird sie sehr glücklich machen.«

»Mir ist nicht sehr daran gelegen, dem Grafen de N. zu begegnen.«

»Der Graf ist nie bei ihr. Sie erträgt ihn nicht.«

»Wenn Marguerite mich sehen will, dann soll sie doch kommen, sie weiß ja, wo ich wohne. Ich jedenfalls werde keinen Fuß in die Rue d'Antin setzen.«

»Werden Sie sie auch freundlich empfangen?«

»Ganz bestimmt.«

»Gut, dann bin ich sicher, daß sie kommen wird.«

»Wie sie möchte.«

»Werden Sie heute ausgehen?«

»Ich bin den ganzen Abend zu Hause.«

»Ich will es ihr sagen.«

Prudence ging.

An Olympe schrieb ich nicht einmal, daß ich nicht kommen würde. Wie sie das finden mochte, scherte mich wenig. Ich verbrachte kaum noch mehr als eine Nacht in der Woche mit ihr. Sie tröstete sich, glaube ich, mit einem Schauspieler von irgendeinem Boulevardtheater.

Ich ging außer Haus essen und kehrte gleich darauf zurück. Dann ließ ich in allen Zimmern Feuer machen und schickte Joseph fort.

Ich könnte Ihnen nicht schildern, wie viele widerstreitende Gefühle mich in dieser einen Stunde des Wartens bewegten. Doch als ich es gegen neun Uhr läuten hörte, war ich so aufgewühlt, daß ich mich, als ich die Tür öffnen ging, an der Wand festhalten mußte, sonst wäre ich umgefallen.

Glücklicherweise war im Vorzimmer nur ein dämmriges Licht, so daß man mein verstörtes Gesicht kaum erkennen konnte.

Marguerite trat ein.

Sie war ganz in Schwarz gekleidet und trug einen Schleier. Ihr Gesicht war hinter den Spitzen kaum zu erkennen.

Dann trat sie in den Salon und hob den Schleier.

Sie war weiß wie Marmor.

»Hier bin ich, Armand«, sagte sie. »Sie wollten mich sehen, ich bin gekommen.«

Dann ließ sie den Kopf in beide Hände sinken und brach in Tränen aus.

Ich trat auf sie zu.

»Was ist Ihnen?« fragte ich mit bewegter Stimme.

Sie drückte wortlos meine Hand, denn Tränen erstickten ihr die Stimme. Als sie sich kurz darauf wieder gefaßt hatte, sagte sie zu mir: »Sie haben mir sehr weh getan, Armand, und ich habe Ihnen doch nichts getan.«

»Nein?« entgegnete ich mit einem bitteren Lächeln.

»Nein, nichts als das, wozu die Umstände mich gezwungen haben.«

Ich weiß nicht, ob Sie in ihrem Leben jemals das gefühlt haben oder fühlen werden, was ich beim Anblick von Marguerite empfand.

Als sie das letzte Mal zu mir gekommen war, hatte sie genau an demselben Platz gesessen, an dem sie jetzt saß. Mit dem Unterschied, daß sie seither die Geliebte eines anderen gewesen war. Andere Lippen als die meinen hatten ihre Lippen geküßt, nach denen es mich jetzt wider meinen Willen verlangte, und trotz allem fühlte ich, daß ich diese Frau jetzt ebenso, ja fast noch mehr liebte als je zuvor.

Und doch fiel es mir schwer, das Gespräch auf die Umstände zu lenken, die sie hergeführt hatten. Marguerite merkte das sicher, denn sie fing von selbst an:

»Ich komme Sie hier belästigen, Armand, weil ich Sie um zwei Dinge bitten möchte: um Verzeihung für das, was ich gestern zu Olympe gesagt habe, und zum anderen um Schonung, falls Sie mir noch Weiteres antun wollen. Sie haben mir, absichtlich oder nicht, seit Ihrer Rückkehr so viel Leid zugefügt, daß ich jetzt nicht mehr imstande wäre, auch nur ein Viertel der Qualen zu ertragen, die ich bis zu diesem Morgen erduldet habe. Sie werden doch gnädig mit mir sein, nicht wahr? Und Sie werden auch verstehen, daß es für einen Menschen, der ein Herz hat, Vornehmeres zu tun gibt, als sich an einer Frau zu rächen, die so krank und traurig ist, wie ich es bin. Hier, fühlen Sie meine Hand. Ich habe Fieber und bin nicht aufgestanden, weil ich Sie um Ihre Freundschaft bitten wollte, sondern darum, daß sie mich in Ruhe lassen.«

Ich ergriff Marguerites Hand. Sie war tatsächlich glühend heiß, und die Ärmste zitterte in ihrem Samtmantel.

Ich rollte sie mit ihrem Sessel ans Kaminfeuer heran.

»Glauben Sie denn«, erwiderte ich, »ich hätte nicht gelitten in jener Nacht, als ich draußen auf dem Land auf Sie wartete und dann nach Paris zurückeilte, um Sie zu suchen, und hier nur diesen Brief vorfand, der mich fast um den Verstand gebracht hätte? Wie haben Sie mich nur so hintergehen können, Marguerite, wo ich Sie doch so sehr liebte!«

»Lassen Sie uns nicht davon sprechen, Armand, dazu bin ich nicht gekommen. Ich wollte, daß wir keine Feinde mehr sind, das ist alles, und dann wollte ich noch einmal Ihre Hand drücken. Sie haben eine junge, hübsche Geliebte, wie man sagt. Seien Sie glücklich mit ihr und vergessen Sie mich.«

»Und Sie, Sie sind sicherlich glücklich, nicht wahr?«

»Sehe ich etwa aus wie eine glückliche Frau, Armand? Spotten Sie nicht über meinen Schmerz, zumal Sie besser als jeder andere wissen, woher er rührt und wie tief er geht.«

»Es hing nur von Ihnen ab, nie mehr unglücklich zu sein, falls Sie das wirklich sind, wie Sie behaupten.«

»Nein, mein Lieber, gegen die Umstände vermochte mein Wille gar nichts auszurichten. Ich habe mich gefügt, und zwar nicht aus der Laune einer Dirne heraus, wie Sie das gerade anzudeuten schienen, sondern ich fügte mich einer sehr ernsten Notwendigkeit. Die Gründe werden Sie vielleicht eines Tages erfahren, und dann werden Sie mir verzeihen.«

»Warum nennen Sie mir diese Gründe nicht schon heute?«

»Weil sie uns nicht wieder zusammenbringen würden, denn das ist unmöglich, und weil Sie sich dadurch vielleicht von Menschen entfernen würden, denen Sie nahe bleiben sollten.«

»Wer sind diese Menschen?«

»Das kann ich Ihnen nicht sagen.«

»Dann lügen Sie.«

Marguerite stand auf und ging zur Tür.

Ich konnte diesen stummen, beredten Schmerz nicht länger mitansehen, ohne daß es mich zutiefst aufwühlte, zumal ich jetzt diese bleiche, weinende Frau mit jenem Mädchen vergleichen mußte, das sich damals in der Opéra Comique über mich lustig gemacht hatte.

»Du wirst nicht gehen«, sagte ich und verstellte ihr den Weg zur Tür.

»Warum nicht?«

»Weil ich dich trotz allem, was du mir angetan hast, noch immer liebe, und weil du bei mir bleiben sollst.«

»Um mich dann morgen fortzujagen, nicht wahr? Nein, das ist unmöglich! Unser beider Schicksale gehen getrennte Wege, wir sollten nicht versuchen, sie zusammenzuführen. Sie würden mich vielleicht verachten, während Sie mich jetzt nur hassen können.«

»Nein, Marguerite«, schrie ich auf, während ich fühlte, wie bei der Berührung dieser Frau meine ganze Liebe und meine ganze Sehnsucht wieder erwachten, »nein, ich werde alles vergessen, und wir werden so glücklich sein, wie wir es uns damals versprochen hatten.«

Marguerite deutete mit einem Kopfschütteln ihren Zweifel an und sagte:

»Bin ich etwa nicht Ihre Sklavin, Ihr Hund? Machen Sie mit mir, was Sie wollen, nehmen Sie mich, ich gehöre Ihnen.«

Mit diesen Worten legte sie Mantel und Hut ab, warf beides aufs Sofa, und dann fing sie plötzlich an, hastig die Korsage ihres Kleides aufzuhaken, da ihr in einer dieser Fieberwellen, die bei dieser Krankheit so häufig vorkommen, das Blut in den Kopf schoß. Sie rang nach Atem.

Dem folgte ein trockener und rauher Husten.

»Sagen Sie meinem Kutscher«, fuhr sie fort, »er möge meinen Wagen nach Hause fahren.«

Ich ging selbst hinunter und schickte den Mann fort.

Als ich zurückkam, lag Marguerite ausgestreckt vor dem Kaminfeuer und klapperte vor Kälte mit den Zähnen.

Ich nahm sie in meine Arme, zog sie aus, ohne daß sie sich rührte, und trug dieses eiskalte Wesen in mein Schlafzimmer.

Und dann setzte ich mich zu ihr und versuchte, sie mit meinen Liebkosungen zu wärmen. Sie sagte kein Wort, lächelte aber.

Ach, was war das für eine seltsame Nacht! Ihr ganzes Leben schien in die Küsse zu strömen, mit denen sie mich bedeckte, und ich liebte sie so sehr, daß ich mir inmitten des fieberhaften Rausches meiner Liebe die Frage stellte, ob ich sie nicht töten solle, damit sie nie wieder einem anderen gehören könnte.

Ein ganzer Monat einer solchen Liebe, und Leib und Seele wären nur noch ein Hauch.

Das erste Tageslicht fand uns beide hellwach.

Marguerite war leichenblaß. Sie sagte kein Wort.

Dicke Tränen rannen ihr hin und wieder aus den Augen und blieben wie funkelnde Diamanten auf ihrer Wange stehen. Ihre matten Arme öffneten sich von Zeit zu Zeit und wollten mich fassen und sanken dann kraftlos aufs Laken zurück.

Einen Augenblick glaubte ich schon vergessen zu können, was seit meiner Abreise aus Bougival geschehen war, und sagte zu Marguerite:

»Sollen wir auf Reisen gehen, Paris den Rücken kehren?«

»Nein, nein«, antwortete sie fast schon erschrocken, »wir würden nur unglücklich sein, ich könnte dich nicht mehr glücklich machen, doch solange noch ein Hauch Leben in mir ist, will ich die Sklavin deiner Launen sein. Zu welcher Stunde auch immer es dich nach mir verlangen sollte, sei's Tag oder Nacht, so komm, und ich bin dein. Aber versuche nicht, unsere Lebenswege zusammenzuführen, du würdest dich nur unglücklich machen und mich dazu.

Ich werde noch eine Zeitlang eine hübsche Frau sein, nütze sie, doch verlange nicht nach mehr.«

Als sie gegangen war, erschrak ich über die entsetzliche Einsamkeit, in der sie mich zurückließ. Zwei Stunden später saß ich noch immer auf dem Bett, das sie verlassen hatte, betrachtete das Kopfkissen, dessen Falten noch den Abdruck ihres Körpers bewahrten, und fragte mich, wie dieser Kampf zwischen meiner Liebe und meiner Eifersucht nur enden werde.

Um fünf Uhr ging ich, ohne zu wissen, was ich tat, in die Rue d'Antin.

Nanine öffnete mir.

»Madame kann Sie nicht empfangen«, sagte sie verwirrt.

»Warum nicht?«

»Weil der Graf de N. da ist und mir befohlen hat, niemanden einzulassen.«

»Ist schon gut«, stammelte ich, »ich vergaß.«

Ich ging wie ein Betrunkener nach Hause, und wissen Sie, was ich tat in dieser Minute eifersüchtiger Raserei, die stark genug war, mich zu einer Ungeheuerlichkeit zu verleiten, wissen Sie, was ich tat? Ich sagte mir, diese Frau hält mich zum besten, ich stellte sie mir in ihrer unverbrüchlichen Zweisamkeit mit dem Grafen vor, wie sie ihm die gleichen Worte wiederholte, die sie mir in der Nacht gesagt hatte, und da nahm ich einen Fünfhundertfrancsschein und schickte ihn ihr mit den Worten:

»Sie hatten es heute morgen so eilig zu gehen, daß ich ganz vergaß, Sie zu bezahlen.

Anbei das Geld für eine Nacht.«

Als ich den Brief aufgegeben hatte, ging ich aus dem Haus, um den Gewissensbissen zu entfliehen, die mich unmittelbar nach dieser schändlichen Tat überfielen.

Ich ging zu Olympe. Sie probierte gerade Kleider an, und als wir allein waren, sang sie mir obszöne Lieder vor, um mich zu zerstreuen.

Diese hier entsprach genau der Kurtisane ohne Scham, ohne Herz und ohne Geist, für mich zumindest, denn vielleicht hatte ja ein anderer mit ihr denselben Traum gelebt wie ich mit Marguerite.

Sie bat mich um Geld, ich gab ihr welches, und da es mir nun freistand zu gehen, kehrte ich in meine Wohnung zurück.

Marguerite hatte mir nicht geantwortet.

Ich brauche Ihnen nicht zu sagen, in welcher nervösen Unruhe ich den folgenden Tag verbrachte.

Um halb sieben brachte mir ein Bote einen Umschlag, der meinen Brief und den Fünfhundertfrancsschein enthielt, und weiter nicht eine Zeile.

»Wer hat Ihnen das gegeben?« fragte ich den Mann.

»Eine Dame, die mit ihrem Zimmermädchen in die Postkutsche nach Boulogne eingestiegen ist; sie hat mir befohlen, ihn erst zu überbringen, wenn der Wagen aus dem Hof gefahren ist.«

Ich eilte zu Marguerite.

»Madame ist heute um sechs Uhr nach England abgereist«, antwortete mir der Portier.

Nichts hielt mich länger in Paris, weder Haß noch Liebe. Nach all den Erschütterungen war ich am Ende meiner Kräfte. Einer meiner Freunde wollte zu einer Reise in den Orient aufbrechen, und so fuhr ich zu meinem Vater, um ihm meinen Wunsch mitzuteilen, diesen Freund zu begleiten.

Mein Vater gab mir Wechsel und Empfehlungsschreiben mit, und acht oder zehn Tage später schiffte ich mich in Marseille ein.

In Alexandrien erfuhr ich durch einen Botschaftsattaché, dem ich gelegentlich bei Marguerite begegnet war, von der schweren Krankheit des armen Mädchens.

Ich schrieb ihr sofort einen Brief, ihre Antwort darauf haben Sie gelesen. Ich erhielt sie in Toulon.

Sofort fuhr ich ab, und der Rest ist Ihnen bekannt.

Jetzt müssen Sie nur noch die wenigen Seiten lesen, die Julie Duprat mir überbracht hat und die zu meiner Erzählung die notwendige Ergänzung sind.

XXV

Armand, der erschöpft war nach dieser langen, von seinen Tränen häufig unterbrochenen Erzählung, überreichte mir die handschriftlichen Seiten Marguerites. Dann legte er beide Hände auf die Stirn und schloß die Augen, um nachzudenken oder ein wenig zu schlafen.

Bald schon zeigten mir seine rascheren Atemzüge an, daß er eingeschlafen war, doch es war dieser leichte Schlaf, aus dem man durch das geringste Geräusch aufschreckt.

Hier nun die Worte, die ich las und die ich niederschreibe, ohne auch nur eine Silbe hinzuzusetzen oder auszulassen.

Heute ist der 15. Dezember. Seit drei oder vier Tagen fühle ich mich elend. Diesen Morgen habe ich mich hingelegt; das Wetter ist trübe; ich bin traurig. Niemand ist bei mir, ich denke an Sie, Armand. Und Sie, wo sind Sie jetzt, während ich diese Zeilen schreibe? Fern von Paris, sehr fern, wie man mir gesagt hat, und vielleicht haben Sie Marguerite schon vergessen. Nun, so seien Sie glücklich, Sie, dem ich die glücklichsten Augenblicke meines Lebens verdanke.

Ich habe dem Verlangen nicht widerstehen können, Ihnen mein Verhalten zu erklären, und hatte Ihnen einst diesen Brief geschrieben. Aber wenn eine Dirne wie ich so einen Brief schreibt, dann kann man ihn leicht für eine Lüge halten, falls nicht der Tod ihn durch seine Allmacht heiligt und er dann kein Brief mehr ist, sondern zur Beichte wird.

Nun bin ich krank. Wahrscheinlich sterbe ich an dieser Krankheit, denn ich habe stets die Vorahnung gehabt, daß ich jung sterben werde. Schon meine Mutter ist an Schwindsucht gestorben, und mein bisheriger Lebenswandel hat diese Veranlagung nur verschärfen können, das einzige Erbe, das sie mir hinterlassen hat. Doch ich will nicht sterben, bevor Sie nicht genau wissen, woran Sie mit mir gewesen sind, falls Sie sich nach Ihrer Rückkehr überhaupt noch Gedanken machen um das arme Mädchen, das Sie noch vor Ihrer Abreise geliebt haben.

Hier der Inhalt dieses Briefes, den ich nur zu gerne noch einmal schreibe, um mir von neuem vor Augen zu halten, daß mein Verhalten gerechtfertigt war:

Sie erinnern sich, Armand, wie wir in Bougival von der Ankunft Ihres Vaters überrascht wurden. Sie werden sich auch erinnern, wie sehr mich diese Ankunft ganz unwillkürlich erschreckt hat, auch an den Streit, der zwischen Ihnen beiden stattgefunden hat und von dem Sie mir am Abend erzählt haben.

Am Tag darauf, während Sie in Paris auf Ihren Vater gewartet haben, der nicht kam, ist ein Mann bei mir erschienen und hat mir einen Brief von Monsieur Duval überreicht.

In diesem Brief, den ich diesem hier beilege, wurde ich in den feierlichsten Worten gebeten, Sie unter irgendeinem Vorwand fortzuschicken und Ihren Vater zu empfangen. Er habe mit mir zu reden, und vor allem dürfe ich Ihnen kein Wort von seinem Vorhaben sagen.

Sie wissen, wie beharrlich ich Sie bei Ihrer Rückkehr dazu drängte, am nächsten Tag noch einmal nach Paris zu fahren.

Sie waren kaum eine Stunde fort, als Ihr Vater kam. Ich will Ihnen gar nicht erst erzählen, welchen Eindruck seine strenge Miene auf mich machte. Er war voll von den alten Vorurteilen, daß jede Kurtisane ein Wesen ohne Herz und Verstand sein müsse, so eine Art Goldraffautomat, und wie diese Eisenmaschinen stets bereit, jede Hand, die ihr etwas entgegenstreckt, zu zermalmen und den, der sie unterhält, erbarmungslos und blindlings zu vernichten.

Ihr Vater hatte mir einen sehr höflichen Brief geschrieben, damit ich ihn auch ja empfangen würde. Jetzt zeigte er sich nicht mehr ganz so höflich. Er begegnete mir gleich zu Anfang mit solch hochmütigen und dreisten Worten und wollte mir sogar drohen, so daß ich ihm schließlich zu verstehen geben mußte, er befinde sich in meinem Hause, und ich habe ihm keine Rechenschaft über mein Leben abzulegen, nur weil ich zu seinem Sohn eine aufrichtige Zuneigung empfinde.

Monsieur Duval beruhigte sich ein wenig, doch dann machte er die Bemerkung, er könne es nun nicht mehr länger mitansehen, wie sein Sohn sich für mich ruiniere. Ich sei zwar schön, das schon, aber wäre ich auch noch so schön, so dürfe ich meine Schönheit doch nicht dazu mißbrauchen, die Zukunft eines jungen Mannes durch die Ausgaben, zu denen ich ihn zwinge, zu zerstören.

Hierauf gab es nur eine Antwort, nicht wahr? Ich legte Ihrem Vater die Beweise vor, daß ich, seit ich Ihre Geliebte wurde, kein Opfer scheute, um Ihnen die Treue halten zu können, und Sie nie um mehr Geld gebeten habe, als Sie geben konnten. Ich zeigte ihm die Leihhausscheine, die Quittungen von Leuten, denen ich Sachen verkauft habe, die sich nicht verpfänden ließen, und teilte Ihrem Vater meinen Entschluß mit, mein Mobiliar zu veräußern, um meine Schulden zu begleichen und mit Ihnen leben zu können, ohne Ihnen eine allzu große Last zu sein. Ich schilderte ihm unser Glück, und wie Sie mir ein ruhigeres und zufriedeneres Leben beschert haben, und schließlich ließ er sich überzeugen, reichte mir die Hand und bat mich um Verzeihung für die Art, in der er mich zu Beginn behandelt hatte.

Dann sagte er zu mir: »Nun, Madame, so will ich Sie nun nicht mehr mit Vorhaltungen und Drohungen, sondern mit Bitten zu einem Opfer bewegen, das noch viel größer ist als alle, die Sie meinem Sohn bisher gebracht haben.«

Ich zitterte bei dieser Einleitung. Ihr Vater trat auf mich zu, faßte mich bei den Händen und fuhr in einem warmherzigen Ton fort: »Mein Kind, Sie dürfen mir nicht verübeln, was ich Ihnen jetzt sagen werde. Sie müssen einsehen, daß es im Leben oft grausame Notwendigkeiten gibt, denen das Herz sich beugen muß. Sie sind gut, und Sie zeigen eine Großmut, die so manche jener Frauen, die auf Sie vielleicht mit Verachtung herabblicken und die Ihnen nicht das Wasser reichen können, nicht aufbringen würden. Aber bedenken Sie, daß neben der Geliebten noch die Familie steht; daß es außer der Liebe auch noch Pflichten gibt; daß auf die Zeit der Leidenschaften das reifere Alter folgt, in dem ein Mann, um geachtet zu werden, eine sichere, seriöse Stellung haben muß. Mein Sohn besitzt kein Vermögen, und doch ist er bereit, Ihnen sein mütterliches Erbteil abzutreten. Und nähme er tatsächlich das Opfer an, das Sie ihm bringen wollen, so würde er es seiner Ehre und Würde schuldig sein, Ihnen zum Ausgleich diese Schenkung zu machen, durch die Sie stets vor wirklicher Not geschützt sein würden. Doch dieses Opfer kann er nicht annehmen, denn die Welt, die Sie nicht kennt, würde dieser Einwilligung unehrenhafte Beweggründe unterschieben, und von solchem Makel muß unser Name frei bleiben. Man würde nicht danach fragen, ob Armand Sie liebt, ob Sie ihn lieben, ob diese geteilte Liebe für ihn ein Glück und für Sie die Wiederherstellung Ihrer Ehre ist. Man würde nur das eine sehen: daß Armand Duval es geduldet hat, daß eine Kurtisane – verzeihen Sie, mein Kind, daß ich die Dinge beim Namen nennen muß – für ihn ihren ganzen Besitz verkauft hat. Und dann würde der Tag der Vorwürfe und der Reue kommen, verlassen Sie sich darauf, für Sie wie für alle anderen, und Sie beide würden Fesseln tragen, die Sie nicht mehr abwerfen könnten. Was würden Sie dann tun? Ihre Jugend wäre dahin, die Zukunft meines Sohnes wäre zerstört, und ich, sein Vater, hätte nur von einem meiner Kinder den Dank erhalten, den ich von beiden erwartete.

Sie sind jung, Sie sind schön, das Leben wird Sie trösten. Sie haben ein edles Herz, und die Erinnerung an eine gute Tat wird so manches Vergangene wiedergutmachen. In den sechs Monaten, die er Sie nun kennt, hat Armand mich ganz vergessen. Viermal habe ich ihm geschrieben, und er hat mir nicht geantwortet. Ich könnte schon gestorben sein, und er hätte es nicht gemerkt!

Wie auch immer Ihr Entschluß aussehen mag, anders zu leben als bisher, so wird sich doch Armand trotz seiner Liebe zu Ihnen nicht mit der Zurückgezogenheit abfinden können, zu der seine bescheidenen Mittel Sie beide verurteilen würden, und für die Ihre Schönheit nicht geschaffen ist. Wer weiß, was er dann tun würde? Er hat gespielt, ich habe davon erfahren. Er hat Ihnen nichts davon gesagt, auch das weiß ich. Doch in einem Augenblick der Kopflosigkeit hätte er ein gut Teil dessen verspielen können, was ich in all den Jahren für die Mitgift meiner Tochter, für ihn und für meine alten Tage zusammengespart habe. Was noch nicht geschehen ist, kann ja noch kommen.

Und dann, sind Sie sich denn sicher, daß das Leben, das Sie für ihn aufgeben wollen, Sie nicht doch eines Tages wieder reizen könnte? Sind Sie sich sicher, da Sie ihn geliebt haben, nie wieder einen anderen lieben zu können? Und würden Sie nicht darunter leiden, daß Ihr Verhältnis eine Fessel für Ihren Geliebten sein wird, über die Sie ihn vielleicht nicht hinwegtrösten könnten, wenn mit dem Alter ehrgeizige Pläne den Liebesträumen folgen? Das sollten Sie alles bedenken, Madame. Sie lieben Armand, beweisen Sie es ihm durch das einzige, womit Sie es ihm überhaupt noch beweisen können: indem Sie Ihre Liebe seiner Zukunft opfern. Noch ist kein Unglück geschehen, aber das wird noch kommen, und vielleicht wird es schlimmer sein, als ich es mir ausmalen kann. Armand wird vielleicht auf einen Ihrer ehemaligen Liebhaber eifersüchtig werden. Er könnte ihn herausfordern, sich schlagen, vielleicht sogar am Ende getötet werden. Und denken Sie auch daran, welche Qualen Sie dann leiden werden, wenn der Vater vor Ihnen stehen und Sie für das Leben seines Sohnes zur Rechenschaft ziehen wird.

Und dann, mein Kind, müssen Sie noch etwas wissen, denn alles habe ich Ihnen noch nicht gesagt, und Sie sollen jetzt erfahren, was mich nach Paris geführt hat. Ich habe eine Tochter, das habe ich schon gesagt, jung, schön, unschuldig wie ein Engel. Sie liebt einen Mann, und auch sie hat diese Liebe zum Traum ihres Lebens gemacht. Ich habe das alles Armand geschrieben, doch er war so mit Ihnen beschäftigt, daß er mir nicht geantwortet hat. Nun ja, meine Tochter will heiraten. Sie heiratet den Mann, den sie liebt, und wird in eine ehrenwerte

Familie kommen, die darauf sieht, daß auch bei uns alles ehrenhaft ist. Die Familie dieses Mannes hat davon erfahren, was für ein Leben Armand in Paris führt, und nun hat mir mein zukünftiger Schwiegersohn eröffnet, daß er die Verlobung lösen wird, falls Armand weiterhin an diesem Leben festhält. Das Schicksal eines Kindes, das Ihnen nichts getan und das ein Recht auf eine schöne Zukunft hat, liegt in Ihren Händen.

Glauben Sie, das Recht und die Kraft zu haben, sie zu zerstören? Im Namen Ihrer Liebe und Ihrer Reue, Marguerite, verhelfen Sie meiner Tochter zu ihrem Glück.«

Ich weinte stille Tränen, Armand, als ich mir all diese Überlegungen anhörte, die ich selbst schon so oft angestellt hatte und die nun aus dem Munde Ihres Vaters ein noch stärkeres Gewicht erhielten. Ich sagte mir all das, was Ihr Vater mir nicht zu sagen wagte, was ihm aber wohl zwanzigmal auf der Zunge gelegen hatte: daß ich eben doch nichts weiter als eine Kurtisane war und daß unser Verhältnis, wie auch immer ich es rechtfertigen würde, stets nach Berechnung aussehen müßte; daß meine Vergangenheit mir nicht das Recht gab, von einer solchen Zukunft zu träumen, und daß ich eine Verantwortung auf mich lud, für die mein Lebenswandel und mein Ruf nicht bürgen konnten. Doch ich liebte Sie, Armand. Die väterliche Art, mit der Monsieur Duval zu mir sprach, das Ehrgefühl, das er in mir wachrief, der Gedanke, daß ich damit die Achtung dieses redlichen alten Mannes gewinnen würde und später gewiß auch die Ihre, all das weckte edle Gefühle in mir, die mich in meinen eigenen Augen erhoben und eine mir bisher unbekannte, fromme Eitelkeit in mir ansprachen. Wenn ich mir vorstellte, wie dieser alte Mann, der mich um das Wohl seines Sohnes anflehte, eines Tages zu seiner Tochter sagen würde, sie solle meinen Namen als den einer geheimnisvollen Freundin in ihre Gebete einschließen, dann fühlte ich mich ganz verwandelt und war stolz auf mich selbst.

Die momentane Begeisterung ließ mich diese Empfindungen für wirklicher halten, als sie waren, doch ich empfand es so, Armand, und diese neuen Gefühle brachten all das zum Schweigen, was mir die Erinnerung an die glücklichen Tage mit Ihnen einflüstern wollte.

»Es ist gut, Monsieur«, sagte ich zu Ihrem Vater und wischte meine Tränen fort, »glauben Sie, daß ich Ihren Sohn liebe?«

»Ja«, antwortete er.

»Und daß diese Liebe selbstlos ist?«

»Ja.«

»Glauben Sie auch, daß diese Liebe meine Hoffnung war, mein Traum und die Sühne für mein Leben?«

»Davon bin ich überzeugt.«

»Gut, Monsieur, dann umarmen Sie mich, wie Sie Ihre Tochter umarmen würden, und ich schwöre Ihnen, daß dieser Kuß, der einzig wirklich reine Kuß, den ich erhalten habe, mich gegen meine Liebe stark machen wird, und daß Ihr Sohn binnen acht Tagen wieder bei Ihnen sein wird – vielleicht unglücklich für einige Zeit, aber geheilt für immer.«

»Sie haben ein edles Herz«, antwortete Ihr Vater und küßte mich auf die Stirn, »und Sie fassen da einen Entschluß, den Gott Ihnen danken wird. Doch ich fürchte, daß Sie damit bei meinem Sohn keinen Erfolg haben werden.«

»Oh, seien Sie nur unbesorgt. Hassen wird er mich.«

Es mußte nun ein für uns beide gleichermaßen unübertretbares Hindernis geschaffen werden.

Ich schrieb Prudence, daß ich das Angebot des Grafen de N. annehmen wolle. Sie möchte ihm ausrichten, daß wir am Abend alle drei zusammen speisen werden.

Ich versiegelte den Brief und gab ihn Ihrem Vater, ohne ein Wort über den Inhalt zu verlieren, mit der Bitte, ihn gleich nach seiner Ankunft in Paris bei der angegebenen Adresse abzugeben.

Er wollte jedoch wissen, was er enthielt.

»Das Glück Ihres Sohnes«, gab ich ihm zur Antwort.

Ihr Vater küßte mich noch ein letztes Mal. Ich fühlte auf meiner Stirn zwei Tränen der Dankbarkeit, die mich gleich einer Taufe von meinen früheren Sünden reinzuwaschen schienen, und in dem Augenblick, als ich den Entschluß faßte, mich einem anderen Mann hinzugeben, strahlte ich vor Stolz bei dem Gedanken daran, was ich durch diese neue Sünde wieder gutmachen werde.

Das war ganz natürlich, Armand, schließlich hatten Sie mir gesagt, Ihr Vater sei der rechtschaffenste Mann, den man sich nur denken könne.

Monsieur Duval stieg in seinen Wagen und fuhr ab.

Doch war auch ich nur eine Frau, und als ich Sie wiedersah, mußte ich unwillkürlich weinen, aber mein Entschluß kam nicht ins Wanken.

Habe ich recht getan? Heute frage ich mich das, da ich krank im Bett liege und es wohl nicht mehr lebend verlassen werde.

Sie haben selbst gesehen, was ich gelitten habe, je näher die Stunde unserer unvermeidlichen Trennung rückte. Ihr Vater war nicht mehr da, um mich in meinem Entschluß zu stärken, es gab Augenblicke, in denen ich kurz davor stand, Ihnen alles zu gestehen, so sehr schreckte mich der Gedanke, daß Sie mich hassen und verachten würden.

Sie werden es mir vielleicht nicht glauben, Armand, doch ich betete zu Gott, er möge mir die nötige Kraft geben, und als Beweis, daß er mein Opfer annahm, schenkte er mir die ersehnte Kraft.

Auch beim Abendessen hatte ich noch Beistand nötig, denn ich wollte gar nicht wissen, was ich tat, da ich zu sehr fürchtete, daß mein Mut dann sinken werde!

Wer hätte je gedacht, daß Marguerite Gautier beim Gedanken an einen neuen Liebhaber so sehr leiden könnte?

So trank ich, um vergessen zu können, und als ich am folgenden Tag erwachte, lag ich im Bett des Grafen.

Das ist die ganze Wahrheit, mein Freund, urteilen Sie

selbst und verzeihen Sie mir, wie auch ich Ihnen all das Leid verziehen habe, das Sie mir seit jenem Tag angetan haben.

XXVI

Was auf diese schicksalhafte Nacht folgte, das wissen Sie so gut wie ich, doch Sie können nicht wissen, können nicht ahnen, was ich seit unserer Trennung gelitten habe.

Ich erfuhr, daß Ihr Vater Sie mitgenommen hatte, aber ich dachte mir schon, daß Sie es nicht lange fern von mir aushalten würden, und so war ich an dem Tag, als wir uns in den Champs-Elysées begegnet sind, zwar bestürzt, aber nicht überrascht.

Dann begann diese Reihe von Tagen, deren jeder mir eine neue Beleidigung bescherte, die ich freudig hinnahm, denn sie bewiesen mir nicht nur, daß Sie mich noch liebten, ich fühlte auch, je mehr Sie mich verfolgten, desto größer würde ich in Ihren Augen erscheinen an dem Tag, an dem Sie die Wahrheit erführen.

Dieses so freudig angenommene Martyrium sollte Sie nicht wundern, Armand, die Liebe, die Sie mir geschenkt haben, hat mein Herz mit edlem Feuer erfüllt.

Doch ich bin nicht gleich zu Anfang so stark gewesen.

Zwischen dem Opfer, das ich Ihnen zuliebe gebracht hatte, und Ihrer Rückkehr war eine recht lange Zeit verstrichen, in der ich zu künstlichen Mitteln greifen mußte, um nicht wahnsinnig zu werden und um das Leben, in das ich mich gestürzt hatte, nicht wahrnehmen zu müssen. Prudence wird Ihnen erzählt haben, daß ich auf jedes Fest, auf jeden Ball, zu jedem Gelage ging.

Ich hoffte, meinem Leben durch die Ausschweifung schneller ein Ende zu machen, und ich glaube, diese Hoffnung wird schon bald in Erfüllung gehen. Mein Gesundheitszustand wurde immer schlechter, und an dem Tag, als ich Madame Duvernoy bei Ihnen vorbeischickte, um Sie um Verzeihung zu bitten, war ich an Körper und Seele völlig erschöpft.

Ich will Sie nicht daran erinnern, Armand, wie Sie mir diesen letzten Beweis meiner Liebe, den ich Ihnen noch geben konnte, gedankt haben und durch welche Schmach Sie die Frau aus Paris vertrieben haben, die, schon dem Tode nah, Ihrem Flehen nicht widerstehen konnte, als Sie sie um eine Liebesnacht baten, und die so wahnsinnig war, einen Augenblick daran zu glauben, Vergangenheit und Zukunft wieder verknüpfen zu können. Sie hatten das Recht, so zu handeln, wie Sie es getan haben: Man hat mir meine Nächte nicht immer so teuer bezahlt!

Da habe ich alles aufgegeben! Olympe hat mich beim Grafen de N. ersetzt, und wie man mir gesagt hat, hat sie sich alle Mühe gegeben, den Grafen über die Beweggründe für meine Abreise zu unterrichten. Der Graf de G. hielt sich damals gerade in London auf. Er ist einer von den Männern, denen die Liebe mit Mädchen wie mir nur insofern etwas bedeutet, als sie ein angenehmer Zeitvertreib für ihn ist, die weiterhin die Freunde der Frauen bleiben, die sie einmal gehabt haben, und keinen Haß kennen, da sie niemals eifersüchtig gewesen sind. Kurz, er ist einer jener Grandseigneurs, die uns ihr Herz nur halb, aber ihre Börse ganz öffnen. Ich hatte sogleich an ihn gedacht. Ich fuhr zu ihm. Er empfing mich aufs beste, doch er war dort drüben der Geliebte einer Dame von Welt und fürchtete sich zu kompromittieren, wenn er sich mit mir zeigen würde. Er stellte mich seinen Freunden vor. Sie gaben ein Abendessen, und danach nahm mich einer von ihnen mit.

Was hätte ich anderes tun sollen, mein Freund? Mich umbringen? Damit hätte ich nur Ihr Leben belastet, das frei sein soll von nutzloser Reue. Und wozu sich noch töten, wenn der Tod schon so nah ist?

Fortan wurde ich zu einem seelenlosen Körper, einem gedankenlosen Etwas. Eine Zeitlang lebte ich wie ein Automat, dann kehrte ich nach Paris zurück und erkundigte mich nach Ihnen. Da erfuhr ich, daß Sie auf eine lange Reise gegangen waren. Nun hielt mich nichts mehr zurück. Ich führte wieder ein Dasein wie in den zwei Jahren bevor ich Sie kennenlernte. Ich suchte den Herzog wieder zu versöhnen, doch ich hatte diesen Mann zu empfindlich verletzt, und alte Männer sind nicht sehr geduldig, wohl weil sie fühlen, daß sie nicht ewig leben werden. Die Krankheit ergriff von Tag zu Tag stärker von mir Besitz, ich war bleich, traurig und magerte noch mehr ab. Und Männer, die sich die Liebe kaufen, prüfen zuvor ihre Ware. Es gab in Paris gesündere, üppigere Frauen als mich. Ich geriet ein wenig in Vergessenheit. Das sind die Geschehnisse bis zum gestrigen Tag.

Jetzt bin ich richtig krank. Ich habe dem Herzog mit der Bitte um Geld geschrieben, denn ich habe keines, und die Gläubiger sind gekommen und haben mir mit unerbittlicher Beharrlichkeit ihre Rechnungen gebracht. Ob der Herzog mir wohl antworten wird? Warum sind Sie bloß fern von Paris, Armand! Sie kämen mich besuchen, und das würde mir Trost spenden.

20. Dezember

Das Wetter ist furchtbar. Es schneit, und ich bin ganz allein zu Hause. Die letzten drei Tage hatte ich solches Fieber, daß ich Ihnen nicht eine Zeile schreiben konnte. Keine Neuigkeiten, mein Freund; ich hege täglich die ungewisse Hoffnung, einen Brief von Ihnen zu erhalten, doch er kommt nicht und wird wohl gewiß nie mehr kommen. Nur Männer sind stark genug, nicht zu verzeihen. Auch der Herzog hat mir nicht geantwortet.

Prudence hat ihre Gänge ins Leihhaus wieder aufgenommen.

Ständig muß ich Blut spucken. Es würde Sie dauern, wenn Sie mich jetzt sehen könnten. Wie glücklich Sie sind, unter einem warmen Himmel zu sein und keinen eisigen Winter vor sich zu haben, der Ihnen auf der Brust lastet. Heute bin ich ein wenig aufgestanden, habe mich ans Fenster gestellt und durch die Vorhänge dem Pariser Treiben zugesehen, mit dem ich wohl auf immer gebrochen habe. So manch bekanntes Gesicht ist da auf der Straße vorbeigegangen, eilig, fröhlich, unbekümmert. Nicht einer hat zu meinem Fenster heraufgesehen. Und doch haben ein paar junge Männer sich bei mir eintragen lassen. Ich bin ja schon einmal krank gewesen, und Sie, der Sie mich doch gar nicht kannten und der Sie an dem Tag, als Sie mir vorgestellt wurden, von mir nur unverschämt behandelt wurden, Sie sind jeden Morgen vorbeigekommen, sich nach meinem Befinden zu erkundigen. Jetzt bin ich wieder krank. Sechs Monate haben wir zusammen verbracht. Ich hatte so viel Liebe für Sie, wie das Herz einer Frau nur fassen und verschenken kann, und nun sind Sie weit weg und verfluchen mich, und ich erhalte kein Wort des Trostes von Ihnen. Doch allein der Zufall ist schuld daran, daß ich nun so verlassen bin, da bin ich sicher. Denn wären Sie in Paris, so würden Sie beständig an meinem Lager wachen.

25. Dezember

Mein Arzt verbietet mir, täglich zu schreiben. Und er hat ja auch recht damit, denn die Erinnerungen verschlimmern nur mein Fieber. Doch gestern erhielt ich einen Brief, der mir wohlgetan hat, und zwar weit mehr wegen des Mitgefühls, das er zum Ausdruck brachte, als wegen der finanziellen Hilfe, die er mir ankündigte. So darf ich Ihnen heute also schreiben. Der Brief kam von Ihrem Vater und lautete:

Madame,
soeben habe ich erfahren, daß Sie krank sind. Wäre ich jetzt in Paris, käme ich mich persönlich nach Ihrem Befinden erkundigen; und wenn mein Sohn bei mir wäre,

würde ich ihn zu Ihnen schicken. Doch ich kann C. nicht verlassen, und Armand ist sechs- oder siebenhundert Meilen von hier. Gestatten Sie mir darum, Madame, daß ich Ihnen nur in einem Brief zum Ausdruck bringe, wie sehr mich Ihre Krankheit dauert, und seien Sie versichert, daß ich Ihnen von ganzem Herzen baldige Genesung wünsche. Ein guter Freund von mir, Monsieur H., wird bei Ihnen vorsprechen; bitte empfangen Sie ihn. Er wurde von mir mit einer Angelegenheit betraut, deren Erledigung ich mit Ungeduld erwarte.

Hochachtungsvoll

Das ist also der Brief, den ich erhielt. Ihr Vater hat ein edles Herz, Sie müssen ihn aufrichtig lieben, mein Freund; denn es gibt nur wenige Menschen auf Erden, die der Liebe so würdig sind wie er. Dieses mit seinem Namen unterzeichnete Schreiben hat mir mehr Erleichterung gebracht als all die Rezepte unseres berühmten Arztes. Heute morgen ist Monsieur H. hier gewesen. Er schien recht verlegen über die heikle Mission, mit der Ihr Vater ihn beauftragt hatte. Er sollte mir ganz einfach tausend Ecus von Ihrem Vater überbringen. Zuerst wollte ich sie nicht annehmen, doch Monsieur H. sagte mir, wenn ich sie ablehnte, würde das Ihren Vater sehr kränken. Er habe ihn damit beauftragt, mir zunächst diese Summe auszuhändigen und mir auch weiterhin alles zukommen zu lassen, was ich brauche. Ich nahm diesen Dienst an, denn da Ihr Vater ihn mir erweist, kann ich ihn nicht als Almosen betrachten. Falls ich schon gestorben sein sollte, wenn Sie zurückkommen, dann zeigen Sie Ihrem Vater, was ich hier soeben eigens für ihn geschrieben habe, und sagen Sie ihm, daß das arme Mädchen, dem er freundlicherweise diesen Trostbrief geschickt hat, beim Schreiben dieser Zeilen Dankestränen vergossen und für ihn gebetet hat.

Die letzten Tage habe ich sehr große Schmerzen gehabt. Ich wußte gar nicht, wieviel Leid ein Körper zu ertragen vermag. Ach, meine Vergangenheit! Jetzt muß ich sie doppelt büßen.

Jede Nacht hat man an meinem Bett Wache gehalten. Ich bekam keine Luft mehr. Und im übrigen besteht mein trauriges Dasein nur noch aus Fieberträumen und Hustenanfällen.

In meinem Eßzimmer stapeln sich die Bonbonnieren und Geschenke, die Freunde mir gebracht haben. Unter ihnen befindet sich gewiß so mancher, der darauf hofft, daß ich später seine Geliebte werde. Wenn sie sehen könnten, was die Krankheit aus mir gemacht hat, sie würden entsetzt die Flucht ergreifen.

Prudence schickt diese Präsente als ihre eigenen Neujahrsgeschenke weiter.

Es hat Frost gegeben, und der Arzt hat mir gesagt, falls das schöne Wetter anhält, dürfe ich in ein paar Tagen ausgehen.

8. Januar

Gestern bin ich in meinem Wagen ausgefahren. Das Wetter war ganz herrlich. Auf den Champs-Elysées wimmelte es von Menschen. Man hätte es fast für ein erstes Lächeln des Frühlings halten können. Rings um mich her sah alles so festlich aus. Ich hätte nie geglaubt, daß ich je aus einem einzigen Sonnenstrahl soviel Freude, Zufriedenheit und Trost schöpfen könnte. Ich bin fast all meinen Bekannten begegnet, und stets fand ich sie heiter, ganz auf ihr Vergnügen bedacht. Alles glückliche Menschen, die nicht um ihr Glück wissen. Olympe fuhr in einem eleganten Wagen vorbei, den der Graf de N. ihr geschenkt hat. Sie versuchte, mir verächtliche Blicke zuzuwerfen. Sie ahnt ja gar nicht, wie weit ich schon von solchen Eitelkeiten entfernt bin. Ein netter junger Mann, den ich schon seit langer Zeit kenne, fragte mich, ob ich mit ihm und einem seiner Freunde, der nur zu gerne meine Bekanntschaft machen würde, zu Abend essen wolle.

Ich lächelte ihn traurig an und reichte ihm meine fieberglühende Hand.

So entgeistert hat mich noch niemand angeschaut.

Um vier Uhr fuhr ich nach Hause und aß mit großem Appetit. Diese Spazierfahrt hat mir wohlgetan. Wenn ich doch nur wieder gesund werden könnte!

Wie der Anblick des lebendigen Treibens und des Glücks der anderen doch die Lebenslust weckt bei jenen, die sich noch tags zuvor in ihrer Einsamkeit im düsteren Krankenzimmer einen schnellen Tod wünschten.

10. Januar

Diese Hoffnung auf Genesung war nichts als ein Traum. Ich bin wieder ans Bett gefesselt. Mein Leib ist mit Zugpflastern bedeckt, die wie Feuer brennen. Gehen Sie nur diesen Leib feilbieten, für den man einst so teuer bezahlte, Sie würden schon sehen, was man jetzt noch dafür bekommen würde. Wir müssen wohl vor unserer Geburt arg gesündigt haben, oder es muß uns nach unserem Tod ein herrliches Leben bestimmt sein, daß Gott unser Dasein mit allen Qualen der Buße und allen Schmerzen der Prüfung beladen kann.

12. Januar

Ich leide noch immer große Schmerzen. Gestern schickte mir der Graf de N. etwas Geld, und ich habe es zurückgewiesen. Von diesem Mann will ich nichts annehmen. Er ist schuld daran, daß Sie nicht bei mir sind. Ach, all die schönen Tage in Bougival! Wo sind sie hin? Sollte ich je lebend wieder aus diesem Zimmer herauskommen, so will ich auf Pilgerschaft gehen zu dem Haus, in dem wir zusammen gelebt haben. Doch ich werde dieses Zimmer wohl nur als Tote wieder verlassen. Wer weiß, ob ich Ihnen morgen noch werde schreiben können?

25. Januar

Jetzt schlafe ich schon elf Nächte nicht mehr, ersticke fast und glaube, jeden Augenblick sterben zu müssen. Der Arzt hat befohlen, daß man mir keine Feder mehr in die Hand geben darf. Julie Duprat, die bei mir wacht, erlaubt mir noch, Ihnen diese paar Zeilen zu schreiben. Werden Sie also nicht mehr zurückkommen, bevor ich sterbe? Sollten wir uns wirklich nie wiedersehen? Mir ist, als würde ich wieder gesund werden, wenn Sie nur kämen. Doch wozu noch gesund werden?

28. Januar

Heute morgen wurde ich durch einen großen Lärm geweckt. Julie, die in meinem Zimmer schlief, stürzte ins Eßzimmer. Ich hörte Stimmen von Männern, gegen die sie kaum ankommen konnte. Sie kam in Tränen aufgelöst zurück.

Sie sind gekommen, um zu pfänden. Ich sagte ihr, sie solle der sogenannten Gerechtigkeit nur ihren Lauf lassen. Der Gerichtsvollzieher kam in mein Schlafzimmer, den Hut noch auf dem Kopf. Er hat die Schubladen aufgezogen, alles notiert, was er finden konnte, und schien gar nicht zu bemerken, daß eine Sterbende dort in dem Bett lag, das man mir barmherzigerweise noch läßt.

Er ließ sich noch herab, mir zu sagen, daß ich innerhalb von neun Tagen Einspruch erheben könne, doch dann hat er einen Aufseher dagelassen! Was soll nur aus mir werden, mein Gott! Dieser Auftritt hat meine Krankheit nur verschlimmert. Prudence wollte den Freund Ihres Vaters um Geld bitten, aber das habe ich nicht zugelassen.

Heute morgen erhielt ich Ihren Brief. Ich hatte ihn nötig. Wird meine Antwort Sie wohl noch rechtzeitig erreichen? Werden Sie mich noch einmal wiedersehen? Heute ist ein glücklicher Tag, und er läßt mich all die Tage der vergangenen sechs Wochen vergessen. Es will mir scheinen, daß es mir besser geht, trotz dieser trüben Stimmung, in der ich Ihnen geantwortet habe.

Man muß ja auch nicht immer unglücklich sein.

Wenn ich denke, daß ich ja vielleicht gar nicht sterben werde, daß Sie zurückkommen, daß ich den Frühling wiedersehen werde, daß Sie mich noch lieben und wir wieder so leben könnten wie das Jahr zuvor!

Ich Wahnsinnige! Ich kann ja kaum die Feder halten, mit der ich Ihnen diesen irrwitzigen Herzenswunsch niederschreibe.

Was auch immer geschehen wird, Armand, ich habe Sie sehr geliebt, und ich wäre schon lange tot, wenn mich nicht die Erinnerung an diese Liebe aufrecht hielte, und die unbestimmte Hoffnung, Sie noch einmal bei mir sehen zu können.

4. Februar

Der Graf de G. ist wiedergekommen. Seine Geliebte hat ihn betrogen. Er ist sehr traurig, denn er hat sie sehr geliebt. Er kam, um mir das alles zu erzählen. Dem Armen laufen die Geschäfte gar nicht gut, und doch hat er für mich den Gerichtsvollzieher bezahlt und den Aufseher fortgeschickt.

Ich sprach von Ihnen, und er hat mir versprochen, Ihnen von mir zu erzählen. In diesen Augenblicken vergaß ich ganz, daß ich seine Geliebte gewesen bin, und er hat alles getan, mich nicht daran zu erinnern. Er hat ein gutes Herz.

Der Herzog hat sich gestern nach meinem Befinden erkundigen lassen, und heute morgen kam er selbst vorbei. Ich weiß gar nicht, was den Alten noch am Leben hält. Drei Stunden ist er bei mir geblieben und hat kaum zwanzig Worte herausgebracht. Er hat zwei dicke Tränen vergossen, als er sah, wie bleich ich bin. Gewiß hat ihn nur die Erinnerung an den Tod seiner Tochter zum Weinen gebracht.

So wird er sie denn zweimal sterben sehen. Sein Rükken ist gekrümmt, der Kopf neigt sich schon tief, die Lippe hängt ihm schlaff herab, und sein Blick ist erloschen. Alter und Schmerz lasten doppelt auf seinem erschöpften Körper. Er hat mir keinen Vorwurf gemacht. Man hätte fast meinen können, er freue sich im stillen darüber, wie sehr die Krankheit mich zerstört hat. Er schien stolz zu sein, noch herumlaufen zu können, während ich trotz meiner Jugend schon von meinem Leiden verwüstet bin.

Das Wetter ist wieder schlecht geworden. Niemand kommt mich besuchen. Julie wacht bei mir, wann immer sie kann. Prudence, der ich jetzt nicht mehr so viel Geld wie früher geben kann, fängt an, wichtige Geschäfte vorzutäuschen, um fernbleiben zu können.

Jetzt bin ich kurz vorm Sterben, trotz allem, was die Ärzte erzählen – ich habe gleich mehrere, was nur beweist, daß die Krankheit sich verschlimmert hat. Jetzt bereue ich fast, auf Ihren Vater gehört zu haben. Wenn ich gewußt hätte, daß ich Ihnen nur ein Jahr Ihres Lebens stehlen würde, so hätte ich dem Verlangen nicht widerstehen können, es mit Ihnen zu verleben, und so würde ich jetzt im Sterben wenigstens die Hand eines Freundes halten. Freilich wäre ich nicht so rasch gestorben, wenn wir dieses Jahr zusammen verbracht hätten.

Doch Gottes Wille geschehe!

5. Februar

Oh, kommen Sie doch, Armand, ich leide schrecklich, ich werde sterben, mein Gott. Gestern war ich so traurig, daß ich den Abend, der so lang wie der vorherige zu werden versprach, nicht bei mir verbringen wollte. Der Herzog war am Morgen dagewesen. Mir ist, als ließe der Anblick dieses alten Mannes, der vom Tod vergessen wurde, mich noch schneller sterben.

Trotz des heftigen Fiebers, das mich verzehrte, habe ich mich ankleiden und ins Vaudeville fahren lassen. Julie hatte mir Rouge aufgelegt, sonst hätte ich wohl wie eine Leiche ausgesehen. Ich nahm die Loge, in der ich Ihnen unser erstes Rendezvous gab. Ich ließ den Platz, auf dem

Sie damals gesessen haben, nicht aus dem Blick. Gestern saß dort irgend so ein grober Flegel, der lauthals über all die schlechten Witze der Schauspieler lachte. Man hat mich halbtot nach Hause gebracht. Ich mußte die ganze Nacht husten und Blut spucken. Heute kann ich nicht mehr sprechen, kaum daß ich die Arme bewegen kann. Mein Gott! Mein Gott! Ich werde sterben. Ich war darauf gefaßt, doch ich kann den Gedanken nicht ertragen, daß ich noch mehr leiden soll, als ich schon gelitten habe, und wenn . . .

Nach diesem Wort waren die Buchstaben, die Marguerite zu kritzeln versuchte, nicht mehr lesbar. Julie Duprat hatte das Tagebuch fortgesetzt.

18. Februar

Monsieur Armand,

seit jenem Abend, als Marguerite ins Theater gehen wollte, wurde ihre Krankheit von Tag zu Tag schlimmer. Sie verlor ihre Stimme fast vollständig, dann konnte sie sich nicht mehr bewegen. Ich kann Ihnen gar nicht schildern, was unsere arme Freundin leiden muß. Ich bin solche Aufregungen nicht gewohnt und lebe beständig in Angst und Schrecken.

Wie sehr wünschte ich, daß Sie jetzt bei uns wären! Sie liegt fast nur noch im Fieberwahn, doch gleich ob sie phantasiert oder bei klarem Verstand ist, stets ruft sie Ihren Namen, sobald sie auch nur ein Wort zu sprechen vermag.

Der Arzt hat mir gesagt, daß sie nicht mehr lange leben wird. Seit sie so krank ist, hat der Herzog sie nicht wieder besucht.

Er hat dem Arzt erklärt, dieses Schauspiel greife ihn zu sehr an.

Madame Duvernoy führt sich gar nicht gut auf. Diese Frau, die ja fast ganz auf Marguerites Kosten gelebt hat, hat wohl geglaubt, mehr Geld aus ihr herausschlagen zu können, und ist Verpflichtungen eingegangen, die sie jetzt nicht einhalten kann. Und da sie nun sieht, daß ihre Nachbarin ihr nichts mehr nützen kann, kommt sie sie nicht einmal mehr besuchen. Alle haben sie im Stich gelassen. Monsieur de G., der von seinen Gläubigern verfolgt wurde, mußte nach London flüchten. Vor seiner Abreise hat er uns noch ein wenig Geld geschickt. Er hat getan, was er konnte, aber dann sind sie wieder zum Pfänden gekommen und warten jetzt nur noch auf ihren Tod, um mit der Versteigerung zu beginnen.

Ich wollte meine letzten Ersparnisse hergeben, um diese ganzen Verpfändungen zu verhindern, aber der Gerichtsvollzieher hat mir gesagt, das werde nichts nützen, da auch noch andere Rechnungen offenstünden. Da sie jetzt sterben wird, ist es wohl besser, alles aufzugeben, statt es noch für ihre Verwandten zu retten, die sie nicht sehen wollte und die sie ja auch nie geliebt haben. Sie können sich nicht vorstellen, in welch vergoldetem Elend die Ärmste im Sterben liegt. Gestern hatten wir überhaupt kein Geld mehr. Die Bestecke, der Schmuck, die Kaschmirschals, alles ist versetzt, das Übrige verkauft oder verpfändet. Marguerite begreift noch genau, was um sie herum vorgeht, und leidet an Körper, Geist und Seele gleichermaßen. Dicke Tränen laufen ihr über die Wangen, die so hohl sind und so bleich, daß Sie diese einst so geliebte Frau, wenn Sie sie jetzt sehen könnten, wohl kaum wiedererkennen würden. Sie hat mir das Versprechen abgenommen, daß ich Ihnen schreiben werde, wenn sie es selbst nicht mehr kann, und so schreibe ich nun vor ihren Augen. Sie hat den Kopf zu mir gewandt, doch sie kann mich nicht erkennen, ihr Blick ist vom nahen Tod schon ganz verschleiert. Und doch lächelt sie, und all ihre Gedanken und ihr ganzes Herz sind bei Ihnen, dessen bin ich gewiß.

Wann immer sich die Tür öffnet, fangen ihre Augen an zu leuchten, denn sie glaubt dann stets, Sie würden hereinkommen. Und wenn sie dann sieht, daß Sie es nicht sind, nimmt ihr Gesicht wieder diesen leidenden Ausdruck an, kalter Schweiß steht ihr auf der Stirn, und die Wangen werden ganz glühend rot.

19. Februar, Mitternacht

Welch ein trauriger Tag war das heute, Monsieur Armand! Am Morgen bekam Marguerite keine Luft, der Arzt hat sie zur Ader gelassen, und darauf ist ihr kurz die Stimme wiedergekommen. Der Arzt hat ihr geraten, einen Priester rufen zu lassen. Sie willigte ein, und da ist er selbst fortgegangen, um in Saint-Roch[30] einen Pater zu holen.

Inzwischen rief mich Marguerite an ihr Bett und bat mich, ihren Schrank zu öffnen. Sie deutete auf ein Häubchen und ein langes, ganz mit Spitzen besetztes Hemd und sagte mit matter Stimme zu mir: »Ich werde nach der Beichte sterben, und dann wirst du mir das anziehen: Das ist die letzte Eitelkeit einer Sterbenden.«

Daraufhin umarmte sie mich unter Tränen und fügte hinzu: »Ich kann sprechen, aber ich bekomme keine Luft. Ich ersticke! Luft!«

Ich brach in Tränen aus, öffnete das Fenster, und kurz darauf trat der Priester ein. Ich ging ihm entgegen.

Als er erfuhr, zu wem er gekommen war, fürchtete er schon, schlecht empfangen zu werden.

»Treten Sie nur ein, Pater; Sie brauchen nichts zu fürchten«, sagte ich zu ihm.

Er blieb nur kurz im Schlafzimmer der Kranken, und als er wieder herauskam, sagte er zu mir: »Sie hat wie eine Sünderin gelebt, doch sie wird als Christin sterben.«

Kurz darauf kam er in Begleitung eines Chorknaben zurück, der ein Kruzifix trug, und eines Mesners, der vor ihnen herging und die Glöckchen läutete, um anzukündigen, daß Gott zu einer Sterbenden komme.

Dann traten sie alle drei in dieses Schlafzimmer, in dem früher so viele seltsame Worte zu vernehmen waren und das zu dieser Stunde nur noch ein heiliger Schrein war.

Ich fiel auf die Knie. Ich weiß nicht, wie lange der

Eindruck vorhalten wird, den ich von diesem Schauspiel hatte, doch bis zu diesem Augenblick hätte ich nicht geglaubt, daß menschliche Angelegenheiten mich derart ergreifen könnten.

Der Priester salbte Füße, Hände und Stirn der Sterbenden mit heiligem Öl, und dann war Marguerite bereit, in den Himmel einzugehen, wo sie ganz sicher hinkommen wird, wenn Gott darauf sieht, wie sehr sie in ihrem Leben geprüft wurde und wie fromm sie gestorben ist.

Seither sagt sie kein Wort und rührt sich nicht mehr. Wohl zwanzigmal hätte ich sie schon für tot gehalten, wenn ich nicht ihren schweren Atem gehört hätte.

20. Februar, fünf Uhr morgens

Alles ist vorüber.

Marguerites Todeskampf begann heute nacht gegen zwei Uhr. Kein Märtyrer hat solche Qualen durchlitten, so furchtbare Schreie stieß sie aus. Zwei- oder dreimal richtete sie sich kerzengerade im Bett auf, als wolle sie nach ihrem Leben greifen, das schon auf dem Weg zu Gott ist.

Auch rief sie zwei- oder dreimal Ihren Namen, danach verstummte sie und sank erschöpft aufs Laken zurück. Stille Tränen liefen aus ihren Augen, und dann starb sie.

Ich trat zu ihr und rief ihren Namen, doch als sie keine Antwort gab, drückte ich ihr die Augen zu und küßte sie auf die Stirn.

Arme, liebe Marguerite, wie gern wäre ich eine Heilige, damit dieser Kuß dich dem Herrgott empfehlen könnte.

Dann kleidete ich sie an, wie sie es gewünscht hatte, ging in Saint-Roch einen Priester holen, zündete zwei Kerzen für sie an und betete eine Stunde lang in der Kirche.

Das wenige Geld, das ihr noch geblieben war, gab ich den Armen.

Ich verstehe mich nicht gut auf die Religion, doch ich denke, der liebe Gott wird schon erkennen, daß meine

Tränen wahr, mein Gebet inbrünstig und meine Almosen aufrichtig waren, und ich denke auch, daß er Erbarmen mit ihr haben wird, wo sie doch so jung und schön gestorben ist und nur noch mich hatte, um ihr die Augen zu schließen und sie ins Leichentuch zu hüllen.

22. Februar

Heute hat das Begräbnis stattgefunden. Viele von Marguerites Freundinnen sind zur Kirche gekommen. Einige haben aufrichtige Tränen vergossen. Als der Trauerzug den Weg zum Montmartre nahm, gingen nur noch zwei Männer hinter ihrem Sarg her, der Graf de G., der eigens aus London angereist war, und der Herzog, der von zwei Dienern gestützt wurde.

Ich bin hier in ihrer Wohnung, während ich Ihnen diese Einzelheiten schreibe, weine stille Tränen und sitze im düsteren Schein einer Lampe vor einem Abendessen, das ich nicht anrühren kann, wie Sie sich denken können, das mir aber Nanine bringen ließ, da ich seit vierundzwanzig Stunden nichts gegessen habe.

Diesen traurigen Eindrücken werde ich nicht mehr lange nachhängen, denn mein Leben gehört mir sowenig wie Marguerite das ihre, daher schreibe ich Ihnen all diese Geschehnisse gleich an dem Ort auf, an dem sie sich zugetragen haben. Denn ich fürchte, wenn noch allzuviel Zeit verstreicht, bis Sie zurückkehren, werde ich Ihnen diese traurige Geschichte nicht mehr mit aller Genauigkeit schildern können.

XXVII

»Haben Sie es gelesen?« fragte mich Armand, als ich die Aufzeichnungen aus der Hand legte.

»Jetzt verstehe ich, wie sehr Sie haben leiden müssen,

mein Freund, wenn all das wahr ist, was ich hier gelesen habe.«

»Mein Vater hat es mir in einem Brief bestätigt.«

Wir sprachen noch eine Weile über dieses traurige Schicksal, das sich nun erfüllt hatte, und dann ging ich nach Hause, um mich ein wenig zu erholen.

Armand, der zwar immer noch betrübt, aber auch ein wenig erleichtert war, nachdem er nun die Geschichte erzählt hatte, erholte sich rasch, und eines Tages machten wir zusammen Prudence und Julie Duprat einen Besuch.

Prudence war jetzt völlig ruiniert. Sie gab Marguerite die Schuld daran: Sie habe Marguerite während ihrer Krankheit viel Geld geliehen, das sie, Prudence, sich selber über Schuldscheine beschafft habe, aber später nicht habe zurückzahlen können, da Marguerite gestorben sei, ohne ihr das Geld wiederzugeben, und sie ihr nicht einmal Quittungen ausgestellt habe, mit denen sie als Gläubigerin hätte auftreten können.

Mit dieser Geschichte, die Madame Duvernoy überall herumerzählte, um ihre schlechten Geschäfte zu entschuldigen, luchste sie Armand einen Hundertfrancsschein ab; er glaubte zwar nicht daran, gab sich aber den Anschein, als ob, so sehr hatte er Achtung vor allem, was mit seiner Geliebten zu tun hatte.

Darauf gingen wir zu Julie Duprat, die uns noch einmal die traurigen Ereignisse schilderte, deren Zeugin sie gewesen war, und die bei der Erinnerung an ihre Freundin aufrichtige Tränen vergoß.

Schließlich suchten wir noch Marguerites Grab auf, auf dem die ersten Strahlen der Aprilsonne schon die ersten Blätter zum Sprießen gebracht hatten.

Armand blieb noch eine letzte Pflicht zu erfüllen, und zwar mußte er seinen Vater aufsuchen. Er bestand darauf, daß ich ihn auch hierbei begleitete.

Wir fuhren nach C., und Armands Vater war genau so, wie ich ihn mir nach den Schilderungen seines Sohnes vorgestellt hatte: groß, würdig, zuvorkommend.

Er empfing Armand mit Freudentränen und drückte mir herzlich die Hand. Ich stellte bald fest, daß im Herzen des Generaleinnehmers die Vaterliebe alle anderen Gefühle überwog.

Seine Tochter Blanche hatte so klare Augen und einen so unschuldigen Mund, daß man gewiß sein konnte, daß die Seele nur fromme Gedanken kannte und über die Lippen nur gottesfürchtige Worte kamen. Sie freute sich über die Rückkehr ihres Bruders; das unschuldige junge Mädchen wußte ja nichts davon, daß fern von ihr eine Kurtisane ihr Glück allein um ihretwillen geopfert hatte.

Ich blieb einige Zeit im Kreise dieser glücklichen Familie, die nur darauf bedacht war, Armand wieder aufzuheitern.

Dann kehrte ich nach Paris zurück, wo ich diese Geschichte genauso aufgeschrieben habe, wie sie mir erzählt worden ist. Zumindest ein Verdienst wird man ihr also nicht absprechen können: daß sie wahr ist.

Ich ziehe aus dieser Erzählung nicht den Schluß, daß alle Mädchen, die Marguerites Gewerbe nachgehen, fähig sind, so zu handeln, wie sie es getan hat. Das liegt mir fern, doch ich weiß nun, daß eine von ihnen in ihrem Leben wahrhaft geliebt hat, daß sie für diese Liebe gelitten hat und dafür gestorben ist. Ich habe dem Leser alles erzählt, was ich in Erfahrung bringen konnte. Es war mir eine Pflicht.

Ich bin kein Apostel des Lasters, doch ich will ein Anwalt des edlen Unglücks sein, wo immer ich seinen Hilferuf vernehme.

Marguerites Geschichte ist eine Ausnahme, ich wiederhole das. Doch wäre sie etwas Alltägliches gewesen, hätte ich mir nicht die Mühe gemacht, sie niederzuschreiben.

NACHWORT

Bei dem Namen Alexandre Dumas dürfte so mancher Leser unverzüglich an die Romane ›Die drei Musketiere‹ oder ›Der Graf von Montecristo‹ denken, um kurz darauf ins Zögern zu geraten bei der Frage, ob dem Autor der ›Kameliendame‹ denn nun auch diese Werke zuzuschreiben seien.

Alexandre Dumas, der schon zu Lebzeiten »der Ältere« genannt wurde, um ihn von seinem gleichfalls schriftstellernden Sohn zu unterscheiden, erlangte mit seinen Helden Athos, Porthos und Aramis Weltruhm. Die nicht minder berühmte Geschichte von der Liebe und dem tragischen Tod der Kokotte Marguerite Gautier floß aus der Feder des Sohnes. Doch daß dieser eine Kurtisane zum Thema genommen hatte, und welche Haltung er gegenüber den zeitgenössischen sozialen Problemen einnahm, die er in seinen Werken behandelte, liegt nicht unwesentlich in seiner eigenen Biographie begründet.

Dumas der Ältere, dieser abenteuerlustige Lebenskünstler und manische Vielschreiber, verfaßte etwa 300 Romane, die zum Teil in Kollektivarbeit entstanden. Nach einer Kindheit in der Provinz brach er nach Paris auf, wo er sich als Adressenschreiber durchschlug. Zugleich versuchte er, Kontakte zum Theater zu knüpfen. Er verführte seine Zimmernachbarin, die Weißnäherin Catherine Labay; doch als diese ihm am 27. Januar 1824 einen Sohn zur Welt brachte, war er nicht bereit, sein ungebundenes Dasein gegen die Rolle des Familienvaters einzutauschen. Nach seinem ersten Theatererfolg im Jahre 1829 verließ er schließlich die kleine Mansarde, in der das Kindergeschrei ihn störte.

Dumas der Jüngere wuchs bei seiner Mutter auf, einer

ernsten, aufopferungsvollen Frau. Der Junge litt unter der Trennung von seinem Vater. Dumas kümmerte sich zwar um ihn, kam jedoch immer wieder in Geldschwierigkeiten. Das kleine Haus, das er den beiden in Passy eingerichtet hatte, war bald wieder verpfändet, und so war Catherine Labay gezwungen, durch harte Arbeit ihr Brot selbst zu verdienen. Kaum hatte der Vater nämlich Geld, gab er es auch schon – nicht zuletzt für seine Liebschaften – wieder aus und dachte auch weiterhin nur wenig an Heirat. Es waren drei Umstände, die der Sohn ihm immer wieder zum Vorwurf machen sollte und die nicht wenig Einfluß auf dessen eigenes literarisches Schaffen hatten: die Verschwendungssucht, die unbekümmerte Verantwortungslosigkeit und die zahlreichen Mätressen.

Trotz alledem kam es später wieder zu einer Annäherung. Der junge Dumas zog zeitweilig zu seinem Vater, dessen Lebenslust und Hang zum Geschichtenerzählen ihn schon als Kind zugleich fasziniert und geängstigt hatten. In jenen Jahren, in denen Dumas der Ältere seinen Sprößling in die Lehre nahm, erteilte er ihm Lektionen in punkto Lebenskunst und führte ihn in das gesellschaftliche Leben ein – nach der Devise: »Mein Sohn, wenn man die Ehre hat, den Namen Dumas zu tragen, lebt man auf großem Fuße und versagt sich kein Vergnügen.« Und tatsächlich hatte der Sohn Erfolg bei Frauen und war als geistreicher Unterhalter geschätzt. Doch war dies eine Epoche, von der er später sagen sollte: »Mit achtzehn Jahren hatte ich mich kopfüber in jenen Strudel gestürzt, den ich das Heidentum des modernen Lebens nennen möchte.«

Dumas der Ältere hätte es in dieser Zeit gerne gesehen, wenn sein Sohn, der schon früh Talent zu zeigen begann, sich dazu bereit gefunden hätte, mit ihm zusammenzuarbeiten. Aber dieser wollte auf literarischem Gebiet seine eigenen Wege gehen.

1844 lernte Dumas der Jüngere eine der damals gefeiert-
sten Kurtisanen kennen, Marie Duplessis, deren Liebhaber er elf Monate lang sein sollte und deren tragische
Lebensgeschichte ihm zu seinem literarischen Durch-
bruch verhalf: In knapp vier Wochen entstand die ›Kameliendame‹, ein Roman, der seine mitreißende Dramatik nicht zuletzt dem Umstand verdankt, daß er *à chaud*,
mit heißer Feder, geschrieben wurde. Er erschien 1844
und war sofort ein Erfolg. Die vier Jahre später vom
Autor selbst erarbeitete Bühnenfassung wurde zunächst
von der Zensur als »zu unmoralisch« verboten. Das
Theaterstück, das im Gegensatz zur Rückblendetechnik
des Romans linear und chronologisch vorgeht und in
dem den Liebenden – Konzession an eine bühnenwirksa-
mere Dramatik – noch ein letztes kurzes Wiedersehen
beschieden ist, wurde nach dem Staatsstreich vom 2. Dezember 1851 schließlich doch zur Aufführung zugelassen. Das Pariser Publikum war begeistert; die ›Kameliendame‹ war der größte Theatererfolg des 19. Jahrhunderts. Über Eugénie Doche, die erste Darstellerin der
›Kameliendame‹, schrieb der Verfasser: »Beim bloßen
Anblick der Schauspielerin war der Zuschauer bereit, der
Heldin zu verzeihen. Ich glaube nicht, daß irgendeine
andere Frau auf irgendeiner Bühne, und wäre sie noch so
begabt, imstande gewesen wäre, eine so allgemeine
Sympathie für diese neue Schöpfung zu erringen.«
Dumas der Ältere war stolz auf seinen Sohn, von dem
er sagte, er sei sein bestes Kunstwerk. Über das künstle-
rische Schaffen seines Sprößlings schrieb er: »Ich greife
mir meine Stoffe aus meinen Träumen; mein Sohn greift
sie aus der Wirklichkeit. Ich arbeite mit geschlossenen, er
mit offenen Augen. Ich zeichne, er photographiert.«
Und tatsächlich erstaunt es, wie wenig Dumas die Antei-
le der wahren Geschichte im Roman verfälscht hat: die
Versteigerungsszene, die Exhumierung, der Abschiedsbrief Armands und der Tod Marguerites entsprechen oft
bis ins Detail der Wahrheit.

Marie Duplessis wurde 1824 in der Normandie geboren. Eigentlich hieß sie Alphonsine Plessis, doch dieser Name erschien ihr bald nicht mehr wohlklingend und elegant genug. Ihr Vater war Händler, ein lasterhafter und hartherziger Mann, unter dessen Grausamkeiten seine Frau sehr zu leiden hatte. Nachdem sie ihm zwei Töchter geboren hatte, lief sie ihm davon. Marie wuchs auf dem Lande auf und wurde angeblich mit fünfzehn Jahren an Bohemiens verkauft, die sie nach Paris brachten. Dort ging sie bei einer Korsettmacherin und später bei einer Modistin in Stellung. Mit Hilfe des Grafen de Guiche stieg Marie Duplessis von der Grisette zur Edelhure auf und galt fortan in jener Aristokratie der Halbwelt als gefeierte und begehrte Schönheit, um deren Gunst sich die damalige *Jeunesse dorée* eifrig mühte.

Wie im Roman begegnet ihr Dumas in den ›Variétés‹. Dumas' damaliger Freund Eugène Déjazet spielte im wahren Leben die Rolle, die Gaston R. im Roman zukommt, Clémence Prat, eine Modistin und Kupplerin, die gleichfalls auf dem Boulevard de la Madeleine im Hause gegenüber wohnte, diejenige der Prudence Duvernoy. Wie im Roman stürzt sich der junge Dumas in Schulden, um den Ansprüchen seiner Geliebten gerecht zu werden. Das Verhältnis zwischen Dumas dem Jüngeren und Marie Duplessis, das am Tage ihrer Begegnung in den ›Variétés‹ seinen Anfang nimmt, dauert vom September 1844 bis zum August 1845, jenem Monat, in dem es zwischen den beiden Liebenden zum Streit kommt, da der Graf Stackelberg (alias der alte Herzog im Roman) aus ihrem Leben ebensowenig ganz verbannt war wie ihr Liebhaber Perrégaux, der ihr in Bougival ein Haus eingerichtet hatte. Marie Duplessis verstrickte sich in Lügenmärchen, und wurde sie zur Rede gestellt, antwortete sie: »Lügen machen weiße Zähne.« Verärgert über ein solches Verhalten kam Dumas immer seltener zu ihr. Marie Duplessis schrieb ihm: »Mein lieber Adet – warum läßt Du nichts von Dir hören und warum schreibst

Du mir nicht ganz offen? Ich glaube, es ist besser, wenn Du mich nur als eine Freundin betrachtest. Ich warte also auf eine Zeile von Dir und küsse Dich recht zärtlich, wie eine Geliebte oder wie eine Freundin, ganz wie Du willst. Was immer Du wählst, ich bleibe immer Deine ergebene Marie.«

Doch Dumas brach mit ihr und schrieb vor dem Aufbruch zu seiner Reise nach Spanien und Algerien den berühmten Abschiedsbrief, der nach dem Tode Maries aufgefunden wurde. Dumas hütete diesen Brief sorgsam. Am 25. Mai 1882 verehrte er Sarah Bernhardt als Dank für ihre schaupielerische Leistung eine Ausgabe der ›Kameliendame‹, die einzig in ihrer Art war, denn auf Seite 212 fand sich der authentische Abschiedsbrief an Marie Duplessis vom 30. August 1845. Dumas schrieb in einem beigefügten Brief: »Meine liebe Sarah, dieses Schreiben ist das letzte greifbare Ding, das von der Geschichte noch übrigbleibt. Es gebührt Ihnen, will mir scheinen, da Sie dieser toten Vergangenheit wieder neue Jugend und neues Leben geschenkt haben ...«

Alexandre Dumas der Jüngere an Marie Duplessis:
»Meine liebe Marie,
ich bin nicht reich genug, um Sie zu lieben, wie ich es wünschte, noch arm genug, um von Ihnen geliebt zu werden, wie Sie es wünschten. Wir wollen also alle beide vergessen – Sie einen Namen, der Ihnen gleichgültig sein dürfte, und ich ein Glück, das mir unmöglich geworden ist. Ich brauche Ihnen nicht zu sagen, wie traurig ich bin, denn Sie wissen ja bereits, wie sehr ich Sie liebe. So heißt es also: Adieu. Sie haben zu viel Herz, um nicht zu verstehen, was mich veranlaßt, Ihnen diesen Brief zu schreiben, und zu viel Geist, um ihn mir nicht zu verzeihen.
30. August, um Mitternacht.
A. D.«

In den Monaten nach dieser plötzlichen Trennung wurde Marie die Mätresse von Franz Liszt, der sich jedoch weigerte, sein Leben an das der schönen Kurtisane zu binden, und eine geplante gemeinsame Reise nach Konstantinopel immer wieder aufschob. Schon schwer erkrankt, heiratete Marie Duplessis im Jahr darauf am 21. Februar 1846 in London den 29jährigen Grafen Edouard de Perrégaux. Über die Motive für diese Eheschließung wurde viel gemunkelt. Sicher ist, daß die beiden Ehegatten nach der Heirat keinen Kontakt hatten, Marie Duplessis jedoch ihren Wagen und ihr Briefpapier mit dem gräflichen Wappen schmücken ließ.

Maries Krankheit verschlimmerte sich, die Liebhaber machten sich rar, dafür bedrängten ihre Gläubiger sie um so unbarmherziger. Die Ärzte waren nicht mehr in der Lage, die Kranke zu heilen, obgleich diese keine Kosten scheute, die besten Spezialisten zu konsultieren. Sie starb am 3. Februar 1847 mitten im Karnevalstrubel, während vor ihren Fenstern die Pierrots und Colombines ausgelassen durch die Straßen tanzten. Im Augenblick des Todes waren ihr von all ihren Reichtümern nur noch eine Korallenbrosche, ihre Reitpeitschen und zwei kleine Pistolen geblieben, der Rest war verkauft oder verpfändet. Zwei Tage später wurde sie zu Grabe getragen. Zu diesem Zeitpunkt befand sich Dumas noch in Marseille. Am 10. Februar kehrte er nach Paris zurück, genau an dem Tag, an dem ihre Habe versteigert wurde. Dumas selbst erstand Maries goldene Halskette. Den Erlös der Versteigerung, die auch Charles Dickens miterlebte, hatte Marie Duplessis einer Nichte unter der Bedingung vermacht, daß das junge Mädchen nie nach Paris gehen dürfe.

Diese Versteigerung wird später zur Eingangsszene des Romans. Auch die Umbettung der Toten entspricht den Tatsachen: Eine Woche nach der Beerdigung erwarb ihr Gatte, der Graf de Perrégaux, für 526 Francs ein Dauergrab, auf dem heute noch zu lesen steht:

Hier ruht
ALPHONSINE PLESSIS
geb. am 15. Januar 1824
gest. am 3. Februar 1847
De Profundis

Im wirklichen Leben hatte Dumas darauf verzichtet, die Gefallene wieder aufzurichten, im Roman versuchte er sie zu läutern. Die Rolle des Vater Duval, der heroische Verzicht der Kurtisane, die herzzerreißenden Abschiedsbriefe sind reine Erfindung.

Das Motiv der selbstlosen Kurtisane ist uralt, man findet es bereits in der griechischen Literatur oder in der Bibel. In den dreißiger Jahren des 19. Jahrhunderts schien dieses Thema wieder in Mode zu kommen: 1831 wurde Victor Hugos ›Marion Delorme‹ nach zweijähriger zensurbedingter Verzögerung uraufgeführt, ein Drama, in dem die Dirne Marion durch die wahre Liebe geläutert wird; 1838 erschien Balzacs ›Glanz und Elend der Kurtisanen‹.
Dumas' Geschichte nimmt Bezug auf ein weiter zurückliegendes Werk: Ein junger Herr von Stand verliebt sich in eine Grisette, die Leidenschaft steigert sich bis zu einer Hörigkeit, die außer der eigenen Liebesempfindung nichts anderes gelten lassen will und alle gesellschaftlichen Hindernisse niederzurennen sucht – diese Geschichte hat ihren Vorläufer in dem 1731 erschienenen Roman ›Histoire du chevalier Des Grieux et de Manon Lescaut‹ von Antoine François Prévost d'Exiles, ein Buch, dem in der ›Kameliendame‹ geradezu die Rolle eines stumm-beredten Statisten zufällt. Was Manon und Marguerite vereint, ist die Passion, die große, sinnliche Leidenschaft. Doch die beiden Frauen verkörpern zwei verschiedene Typen der Kurtisane: Manon gehört nicht zum sentimentalen Typus, sie ist vielmehr als *femme fatale* gezeichnet, die auf eine naive Art frei von Moral ist und ihren Liebhaber nur so lange liebt, wie dieser Geld besitzt.

Zwar wird sie am Schluß vom Unglück geläutert, doch nicht aus eigener Kraft, sondern nur durch die Liebe des anderen, des ihr willenlos anhängenden Des Grieux.

Es war nicht die literarische Tradition allein, die das Kurtisanenthema in den 40er Jahren des 19. Jahrhunderts so populär machte; in der Julimonarchie und dem Zweiten Kaiserreich war das Kurtisanentum ein wesentlicher Teil des Alltagslebens. Kostspielige Mätressen und eine ausschweifende Lebensweise gehörten zum guten Ton und waren Statussymbole der Neureichen. Mit der Geschichte von der selbstlosen Kurtisane, die aus Rücksicht auf die Zukunft ihres Liebhabers dem väterlichen Drängen nachgibt und ihre Liebe und selbst die Achtung ihres Geliebten opfert, orientierte sich Dumas an dieser zeitgenössischen Wirklichkeit, lieferte dem Leser einen Schuß Frivolität und kam zugleich dem Ordnungsdenken des Bürgertums entgegen, das seine Rechte durch den vierten Stand gefährdet sah. Denn zwei Dinge durften nicht angegriffen werden, wollte man die Bürgerseele nicht brüskieren: der Besitzstand und die gesellschaftliche Ordnung. Und so stehen in der ›Kameliendame‹ der nach Erfüllung einer wahren Liebe strebenden Kurtisane zwei Kontrahenten gegenüber: das Geld und die Gesellschaft. Trotz aller moralischer Attacken und gesellschaftskritischer Fingerzeige verliert der Roman nicht seinen affirmativen Charakter. Seine schärfsten Kritiker, die Gebrüder Goncourt und Zola, distanzierten sich von der Rührseligkeit des Autors, der gesellschaftliche Defizite ästhetisch kompensierte und dabei letztlich die bürgerliche Moral unangetastet ließ. Mit dem Tod der Heldin ist die Gefahr schließlich vorübergezogen, der junge Duval ist auf den Pfad seiner gesellschaftlichen Pflichten zurückgebracht, und es wird keine Mühe gescheut, den schwer Getroffenen in den Schoß der Familie zurückzuholen. Nachdem die Kurtisane dem jungen Herrn von Stand geopfert wurde, endet die Anklage an die Gesellschaft in einem Loblied auf Familie und Rechtschaffenheit.

Diese Ambivalenz zieht sich durch das gesamte literarische Werk Dumas' des Jüngeren, für den – obwohl er zweifellos tiefes Mitleid mit den Kurtisanen empfand – letzten Endes nur zwei Kategorien von Frauen vorstellbar waren: die treue Gattin und die Prostituierte. Im Gegensatz zu seinem unterhaltsamen und leichtlebigen Vater war er schon früh ein Moralist. Immerhin setzte er sich für soziale Reformen ein – vielleicht gerade weil er angewidert war von dem ausschweifenden Pariser Leben, in dem er sich selbst eine Zeitlang getummelt hatte, und nicht zuletzt aufgrund seiner eigenen leidvollen Erfahrungen mit der Rolle des unehelichen Kindes. Er kämpfte für ein Ehescheidungsgesetz, für ein Gesetz über die Feststellung der Vaterschaft und das Erbrecht für uneheliche Kinder.

In der Tat waren dies in der nach-napoleonischen Ära drängende Angelegenheiten. Eine unglückliche Ehe konnte nicht geschieden werden, was eine Frau oftmals dazu verdammte, in einer unerträglichen Situation auszuharren. Die Sitten waren lose – Paris, die vergnügungstolle Hauptstadt, hatte einen Frauenüberschuß von dreißigtausend, und besaß ein gefallenes Mädchen nicht die Schönheit oder das Glück, durch Protektion in die Aristokratie der Halbwelt aufzusteigen, so mußte es als *Grisette* ein hartes Leben auf der Straße führen. Daß es keinen Vaterschaftsnachweis gab, war kein geringes Problem. Wurde eine nichtverheiratete Frau schwanger, so war sie auf die Großherzigkeit des Mannes angewiesen, und selbst wenn der Vater das Kind anerkannte, hatte es dennoch vor dem Gesetz kein Recht auf das väterliche Erbe.

Dies war auch das Schicksal von Dumas' Mutter Catherine Labay. Im Juli 1824 überzeugte sich ein Standesbeamter gemäß den Vorschriften des Artikels 15 des *Code Napoléon* von der Existenz eines neugeborenen Kindes männlichen Geschlechts. Doch der *Code Napoléon* kannte nur drei Arten von Geburten: ehelich, ehebrecherisch und blutschänderisch. Da der Artikel 340 die *recherche de la paternité* im Falle einer ehebrecherischen Verbindung verbot und Catherine Labay Dumas dem Älteren ein gerichtliches Verfahren wegen eines Vergehens gegen die Strafbestimmung über Blutschande ersparen wollte, gab sie schließlich an: Geburt: unehelich, Verhältnis: ehebrecherisch, Vater: unbekannt.

In seinen Werken klagte Dumas diese Zustände an; doch was die Kritiker ihm vorwarfen, war die selbstgerechte Haltung des allen Tadels enthobenen Moralisten. Flaubert ärgerte sich, neben all dem Lob, das er über den Autor äußerte, über die von Dumas in philosophisch-moralischen Betrachtungen zur Schau gestellte Besserungswut: »Was will er eigentlich? Die Menschheit ändern, etwas Schönes schreiben oder Deputierter werden?«

Auch in der ›Kameliendame‹ hebt Dumas den Zeigefinger und gibt dem Leser nützliche Ratschläge mit auf den Weg. So manche predigthafte Passage möchte man ihm gerne streichen; sie wirken wie künstlich hineinmanövriert, tun oft in der Handlung nichts zur Sache und dürften auf den heutigen Leser eher ermüdend wirken.

Dumas selbst sollte in seinem Leben allerdings mehr als einmal jene Rolle spielen, die er in seinen Stücken und Romanen so sehr anprangerte: Im Jahre 1851 hatte er ein ehebrecherisches Verhältnis mit der russischen Gräfin Nesselrode und später, im Jahre 1855, mit der Fürstin Naryschkine, mit der er eine Tochter zeugte und die er erst im Jahre 1864, nach dem Tod ihres Gatten, heiraten konnte. Und seine letzte Liebe, Henriette Régnier, die vierzig Jahre jünger war als er selbst, heiratete er kurz vor seinem Tod im Jahre 1895, nachdem seine Frau gestorben war.

Um 1859 waren Vater und Sohn etwa gleich berühmt, und nach dem Tod seines Vaters im Jahre 1870 überstieg der literarische Ruhm Dumas' des Jüngeren sogar den seines Vaters, der sich brüstete, dem literarischen Massenpublikum durch den Feuilletonroman fünf Jahrhunderte französischer Geschichte vertrauter gemacht zu haben, als es die popularisierende Geschichtsschreibung je vermocht hätte. Dumas der Jüngere war damals vor allem durch seine Theaterstücke bekannt; 1875 wurde er in die ›Académie française‹ aufgenommen. Doch seine Stücke sind so thesenhaft den zeitbedingten Problemen verpflichtet, daß sie für das heutige Theater nicht mehr interessant sind.

Zeitlebens verband ihn mit der berühmt-berüchtigten Schriftstellerin George Sand ein freundschaftliches Verhältnis. Diese Freundschaft nahm ihren Anfang, als der Zufall ihm an der polnischen Grenze den Briefwechsel zwischen George Sand und Chopin in die Hände spielte, den er ihr persönlich zu ihrem Landsitz Nohant überbrachte. Nach dieser Begegnung schrieben sie sich zahlreiche Briefe, in denen sie sich mit »Mein lieber Sohn« und »Liebe Maman« anredeten. Und tatsächlich spielte George Sand eine Mutterrolle im Leben dieses melancholischen und oft mutlosen Mannes, dem sie bei seinen Anfällen von Hypochondrie eine gute Trösterin war und dem sie in ihren Briefen Zuversicht einzuflößen suchte. Bei seinen Besuchen versuchte sie stets, Dumas mit ihrem eigenen Optimismus anzustecken. George Sand trat in ihren Romanen und Schriften vehement für die Emanzipation der Frau ein, und doch arbeiteten Sand und Dumas auch auf literarischem Gebiet eng zusammen: Sie schilderte ihm die Misere ihrer eigenen Ehe – Dumas machte daraus ein Theaterstück, ›L'Ami des Femmes‹, in dem er im Hinblick auf das moralische Verhalten der Frau einen Pessimismus vertrat, den George Sand niemals billigen konnte. Doch ihre Freundschaft blieb stets ungetrübt. 1862 etwa schrieb Dumas George Sands Roman ›Der Marquis de Villemer‹ zum Theaterstück um und überließ ihr sämtliche Autorenrechte.

Am 7. Oktober 1851 äußerte sich George Sand zur ›Kameliendame‹. Sie schrieb aus Nohant an Alexandre Dumas den Jüngeren: »Ich habe mit Ergriffenheit diesen schönen Roman zu Ende gelesen, der nur einen Fehler hat, nämlich daß er zu kurz ist.« Und auch heute noch vermag die Geschichte von der Kurtisane, die aus dem Kampf gegen eine ungerechte und verlogene Gesellschaft als moralische Siegerin hervorgeht, zu fesseln und zu rühren. Und es stellt sich die Frage, warum das so ist. Nun, Dumas' Roman war beste bürgerliche Unterhaltungsliteratur. Sein Erfolg ließe sich mit dem unserer heutigen TV-Familienserien vergleichen. Dumas orientierte sich am Geschmack des Massenpublikums und wußte überaus geschickt dessen Leserwünsche zu befriedigen. Obgleich die ›Kameliendame‹ nicht fürs Feuilleton geschrieben wurde, steht sie doch in der Tradition des Feuilletonromans, und das bedeutet: Dumas beherrscht sein Handwerk, er weiß Spannung zu erzeugen, der Handlungsaufbau ist gekonnt. Mittels einer durchdachten Strategie der Leserlenkung gelingt es ihm, Widersprüchliches zu vereinen: Der Kurtisane gilt alle Sympathie und alles Mitleid des Lesers, ohne daß Armand am Ende als verachtenswerter Bösewicht dastehen müßte. Durch geschicktes Lavieren zwischen beiden Fronten bekommt der Leser zu seiner Unterhaltung ein wenig Frivolität (das Lokalkolorit der Halbwelt), einen Schuß Morbidität (die romantische Modekrankheit Schwindsucht), ein wenig Schauerromantik (die Exhumierung), ohne daß seine Standesinteressen durch eine tatsächliche Vermählung von Prostitution und Bürgertum verletzt würden. Dumas weiß genau, daß seine Heldin, die nicht zuletzt durch ihre ergreifenden Abschiedsbriefe die Herzen der Leser erobert hat, von ihrem Geliebten nicht kaltblütig zur Wahrung der Standesehre geopfert werden darf – und weiß auch dafür eine Lösung. Die Gründe für Marguerites Verhalten erfährt Armand erst am Schluß – dazu noch gefiltert durch die vermittelnde Sicht der Kur-

tisane, die ihrem eigenen Verzicht bejahend gegenüber-
steht –, in einem Moment, in dem der Konflikt bereits
völlig entschärft ist und Armand sich der Entscheidung,
ob er dem väterlichen Gebot zuwiderhandeln soll, entho-
ben sieht: denn Marguerite ist ja bereits tot. Nun kann sie
um so hemmungsloser beweint werden.

Am 2. Februar 1852 wurde die ›Kameliendame‹ im ›Théâtre Vaudeville‹ uraufgeführt. Unter den Zuschauern saß
der 37jährige Giuseppe Verdi, den das Bühnenwerk zu
der ein Jahr darauf vollendeten Oper ›La Traviata‹ inspi-
rierte. Die fünf Akte der Bühnenfassung sind in der Oper
auf drei verkürzt, die Handlung ist geradliniger und kon-
zentriert sich ganz auf Violettas alias Marguerites Kurti-
sanenschicksal. In den folgenden Jahrzehnten hat der
Stoff der Kameliendame nicht zuletzt durch seine zahlreichen Adaptationen Unsterblichkeit erlangt. Es gab etwa
zwanzig Bühnenversionen – mit so berühmten Schauspielerinnen wie Sarah Bernhardt und Eleonore Duse –
und ebenso viele Film-Adaptationen, in denen die Figur
der Kameliendame in immer stärkerem Maße ein Eigen-
leben zu führen begann. Als sie die Kinosäle eroberte,
begann sie im Theater an Bedeutung zu verlieren. 1911
wurde eine Stummfilm-Kurzfassung des Stückes mit der
großen Sarah Bernhardt gedreht. Im Laufe der Jahre
folgten weitere Verfilmungen, etwa mit Greta Garbo in
der Rolle der sich langsam im Fieber verzehrenden Heldin. In einer späteren Verfilmung von Mauro Bolognini
interessiert mehr die Epoche und der Mythos, der sich
um die wahre Geschichte rankte: Mit Isabelle Huppert in
der Hauptrolle wird die fiktive Romangestalt konse-
quent vernachlässigt und die Biographie der »wahren«
Kameliendame in den Vordergrund gestellt.
    Auch die Ballettwelt fühlte sich immer wieder von
dem Stoff angezogen. 1946 brachte John Taras eine erste
›Kameliendame‹ auf die Tanzbühne; dem Beispiel folgten weitere namhafte Choreographen, darunter Maurice

Béjart (Brüssel, 1973) und John Neumeier (Stuttgart, 1978). Neumeiers Ballett, das in New York mit Begeisterung gefeiert, in Frankreich jedoch eher kritisch aufgenommen wurde, ist wohl die sensibelste Auseinandersetzung mit dem ursprünglichen Stoff. Mit einem Prolog, drei Akten und einem Epilog, dem als musikalische Grundlage verschiedene Klavierkompositionen Frédéric Chopins dienen, hält sich Neumeier mit kleinen Abweichungen getreu an die Romanhandlung und rollt die Geschichte der Kameliendame vom Ende her auf. Auch die Spiegelung Marguerites in ihrer literarischen Vorgängerin wird beibehalten und umgesetzt: In Neumeiers Choreographie wird bei der Begegnung der beiden Protagonisten in den ›Variétés‹ das Stück ›Manon Lescaut‹ gegeben. Marguerite sieht sich durch die Figur der Kokotte an ihr eigenes Schicksal gemahnt und wird bis in den Tod von der alptraumhaften Vision verfolgt.

Literarische Werke, die nur die Aktualität nachzeichnen, fallen zusammen mit der Mode, die sie hervorgebracht haben, dem Vergessen anheim. Dumas' Stücke werden heute weder gelesen noch gespielt, seine Ideen kommen uns vielleicht etwas altmodisch vor. Doch die zahlreichen künstlerischen Umsetzungen der ›Kameliendame‹ beweisen, wie lebendig Dumas' Version der selbstlosen Kurtisane noch immer ist. Denn Mythen sind langlebig. Das Grab der Marie Duplessis ist noch heute das meistgeschmückte Grab des Montmartre.

Michaela Meßner

ANMERKUNGEN

1 Das *Théâtre des Italiens:* gegen 1781 auf dem Grundstück des Hôtel de Choiseul-Steinville eingerichtet, diente zur Unterbringung der italienischen Schauspieler, die bis dahin im Hôtel de Bourgogne, Rue Montorgeuil, logierten. Nach seinem Umbau wurde es zur Opéra Comique.

2 *Boulle, André Charles:* Kunstschreiner (Paris, 1642–1732), Ebenist Ludwigs XIV.; entwarf und fertigte gemeinsam mit seinen Söhnen Prunkmöbel und Innendekorationen für Versailles. Seine Möbel, von klarer und einfacher Grundform, sind mit reichen Einlagen von gefärbten Hölzern, Elfenbein, Schildpatt, Perlmutter und Messing geschmückt, die außer Ornamenten auch Blumen, Vögel und Schmetterlinge darstellen. Alle Arbeiten zeichneten sich durch handwerkliche Vollendung aus und waren so empfindlich, daß es heute kaum noch Exemplare gibt, die nicht mehrfach restauriert wurden.

3 *Aucoc und Odiot:* berühmte Goldschmiede. Odiot ist der größte Goldschmied des Empire-Stils.

4 *Vincent Vidal:* Porträtmaler (1811 1887), Schüler von Paul Delaroche, porträtierte vorwiegend die elegante Gesellschaft des damaligen Paris.

5 *Variante der Ausgabe von 1872:* »Nur mit einem Lachen nannte man den Grund für diesen Farbwechsel, den ich hier anführe, ohne ihn erklären zu wollen.«

6 *Bagnères:* In der Ausgabe von 1872 heißt es Bagnères-de-Bigorre (Hautes Pyrénées); dort heilte man damals Anämien. Bei dem »alten Herzog«, von dem hier die Rede ist, handelt es sich in Wirklichkeit um den Grafen Stackelberg, den ehemaligen Gesandten des Zaren am Hof von Österreich, der in Paris lebte und Marie Duplessis am Boulevard de la Madeleine eine herrliche Wohnung einrichtete.

7 *Tony:* Ein Pferdehändler, der damals sehr in Mode war.

8 *Histoire du Chevalier des Grieux et de Manon Lescaut:* Roman von Antoine-François Prévost d'Exiles (1697–1763), er-

schienen 1731. Der Roman erzählt die Geschichte von der vergnügungssüchtigen Kokotte Manon, der der junge Chevalier willenlos ergeben ist. Unter Verzicht auf seine Karriere entführt er sie nach Paris und kämpft um ihre Liebe. Sie betrügt ihn mit dem wohlhabenden Steuerpächter Monsieur de B., der dem Vater seines Rivalen den Aufenthaltsort des Sohnes hinterbringt. Nach der erzwungenen Trennung führt der Zufall Manon und Des Grieux ein Jahr später wieder zusammen. Des Grieux hat in dem abenteuerlichen Leben, das sie nun führen, immer wieder unter ihrer Untreue zu leiden. Um den Geldsorgen zu entkommen, läßt er sich zum Falschspieler ausbilden. Nach dem erfolglosen Versuch, den ältlichen Lüstling Monsieur de G. M. zu prellen, landet Manon im Arbeitshaus. Des Grieux befreit sie mit Hilfe ihres Bruders, der dabei ums Leben kommt. Es folgt ein ruhiges Leben in einem Versteck in Paris. Ein Racheplan an Monsieur de G. M. scheitert, Manon wird nach Amerika deportiert und Des Grieux folgt ihr nach. Doch gerade als Manon bereit ist, ihn zu heiraten, müssen sie nach einem Duell wieder fliehen. Manon stirbt an den Strapazen der Flucht, und der vor Schmerz und Trauer halb wahnsinnig gewordene Des Grieux wird von einem Freund nach Europa zurückgebracht.

9 *Marion Delorme:* Drama von Victor Hugo (1831).

10 *Frédéric et Bernerette*: eine Erzählung von Alfred de Musset, 1838.

11 *Fernande:* Roman in drei Bänden von Dumas d. Ä. (1844).

12 *Montmartre:* Auf diesem Friedhof (auf dem Berlioz, die Gebrüder Goncourt, Renan u. a. begraben liegen) befindet sich auch das Grabmal von Alphonsine Plessis, errichtet vom Grafen de Perrégaux, der sie im Jahre 1846 heimlich geehelicht hatte. Und auf diesem Friedhof wurde Dumas 1895 auf seinen ausdrücklichen Wunsch hin ein paar hundert Meter vom Grabe seiner Heldin entfernt beigesetzt.

13 Berühmte Modeboutique um die Mitte des 19. Jhs.

14 Französischer Schriftsteller, Kritiker und Humorist (1808–1890); seine Hauptwerke: *Sous les tilleuls* (1832), *Voyage autour de mon jardin* (1845), *Les Soirées de Sainte-Adresse* (1853). Vor allem bekannt für seine monatlich in *Les Guêpes* erschienenen Pamphlete, die vorwiegend gegen Louis-Napoléon gemünzt waren.

15 *Café Anglais:* zusammen mit dem Café Riche, dem Café de Paris, der Maison Dorée und dem Tortoni eines der prächtigsten Pariser Cafés (es liegt am Boulevard des Italiens Nr. 13). Die ganze Elite traf sich im Café Anglais, das 1822 von Paul Chevreuil eröffnet wurde; es zählte 24 Salons, darunter der berühmte große Salon Nr. 16.

16 *Maison d'Or:* eigentlich Maison Dorée, siehe Anmerkung oben.

17 Frz.: *la prudence:* die Vorsicht, die Umsicht.

18 *Aufforderung zum Tanz:* Klavierstück von Carl Maria von Weber (1786–1826).

19 Es handelt sich um Antoine Agénor de Guiche, Herzog von Gramont (1819–1880), der für seine Eleganz berühmt gewesen ist und gegen Ende des Second Empire drei Monate lang als Außenminister tätig war.

20 *Die Pferde von Marly:* In Marly-le-roi ließ Ludwig XIV. eine Eremitage erbauen, die später verfiel. Die berühmten *Pferde von Marly* der Bildhauer Coysevox und Couston schmückten damals die Pferdetränke. Heute flankieren sie vor der Pforte der Tuilerien den Eingang zu den Champs-Elysées.

21 Diese Straße liegt im Viertel der Chaussée d'Antin. Zur Zeit des Empire wurde die Zone nördlich dieses Viertels städtisch erschlossen und entwickelte sich in der ersten Hälfte des 19. Jahrhunderts zum Modeviertel. Rossini, Chopin, George Sand, Talma, Bizet, die Herzogin von Agoult und Dumas der Ältere haben hier gelebt.

22 Frz.: *choux:* wörtl. Kohlkopf.

23 *Vaudeville-Theater:* 1791 in der Nähe des Palais Royal gegründet. 1838 brannte es ab und wurde bis 1868 in der Nähe der Börse wieder aufgebaut. Später zog es zum Boulevard des Capucines um.

24 *Café Foy:* am Boulevard des Italiens gelegen, sollte nicht verwechselt werden mit dem Café Foy beim Palais Royal, vor dem Camille Desmoulins am 13. Juli 1789 das Volk zum bewaffneten Kampf aufgerufen hatte.

25 Dieses Restaurant, das sich in der Galerie de Beaujolais befand, war das erste Pariser Restaurant mit Fixpreisen. Ein Stück weiter befand sich das berühmte Restaurant der *Trois frères provençaux,* von dem in Flauberts *Education sentimentale* die Rede ist.

26 *Frascati* war eine Anlage aus Spielsalons und Gärten, die 1796 auf dem Boulevard Montmartre (in etwa auf Höhe der Nr. 23) als Nachahmung der Frascati-Gärten in Neapel eröffnet wurde. Es gab dort ein Hotel, ein Restaurant, eine Spielbank, und es wurden dort Feuerwerke veranstaltet.

27 *Bougival:* kleine Gemeinde im Departement Seine-et-Oise, nördlich von Versailles. Der malerische Ort wurde im 19. Jh. von den Impressionisten aufgesucht und war unter den Parisern ein beliebtes Ausflugsziel für die Entenjagd.

28 *Paul Scudo:* Musikkritiker und Komponist (*L'Année musicale*), Autor des 1846 erschienenen Werkes: *De l'influence du mouvement romantique sur l'art musical et du rôle qu'a voulu jouer H. Berlioz.*

29 *Marguerite:* Gänseblümchen.

30 *Saint-Roch:* eine recht literarische Kirche … Laclos läßt in den *Gefährlichen Liebschaften* Madame de Tourvel in dieser Kirche beten. Corneille und Diderot liegen hier begraben. Manzoni, der Autor von *Die Verlobten*, soll dort zum Glauben zurückgefunden haben. Auch fand dort im Jahre 1840 die Trauung zwischen Alexandre Dumas d. Ä. mit Ida Ferrier statt.

INHALT

Klassiker der französischen Literatur

Abaelard:
Die Leidensgeschichte und der Briefwechsel mit Heloisa · dtv 2190

Henri Alain-Fournier:
Der große Meaulnes · dtv 2308

Charles Baudelaire:
Les Fleurs du Mal Die Blumen des Bösen
Vollständige zweisprachige Ausgabe
dtv 2173

Alexandre Dumas:
Die Kameliendame
dtv 2315

Gustave Flaubert:
Madame Bovary
dtv 2075

Franz. Dichtung
Zweisprachige Ausgabe in vier Bänden

Band 1:
Von Villon bis Théophile de Viau
dtv 2288

Band 2:
Von Corneille bis Gérard de Nerval
dtv 2289

Band 4:
Von Apollinaire bis heute · dtv 2291

Théophile Gautier:
Reise in Andalusien
dtv 2333

Joris Karl Huysmans:
Marthe
Geschichte einer Dirne · dtv 2316

Victor Hugo:
Der Glöckner von Notre-Dame
Neu erarbeitet von Michaela Meßner
dtv 2329

Guy de Maupassant:
Die Liebe zu dritt
Geistreiche Plaudereien über das Leben und die Kunst
dtv 2317

Jules Renard:
Natur-Geschichten
Von Katzen, Fröschen und allerlei Getier · dtv 2297

Jean-Jacques Rousseau:
Julie oder Die Neue Héloïse
dtv 2191

J. H. Bernardin de Saint-Pierre:
Die indische Hütte
dtv 2318

George Sand:
Ein Winter auf Mallorca · dtv 2197

Sie sind ja eine Fee. Madame!
Märchen aus Schloß Nohant · dtv 2197

Nimm Deinen Mut in beide Hände
Briefe · dtv 2238

Nanon
Roman · dtv 2282

Sie und Er
Roman · dtv 2295

Mauprat
Geschichte einer Liebe · dtv 2300

Lelia
Roman · dtv 2311

Jeanne
Roman · dtv 2319

Flavie
Roman · dtv 2327

Stendhal:
Die Kartause von Parma · dtv 2293

Alexis de Tocqueville:
Der alte Staat und die Revolution
dtv 2204

François Villon:
Sämtliche Werke
französisch / deutsch
dtv 2304

Emile Zola:
Nana · dtv 2008

Klassiker der Weltliteratur in vollständigen Ausgaben und Neuübersetzungen

Victor Hugo:
Der Glöckner von Notre-Dame
Auf der Grundlage
der Übertragung von
Friedrich Bremer
Am Original
überprüft und
neu erarbeitet von
Michaela Meßner
dtv 2329

Henryk Sienkiewicz
Quo vadis?

dtv klassik

Wilkie Collins
Die Frau
in Weiß

dtv

Harriet Beecher Stowe
Onkel Toms Hütte

dtv klassik

Henryk Sienkiewicz:
Quo vadis?
Auf der Grundlage
der Übertragung von
J. Bolinski
Am Original
überprüft und
neu erarbeitet von
Marga und Roland
Erb
dtv 2334

Wilkie Collins:
Die Frau in Weiß
Neu übersetzt von
Ingeborg Bayr,
durchgesehen von
Hanna Neves
dtv 11793

Harriet Beecher
Stowe:
Onkel Toms Hütte
Auf der Grundlage
einer anonymen
Übersetzung von
1853
Am Original
überprüft und
neu erarbeitet von
Susanne Althoetmar-
Smarczyk
dtv 2330